La memoria

711

Alicia Giménez-Bartlett

Nido vuoto

Traduzione di
Maria Nicola

Sellerio editore
Palermo

2007 © *Alicia Giménez-Bartlett*

2007 © *Sellerio editore via Siracusa 50 Palermo*
        e-mail: info@sellerio.it
        www.sellerio.it

Giménez-Bartlett, Alicia <1951>

Nido vuoto / Alicia Giménez-Bartlett ; traduzione di Maria Nicola.
- Palermo : Sellerio, 2007.
(La memoria ; 711)
EAN 978-88-389-2204-6
I. Nicola, Maria.
863.64 CDD-21   SBN Pal0207546

CIP - *Biblioteca centrale della Regione siciliana «Alberto Bombace»*

Titolo originale: *Nido vacío*

Nido vuoto

Ringraziamenti

A Margarita García, ispettore capo del Corpo Nazionale di Polizia, per la sua consulenza sempre esatta e paziente, ma anche per la sua passione di lettrice e acutezza nella conversazione. A Miguel Orós, medico e docente di Medicina legale, per i consigli precisi e chiari, di scienziato oltre che di amante del genere *noir*.

Un centro commerciale non è certo il sogno della mia vita per trascorrere un sabato pomeriggio. Ma chi può permettersi di pensare ai sogni quando le necessità, come sempre, s'impongono? Decisi di farmi forza. Sarei uscita due ore prima dal lavoro per dedicarmi agli acquisti. Stesi una lista di tutto quanto mi occorreva e finii per stupirmene io stessa: calzettoni da ginnastica, dischetti per il computer, lampadine, riso integrale, l'ultimo libro di Philip Roth e... stracci per la polvere. Neanche volendolo sarei riuscita a mettere insieme un campionario più eterogeneo. Evidentemente sono una donna dalle esigenze molteplici. Proprio questo mi costringe a recarmi di tanto in tanto in un centro commerciale, il solo luogo al mondo dove tutto coesiste con tutto in insensata contiguità.

Ne scelsi uno non troppo lontano da casa. Mi armai di coraggio, oltre che di carta di credito, e mi avviai verso il tempio del consumo, giurando a me stessa di non perdere la pazienza come di solito mi capita in simili occasioni. Purtroppo i buoni propositi, fondati su un'autoconsapevolezza sempre incerta, hanno poche possibilità di successo. E dire che ce la misi tutta. Parcheggiai in uno degli immensi e sotterranei multipiano disposti allo scopo e cercai con gli occhi un contrassegno, sotto forma di lettera, numero o colore, che mi aiutasse a ritrovare l'auto al mio ritorno. Niente da fare, né numeri, né lettere, né colori, nessuno di questi semplici segnali era in vista. Ci misi un po' a capire che qualche decerebrato aveva avuto la brillante idea di sostituire i codici consueti con figure di animali. Ma certo! Alla mia area di parcheggio corrispondeva un leoncino disneyano con sorrisetto ammiccante. Più in là, scorsi un vezzoso ippopotamo, mentre a pochi metri si estendeva la zona dei canguri. Mio Dio! L'infantilizzazione della nostra società è inarrestabile. Diventa sempre più difficile vivere da adulti, circondati come siamo da cartoni animati. Eppure mi imposi di mantenere la calma. Fare shopping è ritenuta un'attività piacevole, addirittura ludica, per quale motivo avrei dovuto viverla diversamente? Infilai le scale mobili e salii verso i piani di vendita.

A quell'ora le gallerie di negozi non erano affollate. Adottai un ottimistico sorriso interiore e presi a passeggiare lentamente. Non tardai a rendermi conto che gli scarsi clienti del primo pomeriggio erano per lo più ragazzi, riuniti in piccole bande. Non che una simile scoperta richiedesse grande perspicacia: i ragazzi facevano di tutto per non passare inosservati. Gridavano parolacce, camminavano bevendo bibite in lattina e, quel che è peggio, si presentavano in modo spaventoso. I maschi, con la testa rapata (alcuni alla mohicana), calzavano enormi scarpe da ginnastica e avevano le orecchie e la faccia perforate da numerosi piercing; le ragazze, con i capelli tinti di colori impossibili, portavano magliette di cinque taglie troppo piccole e pantaloni cascanti sotto l'ombelico. Sono orribili, pensai, fanno di tutto per cancellare la naturale bellezza della gioventù. A pensarci bene, diceva la stessa cosa mia madre, negli anni della mia adolescenza, ogni volta che mi vedeva uscire con un vecchio cappotto «da poeta maledetto», così lei lo definiva. Eppure era un cappotto niente male, solo un po' logoro. Povera mamma, pensai, se vedesse questi «giovinastri» (espressione sua anche questa) abbandonarsi a comportamenti francamente inadatti alla loro età... Ma forse ero io ad avere idee inadatte alla mia età. Dovevo proprio giudicare il mondo come una zitella inacidita? Potevo ancora aspettare qualche anno prima di diventarlo veramente. E così feci un altro eroico sforzo per scacciare il malumore. Decisi di concedermi un caffè prima dello shopping. A pochi metri, un minuscolo bar aveva sparso i tavolini nella galleria come in una piazzetta all'aperto. Guardai con scetticismo le aiuole di plastica, la fontanella, perfino un paio di lampioni che non gettavano luce. Tutto fasullo. Ma il problema era mio, ero io che non mi adattavo ai tempi. Eppure, cosa potevo farci? Nessuno sarebbe riuscito a togliermi dalla testa che dipingere animaletti in un parcheggio è un'idiozia, che i ragazzi di oggi sono maleducati e malvestiti, e che decorare i negozi con fiori finti è una caduta di gusto imperdonabile. Per non parlare dei centri commerciali per loro stessa definizione. Non conosco luoghi più inospitali, vol-

11

gari e nauseabondi sull'intero pianeta. Questa era la mia opinione, e sarei stata disposta a sostenerla anche di fronte a un tribunale popolare.

Sentendomi lievemente più tranquilla dopo questa dichiarazione di principi, bevvi il mio caffè, che stranamente era squisito, e mi proposi di effettuare i miei acquisti nel minor tempo possibile per poi scapparmene via di corsa. Prima, però, dovevo fare una sosta alle toilette. Ci andai. Si presentavano come una fila di cubicoli perfettamente asettici chiusi da porticine basse, sollevate dal pavimento come quelle delle scuderie; semplici barriere a impedire la vista. Appesi la borsa al gancio fissato all'interno della porta e procedetti all'operazione. Un attimo dopo, un rumore mi fece trasalire. Sbarrando gli occhi, vidi una manina spuntare da sopra la porta, procedere a tentoni, afferrare la tracolla della borsa e farla sparire. Un tonfo, due piccoli piedi toccarono terra e partirono di corsa. Ormai, tirati su i jeans, con più o meno dignità mi lanciavo all'inseguimento. Uscii dalle toilette e riuscii a scorgere il ladro. Una bambina con i capelli neri, coda di cavallo al vento, tuta da ginnastica azzurra, filava come un razzo a una cinquantina di metri da me. Anch'io correvo a più non posso, col cuore che scoppiava, ma lei mantenne il vantaggio e, svoltato l'angolo, sparì. Imprecai e continuai a correrle dietro, ma mi accorsi che su quel corridoio si apriva un'uscita secondaria. Inutile continuare l'inseguimento nel parcheggio, non l'avrei più trovata. Non l'avevo nemmeno vista in faccia. A giudicare dalla corporatura non doveva avere più di sette, otto anni, ma nemmeno questo mi avrebbe aiutata a ritrovarla. Tornai sui miei passi, e cominciai a far domande a chiunque incontrassi. Avete visto una bambina così e così? Quasi tutti mi rispondevano di no, e i pochi che l'avevano notata riuscivano tutt'al più a dirmi: «Sì, una bambina che correva», nient'altro. Mi sentivo impotente, stupida, sprovveduta. Quel furto era la cosa più assurda che mi fosse capitata in vita mia, e non potevo certo dire che la mia vita fosse un modello di sensatezza e normalità. Quando, in preda allo sconforto, mi fermai, ormai sul punto di piangere, sentii qualcuno che mi tirava per la giacca. Mi voltai e vidi un'altra bambina sui sette otto anni, bionda, con occhi grandi chiari, che mi guardava e mi porgeva qualcosa: la mia borsa! Non ci potevo credere. Senza una parola, gliela strappai di mano, la aprii, bastò un istante perché la mia gioia sfumasse. Mancava la pistola! Tutto il resto c'era: portafogli, carte di credito, documenti... Mio Dio! Proprio quel che temevo, e che mi aveva spinta a correre come una disperata. La mia Glock era sparita. Farsi rubare la pistola da una bambina, il colmo del ridicolo per un poliziotto. Subito una ragazza venne a passo svelto verso di noi e prese la bambina per le spalle:

– Marina, dov'eri finita? Mi hai fatto prendere uno spavento!

– Mi scusi, signorina, mi chiamo Petra Delicado. Sono ispettore di polizia. Lei è parente di questa bambina?

– Sono la baby-sitter.

– La bambina mi ha restituito una borsa rubata e ho bisogno di farle qualche domanda.

– Oh, cazzo! – esclamò la baby-sitter, evidentemente contrariata.

– Se non le dispiace possiamo sederci in quel bar. Vi offro qualcosa.

La bambina mi guardava come ipnotizzata. Non apriva bocca né cambiava espressione. A un tratto, mi disse:

– Hai la cerniera aperta – e indicò i miei pantaloni.

Aveva ragione. Cercando di non mostrare imbarazzo, mi ricomposi, poi pilotai la baby-sitter verso il bar dove ero stata prima. Lei cominciò a protestare:

– Senta, noi dobbiamo andare, non possiamo perdere tempo. I genitori di Marina ci aspettano.

– Non è vero che ci aspettano – disse serafica la bambina.

– Sarà questione di un istante, non si preoccupi.

Ero molto agitata, ma se volevo chiarire qualcosa dovevo apparire serena e naturale di fronte alla piccola, che, a dire il vero, sembrava molto più tranquilla di me.

– Dimmi un po', Marina, come mai avevi la mia borsa?

– Quella bambina l'ha buttata in un angolo e io l'ho raccolta.

– Quale bambina?

– Quella che stavi inseguendo.

– L'hai vista?

– Sì, e ho visto anche te. Correvate come matte.

– Va bene, ti credo. Spiegami dov'eri e cos'è successo.

– Io stavo aspettando che Loli uscisse dal negozio dei video. Ho visto quella bambina che correva, con la borsa in mano. Quando è arrivata all'uscita, l'ha aperta, ha preso qualcosa dentro, e l'ha buttata via. Poi sei arrivata tu.

– Sapresti dirmi che cos'ha preso?

– Una pistola.

– Sei sveglia, bambina! E l'hai vista in faccia?

– Sì.

– Sapresti riconoscerla, se la rivedessi?

– Sì.

– Sei sicura?

– Sì.

– Com'era?

– Bruna, con la coda di cavallo e un giubbotto azzurro.

– Sapresti descrivermela meglio?

– No.

– Va bene così, non preoccuparti. Hai visto da che parte è andata? Se qualcuno la stava aspettando?

– Ho guardato fuori. Lei correva via.

– Non è salita su una macchina? Non ha raggiunto nessuno?

– No, era da sola e correva.

Marina, impassibile, parlava lentamente, con chiarezza. Non sembrava per nulla emozionata. Mi rivolsi alla baby-sitter:

– Ora dovrebbe favorirmi i suoi dati e quelli della bambina. Dove abita, chi sono i genitori.

– Ah, no, non posso farlo!

– E perché?

– Non sono autorizzata. A loro questa storia non piacerebbe.

– Allora sarò costretta ad accompagnarvi a casa e a parlare personalmente con i genitori.

– Impossibile. Non ci sono, sono in viaggio.

Era visibilmente agitata, e mentiva. Guardai la bambina.

– Lo sai il tuo indirizzo?

– Calle Anglí 23, attico.

– Quando tornano i tuoi genitori?

– Non prima delle dieci. Però non sono in viaggio.

– Bene, allora domani verrò a parlare con loro e spiegherò bene che cos'è successo. D'accordo?

– Senta, signora, la bambina le ha restituito la borsa. Cosa vuole, ancora? A casa si spaventeranno e…

– Non sono una signora, sono un poliziotto. E forse la bambina verrà chiamata per il riconoscimento del colpevole. In ogni caso, i genitori devono essere messi al corrente dell'accaduto.

– Sì, ma…

– Qual è il problema? Nessuno sapeva che eravate qui?

Ci fu silenzio da entrambe le parti.

– Dove credono che siate?

La bambina non esitò un istante. Capii che parlava solo se interrogata e che diceva sempre la verità.

– Al teatro Regina, a vedere uno spettacolo per bambini – rispose.

– Oh, cazzo! – esclamò la baby-sitter per la seconda volta in dieci minuti.

– Purtroppo dovremo dire che eravate qui, al centro commerciale.

– Ci veniamo ogni sabato, quando loro lavorano. Noleggiamo i video – spiegò Marina.

– Gli spettacoli per bambini sono una rottura tremenda. Cerchi di capire! Qui la bambina si diverte, e poi, che male c'è?

Senza fare commenti, pagai le bibite e feci per alzarmi. In quel momento Marina parlò di propria iniziativa:

– Davvero sei un poliziotto? – domandò.

– Certo.

– E ammazzi la gente?

– I poliziotti non ammazzano la gente.

– Nei film che vediamo noi, sì.

– Oh, cazzo! – proruppe Loli, dimostrando i limiti della sua immaginazione.

– Se quei film ti insegnano che la polizia ammazza la gente non dovresti vederli.

– Ho imparato anche a dire «fuck».

– Senta, ispettore, abbiamo visto qualche film di Tarantino in versione originale, ma di solito per lei prendo i cartoni animati.

Sorrisi. Mi chinai finché la mia faccia non fu all'altezza degli occhi di Marina, che mi guardavano seri e tranquilli.

– Io non ammazzo nessuno, mi credi, Marina?

– Tanto non hai più la pistola...

– Anche quando ce l'ho, non ammazzo nessuno. La polizia non fa certe cose.

– Lo so.

– Sono sicura che lo sai. Sei una bambina molto intelligente e ti ringrazio per avermi aiutata.

– Allora, vieni a casa mia?

– Non lo so. Forse non verrò io, forse verrà qualcun altro. Tu non preoccuparti.

Lei scosse la testa. Era carina e mi aveva aiutata, ma il suo aiuto non era bastato a impedire che una bambina all'incirca della sua età se ne andasse in giro per Barcellona con una pistola carica in pugno. Sperai che quella bambina, almeno, i film di Tarantino non li avesse visti.

Quando aprii la porta dell'ufficio il lunedì mattina, mi trovai davanti una simpatica scenetta. Garzón, Yolanda e un'altra giovane poliziotta ridevano a crepapelle. Vedendomi, si interruppero, ma poi scoppiarono di nuovo a ridere come se non potessero trattenersi.

– Vedo che mi sono persa qualcosa di divertente – dissi, non senza una certa severità.

Garzón, con le lacrime agli occhi e la pancia sussultante, fece da portavoce:

– Mi scusi, Petra, ma le ragazze mi stavano raccontando...

– Vedo, vedo. E posso chiedere a cosa si deve tanta ilarità proprio nel mio ufficio?

– Soltanto al caso, ispettore. Ero venuto a portarle queste pratiche, le ragazze mi hanno visto entrare e... Adesso scappo, però, ho un mucchio di lavoro stamattina.

Uscì come un razzo, mi conosceva bene. Le ragazze, evidentemente, mi conoscevano un po' meno, perché rimasero lì a guardarmi come oche, offrendomi il destro per sbottare:

– E voi, cosa credete? Di rimanere qui tutta la mattina con le mani in mano?

Fuggirono spaventate mormorando parole di scusa. Gli attacchi di ilarità sono tipici della gioventù, riflettei, e delle menti prive di complessi, conclusi, pensando a Garzón. Eppure nel giro di qualche ora tutto il commissariato si sarebbe sganasciato a quel modo. E lo spunto sarei stata io. Mi pareva già di sentirli: «All'ispettore Delicado hanno rubato la pistola». «No! E chi è stato?». «Una bambina». «Non può essere! Come diavolo ha fatto?». «Gliel'ha presa mentre faceva la pipì». Fantastico. Ma la cosa non era da prendere tanto alla leggera. La notizia rischiava di finire su tutti i giornali. «Bambina sottrae la pistola a ispettore di polizia nella toilette di un centro commerciale». Il mio nome non sarebbe comparso, per fortuna, ma il risultato sarebbe stato catastrofico: la gente si sarebbe domandata come si possa essere così cretini da lasciarsi derubare a quel modo. L'intero corpo di polizia avrebbe perso credibilità. Dovevo fare qualcosa. Innanzitutto, ero decisa a non lasciarmi bloccare dal timore del ridicolo che tormenta tutti gli spagnoli. Mi conveniva affrontare direttamente il commissario Coronas ed esporgli l'incidente come un fatto insolito ma del tutto isolato, come se avessi avvistato un UFO nel prato dietro casa.

Coronas mi ascoltò con attenzione, senza aprir bocca, senza battere ciglio. Sentivo che il mio racconto stava perdendo slancio, era difficile presentare la cosa come un piccolo incidente che può capitare a chiunque. Dovevo avere un'aria piuttosto tragica, perché il commissario, impietosito, alla fine mi disse:

– Non si agiti, Petra, non è colpa sua –. Ma subito, rendendosi conto della gravità della cosa, o forse tornando al suo ruolo di capo, aggiunse:

– Certo che avrebbe dovuto essere più prudente.

Gettai la maschera da vittima per rispondergli secondo il mio stile:

– Cosa intende dire, commissario? Che avrei dovuto considerare tutti i rischi connessi alla minzione?

– No! – gridò. – Ma ho sempre detto a tutti gli agenti donna di non tenere la pistola nella borsetta. Mille volte, l'avrò detto, mille! Portatela alla cintura, o sotto l'ascella! E nessuna mi ha mai dato ascolto. Né lei né le sue colleghe. Conosco solo una persona più testarda di voi. E, manco a farlo apposta è una donna: mia moglie. Non fatemi pensare che siete tutte uguali.

Non risposi. Lui me ne fu riconoscente. Si passò la mano sulla faccia con un sospiro paterno.

– Bene, adesso vediamo che cosa si può fare, Petra. Quel che è stato è stato. Analizziamo il fatto. Lei cosa ne pensa?

– Mi pare molto strano, commissario. Non dico che i furti commessi da minori siano un'eccezione. Tutti sappiamo che ci sono in giro ladruncoli in età da scuola elementare. Il punto è: la bambina, una volta avuta in mano la mia borsa, perché ha preso proprio la pistola?

– Infatti. È questo che mi dà da pensare.

– Non possiamo escludere che abbia agito per semplice curiosità. Ma sappiamo tutti che nel mondo della malavita una pistola vale di più del denaro che avevo nel portafogli.

– Una bambina che sappia una cosa simile è già una vera professionista.

– O figlia di un professionista.

– In ogni caso, dobbiamo dare per scontato che la sua borsa le sia capitata in mano per puro caso. È d'accordo?

– Be', sì. Altrimenti le ipotesi diventano infinite. È pensabile che qualcuno, sapendo che sono un poliziotto, abbia mandato una bambina a rubarmi la pistola? Troppo complicato. Nessuno sapeva che sarei andata al centro commerciale, non è mia abitudine, e neppure che avrei usato le toilette portando la pistola nella borsa, né che avrei appeso la borsa al gancio. No, quella bambina è una ladruncola abituata a fare quel giochetto, e si è trovata in mano l'arma per puro caso.

– Il fatto che l'abbia preferita al denaro, però, non è tranquillizzante. Probabilmente lavora per qualcuno. Oppure vuole far carriera.

– Stiamo parlando di una bambina.

– Lo so, ma al giorno d'oggi i bambini... Vuole che le ricordi certi casi di omicidio da far rizzare i capelli in testa?

– Grazie, commissario, preferirei di no.

– Senta Petra, faccia di tutto per trovare quella bambina. Non abbandoni il lavoro che ha per le mani, ma stia dietro alla bambina. D'accordo? Si faccia aiutare da Garzón, se è il caso.

– Molto bene, commissario.

– Che cosa pensa di fare come primo passo?

– Comprarmi un'altra Glock.

– Perfetto. E, mentre c'è, si scelga anche una bella fondina di pelle. Di rettile, se vuole. Gliela regalo io. Chissà se con un tocco di femminilità riusciamo a imporre una nuova moda fra le signore del corpo di polizia.

Il giorno dopo Garzón sapeva già tutto, e di certo non gliel'avevo raccontato io. Venne da me mortalmente serio e mi dichiarò, come un atto di fede:

– Ho già messo in chiaro che il primo che ride si becca due ceffoni.

– Grazie mille, Fermín. Quindi, sono già sulla bocca di tutti.

– Be', ispettore, lo sa anche lei come vanno le cose qui dentro. I pettegolezzi svolazzano come uccellini.

– Come cornacchie, vorrà dire. Ma non se la prenda, ormai sono rassegnata.

– Poteva andarle peggio.

– Oh, sì, certo, poteva violentarmi un bebè di sei mesi.

– Non si butti giù, ispettore. Tutto si sistemerà.

Quella frase, «tutto si sistemerà», buona per ogni occasione, aveva il potere di mandarmi in bestia ogni volta che la sentivo. Eppure, pronunciata da Garzón, acquistava una sfumatura di solidarietà che non potevo disprezzare.

– Grazie, viceispettore. Solo che stavolta non so proprio che cosa potremo sistemare. La mia unica speranza è non sentir più parlare di quella pistola. Almeno, potremo essere certi che nessuno l'abbia usata. Le assicuro che la sola idea di avere dei feriti sulla coscienza mi ossessiona.

– È improbabile. Di sicuro la ladruncola è stata incuriosita dalla pistola e l'ha presa senza pensarci.

– Una ladruncola di otto anni?

– Domandi all'ispettore Belmonte, lui cura un archivio sulla delinquenza minorile. Lì devono essere schedati anche i bambini. Il problema è che i minori di quattordici anni non sono imputabili... Ah, e si prepari, occupandosi di bambini, dovrà vedersela con un esercito di psicologi. Senza di loro, non potrà muovere un passo. Li richiedono perfino per dire a un ragazzino «come va?». Sembrano tutti convinti che un bambino, alla sola vista di uno sbirro, rimanga traumatizzato per la vita.

– La cosa non mi stupisce, in fondo hanno ragione.

– Sì, ma di lì a supporre che i bambini siano tutti angioletti ce ne passa. Le posso assicurare che non lo sono, e lei ne è testimone.

Lanciai la biro sul tavolo, mortalmente seccata.

– Quante complicazioni! Come se non avessi già abbastanza da fare.

– Non si preoccupi. Ci sono qua io per darle una mano, e questo è garanzia di sicuro successo.

Le intenzioni del mio vice erano buone, ma il suo umorismo non mi fece ridere. Lo guardai con estrema serietà.

– E da dove diavolo dovremmo cominciare, secondo lei?

– Da Belmonte. Avrà pure qualche foto da farle vedere.

– Ma se non so nemmeno che faccia abbia la mia ladra! L'ha vista solo l'altra bambina. Dovrò chiedere ai genitori che me la prestino.

– In questo caso, le cose si mettono davvero male. I genitori di oggi proteggono i figli come piccole rockstar.

– Sì, e poi se ne disinteressano e li lasciano tutto il giorno nelle mani di baby-sitter decerebrate. Un'altra cosa da fare è chiamare il servizio di sicurezza del centro commerciale. Forse sono avvenuti altri furti simili negli ultimi tempi

– «Scippi urinari» li si potrebbe definire. Come trucco non è male: a un poveretto gli scappa la pipì e...

Si mise a ridere sotto i baffi. Lo fissai con una serietà che avrebbe dovuto gelargli il sangue.

– Lo trova divertente, Fermín? Credevo volesse spaccare la faccia al primo che osasse prendermi per i fondelli.

– Ma io non la sto prendendo per i fondelli, ispettore, sto solo constatando che si tratta di un reato fuori del comune.

– Me ne vado, non credo di poter sopportare oltre le sue constatazioni.

In realtà era impossibile non dargli ragione. È ridicolo essere derubati in circostanze così poco dignitose, e non solo per ragioni scatologiche. Sembra un avvertimento: per quanto tu ti creda importante e civilizzato, sarai sempre schiavo delle più umili funzioni fisio-

24

logiche, che ti riconducono al nucleo materiale della tua esistenza. Eppure, di una simile lezione di umiltà, io non avevo proprio bisogno. Anzi, mi coglieva in un momento di scarsissima sicurezza personale. Non ero depressa, ma dovevo ammettere che negli ultimi mesi non mi era capitato un solo caso degno di nota e che la mia vita privata non era propriamente da fare i salti di gioia. Avevo la mia serenità, certo, e tutto quel che la vita solitaria può regalare a una donna della mia età e della mia indole: buoni libri, pace spirituale, un bicchiere di tanto in tanto, nessuna responsabilità familiare, amici piacevolissimi... ma dovevo ammettere una volta per tutte che la pace monacale non faceva per me. Avevo bisogno di movimento, di difficoltà che mi spingessero ad agire, di un obiettivo che mi accendesse i neuroni iniettandovi una dose extra di adrenalina. Sono contraddittoria, lo so: quando l'azione mi coinvolge sento la mancanza della tranquillità, e quando riesco a vivere per un po' una tranquilla routine, sono ugualmente scontenta. Protesto sempre e comunque, senza sapere con chi prendermela. Con Dio, con il destino, con la sfortuna, con la gente, con la vita, con l'ordine mondiale? Non lo so, ho così poca fede in tutto che mi manca un tribunale a cui appellarmi, e finisco per attribuire a me stessa ogni responsabilità. Sono io la colpevole, soprattutto perché credo di aver capito in cosa consiste la felicità. La felicità consiste nell'avere un buon carattere, sereno, equilibrato e umile. Un carattere simile, unito a un'assoluta mancanza di aspirazioni, dà un risultato infallibile: zero infelicità, che è quanto più si avvicina, a questo mondo, al concetto di felicità. Ma io sono priva di tali virtù, o ne sono dotata in modo molto parziale, e tuttavia penso di essere arrivata a un'età in cui un po' di felicità potrei meritarmela, non una felicità superficiale, ma una felicità filosofica, confacente al mio modo di vedere la vita. Detto in altre parole: dovevo decidermi a capire che cosa volessi fare di me stessa. Ecco com'ero finita: completamente arenata, a rimpiangere i casi complicati quando non si presentavano e a desiderare un po' di pace non appena me ne capitava uno per le mani. Un disastro. In ogni caso, qualunque rimedio scegliessi per uscire da quella situazione, non prevedeva certo l'intervento di una bambina capace di rubarmi la pistola in una toilette.

Sospirai. Non appena fossi riuscita a scovare quella piccola ladra mi sarei dedicata alla mia idea di felicità e l'avrei perseguita con ogni mezzo. Per il momento, visto che la bambina non sarebbe ricomparsa facilmente, avrei avuto tutto il tempo per pensarci su.

In quel periodo ero impegnata in un paio di indagini legate allo spaccio di droga e stavo tenendo d'occhio un individuo sospetto, niente di interessante. Quindi non mi era impossibile occuparmi anche del ritrovamento della pistola. Cercai l'indirizzo della bambina bionda e decisi di andare subito a parlare con i suoi genitori. Era l'ora giusta, le otto di sera, e loro abitavano poco lontano dal commissariato di calle Iradier, in una zona borghese di Barcellona che avevo sempre invidiato ai miei colleghi: poco lavoro e un ambiente piacevole.

Una ragazza sudamericana, con scarsa capacità di reazione, mi aprì la porta di un appartamento signorile. Mi guardò senza parlare.

– Il portone era aperto – mi scusai.

Lei rimase lì come una statua.

– I signori Artigas sono in casa?

La ragazza annuì, con un'insolita perplessità negli occhi. Avevo un aspetto così allarmante? Oppure i signori Artigas non ricevevano mai visite? A un tratto, dietro la ragazza, comparve Marina, che mi guardò senza sorridere e disse:

– Ciao.

– Marina! Come stai?

– Bene. Questa è María Blanca –. La ragazza, così presentata, finalmente si riscosse.

– Marina, va' a chiamare tuo papà.

– Falla entrare, è una mia amica – rispose la piccola, con un'affabilità che benedissi.

In quel momento di esitazione comparve nell'ingresso un uomo alto, all'incirca della mia età. Barba corta, capelli sale e pepe che erano stati biondi, vestito in modo informale con un grosso maglione e pantaloni di velluto a coste, fu il primo ad avere la bontà di sorridermi.

– Che cosa succede?

Prima che la donna di servizio mi accusasse di aver fatto irruzione senza essermi annunciata al citofono, mi affrettai a sorridere anch'io.

– Signor Artigas, sono Petra Delicado, ispettore di polizia. Vorrei parlare qualche minuto con lei o con sua moglie.

– Ma certo. Perché rimane sulla porta? Entri, la prego.

María Blanca si ritirò con l'aria spaventata di chi ha visto il diavolo. Venni introdotta in un vasto salone arredato con gusto moderno e minimalista. Mi accomodai su un divano di pelle granata. Il signor Artigas mi osservava con simpatia senza nascondere la sua curiosità. Marina mi si parò davanti e mi chiese:

– Vuoi prendere qualcosa?

Guardai il padre della bambina e scoppiai a ridere. Anche lui rise.

– Magari un bicchier d'acqua, grazie.

– Vado a prenderlo – disse la bambina, e sparì tutta seria.

Artigas mi guardò e disse:

– Incredibile come i bambini imitino ogni nostro gesto. A volte sembra di vedersi riflessi in uno specchio. E non sempre quel che vediamo ci piace. Lei ha figli, ispettore?

– No, figli no.

– È complicato, mi creda.

– La sua mi pare una bambina straordinariamente sveglia.

– Lo è. Ne sono orgoglioso, ma c'è sempre una preoccupazione in agguato per un padre: è felice? Lo sarà in futuro? Riuscirà ad adattarsi al mondo in cui viviamo?

– Sono le domande che mi hanno sempre dissuasa dall'avere un figlio.

– È sposata?

– Lo sono stata.

Marina tornò, attentissima a non lasciar cadere una

sola goccia d'acqua. Mi porse il bicchiere, la ringraziai e bevvi tutto d'un fiato.

– Hai già un'altra pistola? – mi chiese la piccola. Dallo sbalordimento del padre dedussi che nessuno l'aveva ancora informato dell'accaduto. Provvidi a farlo io. Mentre raccontavo, la bambina annuiva, come se approvasse la mia ricostruzione dei fatti. Artigas mi ascoltava affascinato, a bocca aperta.

– Non ci posso credere. Perché non mi avevi detto niente, Marina?

– La mamma lo sa.

– Ah, certo, la mamma. Non me ne ha parlato. Se ne sarà dimenticata.

– Signor Artigas, so che quel che le chiedo potrà preoccuparla, ma forse avrò bisogno di mostrare a sua figlia alcune fotografie per tentare un riconoscimento. Sono sicura che una sua testimonianza sarebbe del tutto affidabile. In ogni caso si tratterà di un episodio isolato e la bambina verrà tenuta completamente fuori dalle indagini.

– Capisco. Dovrò portarla in commissariato?

– No. Sarò io a venire dove lei desidererà. Lei e sua moglie, s'intende.

– Per me non c'è nessun problema. È tutto chiaro, vero, Marina? Questa signora è un poliziotto, le hanno rubato la pistola e vuole sapere chi è stato, perché chi l'ha presa potrebbe farsi male. Tu questo l'hai capito, no?

– Sì – rispose lei con perfetta naturalezza. – Però posso vederla?

– Chi?

– La pistola nuova.

Guardai Artigas con aria interrogativa. Lui rifletté un attimo prima di acconsentire, ma avrei giurato che fosse curioso quanto sua figlia, forse anche di più.

– Magari potrebbe mostrarcela solo un momentino, vero, ispettore?

Negli ultimi giorni avevo accettato di indossare una fondina ascellare, solo finché non mi fosse passato il trauma del furto. L'arma mi si conficcava nelle costole e mi gonfiava la giacca, facendomi apparire tutta storta. Non vedevo l'ora di liberarmi da quell'impaccio. Mi sbottonai, aprii un lembo della giacca ed estrassi la mia nuova Glock. Entrambi la osservarono come se fosse un animale misterioso pronto a mordere. In quello stesso istante la porta del salone si aprì e qualcuno entrò con la furia di un uragano. Rimanemmo paralizzati tutti e tre, incapaci di reagire. Era una donna bionda, con i capelli lunghi, più giovane di me, alta, snella, elegante. Doveva essere arrivata in quel momento, perché portava un tailleur pantaloni gessato e una bellissima borsa a tracolla.

– Buona sera. Che cosa sta succedendo qui?

Guardò la pistola, e il suo volto passò dalla severità alla collera.

– Si può sapere che cosa ci fa quella roba in casa mia?

Stranamente non si era rivolta a me, ma all'uomo che senza dubbio era suo marito. Lui si affrettò a rispondere:

– Questa signora è l'ispettore Berta Regalado. È venuta per...

– So già chi è, e immagino benissimo quello che vuole.

Sospirò e disse alla bambina:

– Tu, va' in cucina. María Blanca ti ha già preparato la cena.

Per la prima volta vidi Marina cambiare espressione, per assumere un'aria estremamente infastidita. Sua madre aspettò che uscisse per rivolgersi a me:

– Mi faccia la cortesia di uscire subito da questa casa.

Il marito intervenne:

– Anna, per favore, l'ispettore desidera soltanto che Marina veda alcune fotografie…

– Se lo scordi, mi ha sentita? Se lo scordi! Mia figlia non riconoscerà nessun criminale. Chiamerò subito il nostro avvocato, ma sono certa che nessun giudice può obbligarci a una cosa simile. Nessuno, ci mancherebbe altro. E adesso, se ne vada –. Mi indicò la porta con gesto imperioso. Suo marito le parlò di nuovo, senza perdere la calma:

– Anna, sii ragionevole, nessuno ha detto che…

Mi alzai in piedi. Facevo nobili sforzi per non mostrare alcuna emozione.

– Scusate, ora devo andare –. Guardai il marito con l'abbozzo di un sorriso. – Sua moglie ha ragione, signor Artigas. Non è il caso di disturbare la gente a quest'ora. Buona sera. Non occorre che mi accompagni, so dov'è l'uscita.

Aprii la porta del salone, me la richiusi dietro le spalle e feci lo stesso con quella d'ingresso. Ignorai l'ascensore e scesi le scale. Dopo una scena così imbarazzante avevo bisogno di muovermi. Quando arrivai al pianterreno, l'ascensore si aprì e mi comparve Artigas.

– Aspetti, ispettore, la prego. Non mi piace che nessuno debba andarsene da casa mia in questo modo.

– Non importa, lasci stare.

– Sì che importa, invece. La prego di scusarci. Mia moglie lavora molto, in condizioni di forte stress. Dirige uno studio di consulenza finanziaria, rientra a casa tardi, è sempre molto stanca... E poi, con nostra figlia è molto protettiva, forse troppo, ma io... vedrò che cosa posso fare affinché Marina la aiuti con quelle fotografie.

– Forse non sarà necessario. Se sua moglie ritiene che la cosa possa danneggiare la bambina...

– Danneggiarla, e perché? Mia figlia ha visto quello che ha visto e sa che la polizia esiste perché nel mondo succedono anche cose brutte. È naturale, non vedo come possiamo nasconderle la realtà.

Sorrisi. Eravamo nell'androne, e la luce automatica si spense. Artigas cercò a tentoni l'interruttore ma, forse per l'ansia, non riuscì a trovarlo. Uscimmo in strada. Gli tesi la mano.

– Mi dispiace, signor Artigas, di aver rovinato la sua pace familiare.

– Ci sono abituato. Non mi diceva di essere stata sposata?

– Due volte, e tutte e due ho divorziato.

– La capisco. Credo che andrò fino al bar all'angolo a prendere un tè. Non ho voglia di salire subito per ricominciare a discutere. Vuole accompagnarmi? Sento di doverle un risarcimento.

– Sa come può risarcirmi?

– No – mi disse, con aria sconcertata.

– Mi chiami col mio nome. Non sono Berta Regalado, ma Petra Delicado.

Portò la mano alla fronte, confuso.

– Che figura! – Poi scoppiò a ridere. – Io mi chiamo Marcos. Può chiamarmi Ernesto, la prossima volta. Sarà una piccola rivincita. Davvero non accetta un tè?

– Un'altra volta Marcos, davvero.

– Le lascio il mio numero di cellulare nel caso avesse bisogno di parlarmi.

Ci stringemmo la mano guardandoci negli occhi con simpatia. Ah, pensai, uomini incantevoli sposati con donne terribili; donne perfette che sposano perfetti idioti. Se il matrimonio è un sistema a due variabili, sembra non ci sia modo di predirne il risultato. Quanto a me, ci avevo rinunciato. Basta guardare la gente che porta una fede al dito per adorare la solitudine. Almeno su questo punto potevo essere sicura: la solitudine era un ingrediente indispensabile della mia ricetta per la felicità.

Avrei potuto risparmiarmi quel parapiglia, e anche una figura ridicola. Quando chiesi ai Mossos de Esquadra* di accedere all'archivio dei bambini fermati, mi guardarono gongolando. Finalmente coglievano in fallo la Polizia Nazionale, e su una grossa sciocchezza, per di più. L'archivio parte dai quattordici anni in su, al

* La polizia autonoma catalana.

di sotto di quell'età il minore è intoccabile, non può nemmeno essere schedato.

– Ma cosa diavolo mi sta dicendo, Llorens?

– Proprio quello che le ho detto.

– E io avrei dovuto saperlo, vero?

Lui si strinse nelle spalle, disarmato dalla mia sincerità. Era giovane, un bel ragazzone, e sembrava aver voglia di collaborare, perché aggiunse subito:

– Noi, quando abbiamo bisogno di informazioni sui più piccoli, di solito ci rivolgiamo al centro El Roure.

– Cos'è, un centro di accoglienza?

– Sì, una specie di istituto. I bambini vengono mandati lì dal tribunale dei minori finché la loro situazione non viene regolarizzata.

– E lì le hanno le schede dei bambini?

– Sì, a volte complete di foto. Se quella bambina ha già dato problemi in passato, è molto probabile che sia stata accolta al centro.

– Ma capita spesso, Llorens, che i bambini commettano reati?

– Sì, spessissimo. Ultimamente i bambini sono incontrollabili. Da qualche anno esiste anche da noi il fenomeno dei «bambini di strada». Sembra che non abbiano famiglia, vivono allo stato brado. In genere sono immigrati clandestini.

– Qualcuno li porterà pure fin qui.

– Non si sa. Possono essere bambini abbandonati dai loro genitori entro i confini spagnoli. Oppure sono stati introdotti nel paese clandestinamente... Il peggio è che non è facile acchiapparli. E quando ne prendiamo uno, la legge prescrive solo che vengano affidati a un istituto.

– Che tipo di reati commettono?

– Piccoli furti, scritte sui muri, sciocchezze. Ma a volte anche delitti gravi, soprattutto verso i quattordici anni.

– Capisco. È complicato, vero?

– Non sono ancora un problema serio, ma prima o poi le cose potrebbero peggiorare.

– Andrò a fare una visita al centro El Roure.

– Vuole che la accompagni?

– No, grazie, non è tenuto a farlo.

Mi lanciò uno sguardo malizioso e io feci altrettanto. Perché dei così bei ragazzi decidano di fare i poliziotti, sia pure dell'Autonomia catalana, è una cosa che non capirò mai. Forse ero troppo vecchia per farmi domande sui ragazzi, belli o brutti che fossero, e tanto meno per guardarli con malizia. «*Tempus fugit*», dissi fra me, come facevano gli antichi romani quando era ora di mettersi al lavoro.

La direttrice del centro El Roure era una donna sulla cinquantina e vestiva un rigoroso tailleur grigio. Mi disse di chiamarsi Pepita Loredano. Doveva averne visti di poliziotti in vita sua, perché la mia presenza non parve farle né caldo né freddo. Quando le spiegai il motivo della mia visita alzò gli occhi al soffitto come a cercarvi qualcosa di decisivo, poi li abbassò su di me con aria stanca e mi disse:

– Immagino lei abbia il mandato di un giudice.

– Queste non sono indagini ufficiali, si tratta di una bambina che mi ha rubato la pistola.

– Ispettore Delicado, noi abbiamo il compito di proteggere i minori, e di fare il possibile per risparmiare loro ogni turbamento, anche nei casi più gravi. Crede davvero che solo perché le hanno rubato la pistola...?

– La prego, per favore, non parli con leggerezza. Anch'io sto cercando di proteggere una minore. Non mi pare che una bambina possa fare del bene a se stessa o ad altri andandosene in giro con un'arma in pugno.

Tornò a guardare il soffitto, dove pareva trovarsi la fonte di tutte le sue risposte.

– E va bene – ammise, senza entusiasmo. – Ma non posso assolutamente permettere che i nostri materiali d'archivio escano di qui.

– Teme forse che io possa farne un uso indebito?

– Ispettore, mi creda, non c'è niente di personale in questo, ma lei sa che le fughe di informazioni riservate sono all'ordine del giorno, e una volta che sono avvenute è impossibile individuarne il responsabile. In ogni caso, a quel punto, il danno è gia fatto, e può essere gravissimo. Abbiamo a che fare con soggetti molto fragili.

– Sarà difficile che i genitori della mia testimone, a sua volta una minore, la autorizzino a venire qui.

– Non vedo perché no. La sua piccola testimone avrà modo di constatare che esistono bambini meno fortunati di lei.

Mi tornò in mente una vecchia affermazione di Garzón: «Voi donne siete poco flessibili. Con la vostra intransigenza è impossibile trattare». Certi luoghi comuni mi hanno sempre infastidito, ma spesso si fondano su fatti incontestabili. Ogni donna che occupi un posto di responsabilità ha imparato a sue spese a dire di no. E quella signora, tanto incline a scrutare i soffitti, doveva averlo imparato alla perfezione. Che cosa potevo offrirle io, come contropartita in un accordo? Niente, ero a mani vuote, e per di più mi presentavo davanti a lei come una pessima professionista: un poliziotto così sprovveduto da farsi rubare l'arma. Me ne andai di pessimo umore, e mentre mi allontanavo a falcate troppo rapide e risolute per una passeggiata, fui colta da un malumore che era il primo gradino di una forma di paranoia. Mi pareva che i semafori passassero al rosso proprio quando dovevo attraversare, e se qualcuno mi tagliava la strada, mi pareva facesse parte di un commando appositamente addestrato per intralciare i miei passi. Così, scansando le semplici ma mortificanti trappole che il destino mi tendeva, riuscii per miracolo ad arrivare in ufficio tutta intera.

Una volta lì, mi sedetti a pensare. Mi trovavo in una situazione che detesto: dipendevo completamente dalle decisioni di qualcun altro. Se gli Artigas non avessero permesso alla figlia di effettuare il riconoscimento, le poche possibilità che avevo di trovare la piccola ladra sarebbero completamente sfumate. E le prospettive non erano rosee, tenendo conto della gorgone bionda che era la madre di Marina.

– È permesso, ispettore?

Yolanda entrò con un fascio di carte. Me lo posò davanti e rimase in attesa.

– Il commissario vuole che gliele riporti firmate al più presto.

Il mio ringhio basso e prolungato tenne a distanza Yolanda mentre procedevo alle firme. Quando fui quasi alla fine, lei osò farmi una domanda:

– Ispettore, dove va a mangiare oggi in pausa pranzo?

– Non ci ho ancora pensato, perché?

– Se accetta, la invito alla Jarra de Oro. Mi piacerebbe parlare con lei di un paio di cose.

– Riguardanti il servizio?

Lei, un po' imbarazzata, arrossì.

– Be', proprio il servizio...

Ero di pessimo umore, ma forse proprio per questo poteva farmi bene chiacchierare un po' con Yolanda.

– D'accordo, aspettami alla Jarra. Scegli tu un tavolo, possibilmente d'angolo, così c'è meno chiasso.

Di cosa si può parlare con una ragazza poco più che ventenne? L'argomento non importava, tanto più che era lei a voler parlare con me. L'avrei ascoltata, e un paio di birre mi avrebbero aiutata a rimettermi in sesto.

Yolanda non soffriva dell'anoressia schizzinosa che rende insopportabili tante ragazze della sua età. Anzi, affrontava il suo stufato di ceci con l'impeto di un legionario. Pensavo che non avesse un solo problema, e invece mi sbagliavo. Trovò subito il modo di entrare in argomento.

– Ispettore, lei si ricorda di Ricard, vero? Quel suo

ex fidanzato che poi in un certo senso io ho finito per ereditare?

Bene, la cosa si faceva interessante.

– Sì. Come sta?

– È già un anno che viviamo insieme.

– Fantastico, e allora?

– Niente, solo che non sempre riesco a capirlo.

– Ti riferisci a qualcosa in particolare?

– È pieno di manie.

– Questo è tipico delle persone di una certa età, abbiamo le nostre abitudini e...

– No, non mi riferisco alle piccole cose, come il tubetto del dentifricio lasciato aperto e roba del genere. Il problema è che lui analizza sempre tutto.

– Fa lo psichiatra, Yolanda. Mi pare abbastanza normale.

– Forse non mi sono spiegata. Le sue non sono manie, sono nevrosi. Si domanda continuamente se il nostro rapporto funziona, se riesce a far bene il suo lavoro, se vive in modo coerente, se reagisce nel modo giusto... Forse è importante riflettere su quello che si fa, solo che in questo modo lui non vive, pensa sempre al passato o al futuro. E io mi domando: perché non sta mai nel presente? Perché non affronta ogni nuova giornata con serenità? E poi questo continuo parlare, esaminare, spaccare il capello in quattro... È molto difficile per me, sa?

– La nostra generazione è fatta così. Ci vorrebbe un manuale per capirci. Siamo pieni di contraddizioni, di nevrosi, di strani complessi. Credevo te ne fossi già accorta.

Mi guardò con stupore.

– Io no.

– Vedrai che ti ci abituerai.

Ci pensò su per un attimo. Poi riprese:

– Lui dice che il mestiere di poliziotto è alienante, che dovrei mettermi a studiare per fare qualcos'altro. E se gli dico che la legge e l'ordine sono sempre stati la mia passione, non mi dà retta. Vuole che legga certi libri, e quando mi vede con un poliziesco in mano mi dice che perdo il mio tempo leggendo spazzatura.

– Classica sindrome di Pigmalione.

– Che cosa?

– Cercare di trasformare una persona, di esserne l'artefice, il creatore, di plasmarla secondo un modello.

– Capisco quel che vuol dire. Renderla colta e raffinata. Lei cosa ne pensa di Pigmalione, ispettore?

– Io? Non ne ho idea Yolanda, non so proprio cosa dirti.

– Sì che lo sa, ma non vuole pronunciarsi, proprio perché non le piace affatto che Ricard voglia fare il Pigmalione con me. Ma, mi dica, ispettore, che cosa posso farci io? Niente. Posso solo aspettare che si stanchi e rinunci. Io cerco di accettarlo così com'è, anche se mi pesa, non creda, perché anche lui dovrebbe accettarmi così come sono. Ognuno ha la sua personalità, che merita di essere apprezzata, se c'è amore.

Di colpo quell'ondata di frasi fatte mi sommerse. Avevo l'impressione di essere risucchiata dalla vacuità delle peggiori riviste femminili. Non ero in vena di occuparmi di questioni di cuore.

– Yolanda, torna in commissariato e consegna quei documenti a Coronas. Non farlo aspettare.

Se ne andò, obbediente e sottomessa, ma visibilmente turbata dai suoi problemi amorosi. Da parte mia, cercai di riprendere il ritmo dei giorni lavorativi: pagai il conto e tornai in ufficio a riesaminare una serie di dossier che mi attendevano sulla scrivania: spaccio di droga, risse di strada... un panorama assai poco stimolante. Dubitavo di riuscire a concentrarmi finché non avessi ritrovato la pistola scomparsa. Cercai il biglietto da visita di Marcos Artigas, che non avevo ancora degnato di uno sguardo. Faceva l'architetto. Tutte le mie speranze erano riposte in lui. Lo chiamai al cellulare. Non pareva che la mia chiamata lo indisponesse, a giudicare dal tono affabile con cui mi rispose.

– Oh, Petra! Come sta?

– Temo che avrò bisogno della sua collaborazione, architetto Artigas. E le assicuro che se potessi risolvere altrimenti il problema non la disturberei.

– Lei non mi disturba affatto. Anzi, se le fa piacere, venga a prendere un caffè con me. Adesso ho una riunione, ma fra un paio d'ore sarò libero. Potremmo vederci vicino al mio ufficio. Lavoro nella calle Tuset. Troverà un bar che si chiama La Oficina. Possiamo vederci lì.

Che uomo strano. In genere la gente rifugge ogni contatto con la polizia, in fondo la ritiene molto più infame della criminalità, che almeno è circonfusa di un suo alone romantico. Per non parlare dell'istinto di protezione che ogni genitore sviluppa nei confronti dei propri rampolli, anche dei più degeneri. Pochi mesi prima un paio di miei colleghi hanno fermato un ragazzo di quindici anni, ubriaco fradicio, che fracassava vetrine e lampioni sulla pubblica via. L'hanno civilmente rimproverato e si sono limitati a riaccompagnarlo a casa, in un elegante quartiere residenziale fuori Barcellona. Ebbene, i genitori li hanno quasi buttati fuori a calci. Per loro, quella visita, con tanto di restituzione del figliol prodigo, era una violazione dell'intimità. E invece Artigas, con me, era cortesissimo. Certo, con la stessa cortesia poteva benissimo dissuadermi, quel pomeriggio stesso, dal contare sull'aiuto di Marina.

Quando mi vide arrivare, sorrise da un orecchio all'altro. Si alzò e mi porse una sedia accanto a lui. Ordinai un caffè.

– Petra Delicado. È così che si chiama, vero?

– Le pare un nome tanto orrendo?

– Per niente, non so come mi sia potuto confondere la prima volta. Suona bene, ha personalità.

Sorrisi. Marcos Artigas non fingeva, mi dimostrava sincera simpatia, sia pure senza eccessi, con cortesia e discrezione. Ma prima di decidermi a trovarlo simpatico a mia volta, dovevo arrivare al dunque e vedere come avrebbe reagito.

– Architetto, mi dispiace sinceramente, ma avrei bisogno che Marina vedesse certe fotografie d'archivio, che non possono essere portate fuori dall'istituto per l'infanzia dove si trovano. Quindi, sono costretta a chiederle un'autorizzazione. Sua e di sua moglie.

– Immaginavo qualcosa di simile. Mia moglie, sa com'è... non credo che accetterà. Questa faccenda l'ha molto innervosita. Non ha più voluto affidare la bambina alla baby-sitter. Adesso, quando non siamo in casa, Marina rimane con Jacinta, una signora anziana. Lei si annoia, ma mia moglie è più tranquilla così. Con Jacinta non c'è alcun rischio che Marina veda film di Tarantino.

– Capisco. Questo significa che devo lasciar perdere?

– È proprio necessario il consenso di entrambi i genitori?

– No, il suo può bastare.

– In questo caso, conti su mia figlia.

Ero talmente certa di ottenere un rifiuto, che quella risposta mi parve inconcepibile. Ne chiesi perfino conferma:

– È proprio sicuro?

– Sì.

– Le prometto che non avrà motivo di preoccuparsi. Marina sarà trattata come un testimone protetto.

– Questo significa che non corre alcun rischio?

– Può starne certo. Il suo nome non figurerà da nessuna parte, nemmeno se venisse avviato un procedimento giudiziario.

– Perfetto. Come rimaniamo d'accordo? Quanto prima lo facciamo, meglio è.

– Domani, allora, quando vuole lei.

– Alle sei del pomeriggio, per esempio. Marina sarà già tornata da scuola e io potrò uscire un po' prima dallo studio.

Gli diedi l'indirizzo del centro El Roure. Mai avevo ottenuto nulla così facilmente. Stavamo per alzarci, quando gli chiesi:

– Può dirmi perché lo fa? Rispondermi con un no sarebbe stato semplicissimo.

Sorrise, si accomodò di nuovo e sospirò profondamente.

– Vede, in genere si pensa che una coppia di genitori debba seguire una linea comune per quanto riguarda l'educazione dei figli. Purtroppo, nel nostro caso, non è così. Laura è eccessivamente protettiva con Marina, vorrebbe mostrarle solo la parte buona e piacevole della vita. Ma la realtà è diversa, non si riduce a quel che avviene fra le pareti di una bella casa comoda. Io voglio che mia figlia conosca le cose così come sono, belle o brutte, e impari ad accettarle con naturalezza. È stata testimone di un furto, quindi ritengo giusto che tenti di riconoscere chi l'ha commesso, soprattutto perché lo fa per il bene di quella bambina. Quando sarà grande, questo sarà uno dei suoi doveri di cittadina, non crede?

– Non la applaudo perché non mi va di dare spettacolo, ma ho una gran voglia di farlo, glielo assicuro.

Artigas scoppiò a ridere, mostrando due belle file di denti.

– Spero che non ci sia ironia nel suo entusiasmo.

– No di certo.

Gli tesi la mano e lui la strinse con franchezza. Pensai che con uomini come lui il compito di un essere umano diventa molto più facile, ma non glielo dissi. Gli sarebbe parso un complimento eccessivo.

Il mattino dopo chiesi a Garzón se voleva accompagnarmi al centro El Roure per il riconoscimento.

– Così parliamo un po'. Saranno settimane che non prendiamo un caffè insieme.

– Sono nei casini, ispettore.

– Denaro, lavoro o amore? Quanto alla salute, la vedo bene, ha una bella cera.

– Fortunatamente mi sento come un toro. È l'unica cosa che funziona, per il resto...

– Da quando la conosco, non smette mai di lamentarsi, Fermín. Ma è proprio così disperato?

– Disperato no, ma nemmeno felice.

– Nessuno è felice, non dica sciocchezze. Cos'è che le manca?

– Soldi, sempre soldi, come a tutti. E poi il lavoro mi soffoca. Quanto all'amore, non capisco se mi manchi o mi soffochi. Glielo dico sinceramente, ispettore.

– Non credo di aver capito.

– Non capisce perché non so spiegarmi, ma non è niente di grave, ispettore, non si allarmi. Il fatto è che voi donne avete le vostre fissazioni, fin dalla notte dei tempi, e non c'è modo di smuovervi da lì.

– Cos'è, un indovinello? Una massima confuciana? O l'inizio di una telenovela?

– Se vuole prenderla sul ridere, ispettore, preferisco star zitto.

– Su, non si arrabbi. Lo sa che quando comincia a parlare di tutte le donne prese in blocco io mi preoccupo.

– Lo so fin troppo bene. Ma non può negare che la mania di sposarsi è sempre stata una sindrome molto femminile.

– Beatriz vuole sposarla?

– È già da un po' che insiste. E ha le sue buone ragioni, non creda. Dice che ormai stiamo insieme da tanto tempo, che andiamo d'accordo, che convivere sarebbe più pratico, ora che ci stiamo facendo vecchi, che ci sentiremmo meno soli…

– Be', non ha torto. Ma per convivere non c'è bisogno di sposarsi.

– Certo, però lei dice che non si è mai sposata e che le piacerebbe tanto.

– Mi scusi Garzón, ma questa mi pare la sola ragione valida. Se è un'idea che le piace, è molto comprensibile che voglia farlo.

– A me, per esempio, piacerebbe fare un viaggio in pallone.

– Non dica scemenze. Che cosa cambia se si sposa o rimane vedovo?

– Ma se è stata proprio lei, ispettore, a inculcarmi l'avversione per il matrimonio!

– Sì, io però ho divorziato due volte, mentre lei è praticamente vergine in fatto di matrimoni.

– Vergine le palle! Mi sono sposato soltanto una volta, d'accordo, ma è stato un matrimonio lunghissimo, quindi so bene cosa significa sposarsi. Significa un mucchio di carte, di obblighi, dover stare insieme continuamente, dover dare spiegazioni su ogni minima cosa. Caspita se lo so cosa significa, ispettore: «Dove hai lasciato le chiavi?». «Mettiti la maglia che fa freddo». «Non fumare che ti fa male». «Non mangiare che ingrassi». «Non bere che devi guidare». Francamente non me la sento di affrontare una simile tortura.

– Sì, ma tutto questo ha la sua contropartita. Qualcuno che la incoraggia quando attraversa un brutto mo-

mento, qualcuno che la ascolta quando ha qualcosa di
bello da raccontare, qualcuno che respira accanto a lei
nelle lunghe notti...

– Ma se le sembra tutto così meraviglioso, ispettore, perché non si è risposata, eh? Mi dia una buona risposta.

– È venuto nel mio ufficio per chiedermi questo? Le
ricordo che chi si trova nei casini è lei. E poi, sono stufa di essere presa per una consulente sentimentale.

– Ecco, mi sono già fregato da solo. Con l'umore che
ha stamattina, è meglio che non la accompagni da nessuna parte, ispettore, a meno che non me lo ordini lei.

– Mi spiace, ma oggi non sono in grado di ordinare
nemmeno un caffè. Può andarsene, Garzón.

Da quanti anni lavoravamo insieme, io e Garzón? Parecchi, eppure continuavamo ad azzannarci come cani
rabbiosi. Incredibile come ciascuno rimanga identico
a se stesso fino alla fine dei suoi giorni. Eppure non ci
renderemmo conto del nostro immobilismo se non ci
vedessimo riflessi nello specchio che gli altri ci mettono davanti. Per questo il matrimonio è così disastro-
so: impone un testimone costante e indiscreto alla nostra vita. Eppure mi piaceva lavorare con Garzón, la
sola idea di avere un altro collega mi produceva una strana inquietudine. Eravamo amici, nelle questioni inve-
stigative ci intendevamo a meraviglia, tolleravamo bene le reciproche manie e potevamo vantare entrambi
una buona dose di senso dell'umorismo. Con meno della metà di queste doti in comune, qualunque coppia sposata potrebbe ritenersi felice. Ma non era quello il mo-

mento per cantare le lodi della nostra simbiosi poliziesca: per colpa di una discussione insensata mi toccava recarmi da sola a quella strana seduta di riconoscimento infantile. La cosa non mi piaceva affatto, e per due motivi: primo, perché non sapevo bene entro quali regole avrei dovuto muovermi, e secondo, perché dubitavo di poter arrivare a qualcosa. Un panorama davvero poco promettente.

Marina arrivò condotta per mano da suo padre. Si guardava intorno spalancando quegli enormi occhi attenti che mi avevano colpita fin dal primo momento. Era seria, come sempre, e il suo faccino responsabile contrastava con il sorriso aperto del padre. Artigas era di nuovo vestito in modo informale, con pantaloni di velluto a coste e giacca spigata. Evidentemente era lui l'elemento aperto e progressista della coppia, mentre sua moglie rappresentava l'ordine e la conservazione. Proposi di prendere un caffè prima di entrare al centro El Roure.

– Ha avuto difficoltà a venire?

Artigas annuì brevemente e fece un cenno verso la bambina, per farmi capire che preferiva non parlarne davanti a lei. Immaginai un piccolo dramma familiare dietro le quinte. Sorrisi a Marina.

– Bene, adesso toccherà a te. Sai cosa devi fare?

– Sì, guardare le foto delle bambine per vedere se trovo quella che ti ha rubato la pistola.

– Bravissima, proprio così. Ma non aver paura. Se non la trovi, o non sei proprio sicura che sia lei, me lo

48

dici. Non succederà niente. Forse quella bambina non c'è, fra quelle fotografie. Capisci?

– Sì. Le farete qualcosa se la trovate?

– No, non le faremo niente. Ma non possiamo lasciare che si faccia male, o che senza volerlo faccia male ad altre persone. Ti rendi conto che una bambina non può tenere una pistola, vero?

– Sì.

– Noi le diremo di darcela, e basta.

– E poi cosa le succederà?

– Niente di male, anzi. Se è senza genitori e senza casa, le cercheremo una famiglia, perché qualcuno si occupi di lei e possa vivere felice come gli altri bambini.

Lei annuiva, ma era impossibile capire quali pensieri si agitassero dietro la sua fronte liscia. Uscendo dal bar, si fermò a osservare una macchinetta mangiasoldi. Ne approfittai per scambiare due parole con suo padre.

– È sempre così educata?

– Sì, è molto seria. Ma le piace anche ridere. Immagino che questa storia la colpisca molto.

– Mi dispiace, architetto. Avrei preferito non imporle una cosa del genere.

– Non si preoccupi, deve imparare a sentirsi responsabile. Farà tutto benissimo, vedrà.

Pepita Loredano, la direttrice del centro, mi parve ancora più antipatica della prima volta. Aveva la testa fresca di parrucchiere e sorrideva in modo artefatto. Non appena vide Marina, le si rivolse come a una specie di orsacchiotto di peluche. La bambina doveva essere abituata a quel tono, perché la guardò con condiscendenza. Le spiegò più o meno le stesse cose che le avevo spiegato io, ma con una povertà di vocabolario e una quantità di similitudini ridicole francamente allarmanti. Alla fine la fece sedere davanti a un computer e, sempre bamboleggiando, le chiese:

– Lo sai già usare questo giocattolo, vero, tesorino?

Marina le concesse uno dei suoi monosillabi lapidari mentre afferrava il mouse con la destrezza di un avventuriero del Mississippi. Senza la minima esitazione fece comparire le schede delle bambine che erano state accolte presso El Roure. La direttrice spiegò di aver già selezionato quelle dai sette agli undici anni, tenendo conto di un possibile margine d'errore riguardo all'età. Finalmente, uscì dall'ufficio e ci lasciò soli.

– Hai bisogno di aiuto? – chiese Artigas a sua figlia.

– No. So come devo fare.

– Noi siamo qui nella stanza accanto, se hai bisogno di qualcosa, chiamaci.

Passammo in una piccola anticamera. Artigas indicò un posacenere su un tavolino.

– Crede che qui si possa fumare?

– Io, fossi in lei, fumerei prima che torni la Loredano. Sembra tutta latte e miele con i bambini, ma è di ferro con gli adulti. Anzi, credo che le farò compagnia.

Mi offrì una delle sue sigarette e aspirammo le prime boccate in silenzio. Voltai il viso verso di lui.

– Crede sia opportuno lasciarla sola durante il riconoscimento?

50

– Marina? Sì, è molto matura. Sa perché si trova qui e farà tutto come si deve.

– Non vorrei sembrarle invadente, ma posso chiederle se ha avuto problemi con sua moglie per portare qui la bambina?

– Sì, e non mi dica che le dispiace, per favore. Lasciamo perdere i formalismi. Mia moglie è parecchio seccata. Ma passerà. Lei stessa mi ha detto di essere stata sposata un paio di volte, quindi sa bene come vanno queste cose.

– Certo.

– Adesso sono io a non volerle sembrare invadente. Ma mi domando se il suo mestiere di poliziotto abbia influito sulle sue separazioni.

– È possibile, non lo so. Se vuole che le dica la verità, all'inizio, quando ci si separa, si crede sempre di conoscerne il motivo, ma via via che il tempo passa e ci si guarda indietro, i motivi sfumano e rimane solo un grande senso di incredulità, al punto che non riusciamo più a spiegarci come abbiamo potuto sposare quella persona.

Artigas rise. Mi trovava simpatica. Poi rimase pensieroso. Di colpo, senza una ragione, gli dissi:

– Io adoro la solitudine.

– Nessuno adora la solitudine, ispettore.

– Solo perché idealizziamo la compagnia. Ma né il matrimonio è una buona soluzione, né stare soli è così drammatico.

– Su questo credo lei abbia ragione.

Rimasi un po' imbarazzata nel vedere che taceva. Cercai di uscire da quella strana impasse:

– Non le pare che certi discorsi siano poco appropriati per un posto come questo?

– Quando racconterò ai miei amici che ho avuto uno scambio di opinioni sui sentimenti con un ispettore di polizia, nessuno mi crederà.

– Il solo fatto di poter scambiare opinioni con un poliziotto le sembra incredibile, vero?

– Non ci sono poliziotti nel mio ambiente professionale.

– E neppure nella sua cerchia di amici.

Mi guardò spaventato.

– Non volevo certo dire che con un poliziotto non si possa parlare di qualunque argomento. La prego di non fraintendermi.

– Non mi dia retta, scherzavo. Il mio mestiere si presta molto agli scherzi.

Con la coda dell'occhio vidi che Marina era comparsa sulla porta e ci stava guardando. Non so perché, mi spaventai.

– L'ho già trovata – disse. Suo padre ed io rimanemmo per un attimo interdetti, come se non sapessimo a cosa si riferiva. Poi io saltai su come una molla. Le misi una mano sulla spalla ed entrammo nell'ufficio. Sullo schermo del computer c'era la foto di una bambina bruna, con i capelli lisci, grandi occhi neri e un'aria decisa.

– È questa.

– Sei sicura?

– Sì.

– È la bambina che hai visto al centro commerciale?

– Sì.

– Questa però mi sembra più piccola.

Lei alzò le spalle. Mi sedetti davanti al computer per aprire la scheda con i dati, ma non ci riuscii. Chiamai la direttrice. Lei guardò la fotografia sforzandosi di ricordare.

– Ma certo, la bambina misteriosa. È stata qui da noi circa un anno e mezzo fa. Mi faccia vedere.

Aprì la scheda usando una password.

– Eccola qui. È passato poco più di un anno. L'avevano trovata... – Tacque. Guardò Marina, le rivolse quel suo sorriso meccanico che voleva apparire affettuoso e le disse: – Carina, potresti aspettarci un momentino di là? Ci sono dei giornaletti nel portariviste. Il tuo papà verrà subito a prenderti.

Marina obbedì come un automa. La direttrice ci rivolse uno sguardo che voleva apparire carico d'amore per l'infanzia. Si giustificò senza motivo.

– È meglio che la piccola non senta certe cose. Come vi dicevo, la bambina era stata trovata dalla polizia, in strada. Parlava rumeno, ma non aveva famiglia, né genitori né fratelli, nessuno.

– Possibile? E come è arrivata fin qui?

– Non lo sappiamo. Non era il primo caso né sarà l'ultimo. Li abbandonano, o qualche organizzazione illegale li porta qui clandestinamente, oppure i genitori muoiono o rientrano al loro paese senza di loro. Chi può saperlo? Vivono per la strada, allo sbando, finché qualcuno si accorge che sono soli e li consegna a noi. Ha detto solo il suo nome: Delia, poi non ha più voluto parlare.

– E che ne è stato di lei?

– È scappata. Un pomeriggio li abbiamo portati in visita a un museo e lei, non si sa come, è sparita. La cosa non ci ha sorpresi. Era molto irrequieta e ribelle, non riuscivamo a instaurare alcun rapporto con lei. È stata qui poco più di due mesi e non ha parlato né fatto amicizia con altri bambini. Non ha voluto saperne di integrarsi. Un caso molto particolare, non crediate che siano tutti così.

– Quanti anni aveva quando è stata qui?

– Dalla visita medica risultavano sette o otto anni.

– L'età può coincidere con quella della bambina che cerco. Adesso dovrebbe avere nove o dieci anni.

– Purtroppo non riusciamo ad aiutarli tutti. Ci sono casi davvero estremi, e Delia era uno di quelli.

Artigas, vedendo che non avevo nessuna voglia di rispondere a un simile dispiegamento di ipocrisia politicamente corretta, lo fece per me:

– Certo, è comprensibile.

Chiedemmo a Marina, che ci aspettava tranquillissima sulla sua poltroncina, se volesse rivedere la foto. Lei disse di no.

– Non c'è bisogno. È la bambina che correva con la borsa.

Ci incamminammo in silenzio, attraverso il giardino graziosamente orlato di tulipani. Al cancello, la piccola domandò:

– Perché non voleva parlare?

– Sei stata ad ascoltare?

– No, si sentiva tutto.

Capii che la bambina doveva aver sentito anche la conversazione fra me e suo padre e mi sentii piuttosto a disagio. Ci stringemmo la mano. Diedi un bacio a Marina.

– Sei stata bravissima, Marina, bravissima. Sei sicura che era lei, vero?

– Sì.

I suoi grandi occhi sgranati mi guardarono pieni di rimprovero. Cercai di farmi perdonare:

– Ne sono convinta.

Ed era vero, che diavolo! Quella bambina era una delle persone più affidabili che avessi mai conosciuto. Se col tempo anche lei, come la mamma, fosse diventata consulente finanziaria, le avrei messo nelle mani tutti i miei risparmi.

Speravo solo che Garzón si fosse calmato, perché senza il suo aiuto non sarei mai riuscita a cavarmela in quella situazione. Mi lanciò uno sguardo di sufficienza, quando gli domandai:

– Chi si occupa dell'infanzia in questo casino?

– Come vittime del crimine organizzato o come vittime della criminalità comune? Perché in teoria i bambini sono soltanto oggetto di reato, loro non delinquono mai.

– Chi si occupa di bambini, viceispettore? Sempre che dicendomelo non compia un atto di alto tradimento. Ho bisogno di sapere chi ha tolto dalla strada una certa bambina rumena.

– Ha il nome della bambina?

– No.

– E allora se lo scordi. Tutto ciò che coinvolge i bambini passa automaticamente al tribunale dei minori. Noi siamo costretti a fingere di non saperne niente. È una questione molto spinosa.

– Va bene, escogiti un altro ostacolo, e poi mi faccia il favore di dirmi chi si occupa dell'infanzia.

– L'ispettore Machado, Juan Machado. Da un po' di tempo indaga su certe brutte faccende. Se non ne sa lui di bambini...

– Su, si muova, non so cosa stiamo facendo ancora qui.

Mi guardò con sarcasmo.

– Lo sa perché mi piace lavorare con lei, ispettore?

– No.

– Perché non rimpiangerò il servizio quando andrò in pensione.

2

Juan Machado non somigliava affatto al nostro insigne poeta; direi che era l'antitesi di tutto quanto può esserci di poetico, anche tenendo conto dei poeti maledetti. Piuttosto in là con gli anni, capelli scarsi e forforosi, portava una giacca scozzese di quelle che nessun uomo normale riuscirebbe a comprare senza una buona dose di coraggio o di whisky nelle vene.

– Accidenti, Petra, cosa mi dici? Che una sbarbata ti ha fatto fuori la pistola? Potrei dirti che non ci credo, ma ci credo. Più sono piccoli più sono disgraziati, e non si fermano davanti a niente. Tanto noi non possiamo torcergli un capello! Ne ho le scatole piene di ricevere denunce.

– Ma li affidate al tribunale dei minori, no?

– Sì, quando li peschiamo. Se sono senza famiglia, o hanno una famiglia molto destrutturata, come si dice adesso, finiscono in un centro di accoglienza. I più balordi, però, se la svignano appena possono e tornano in strada. Gli istituti non sono certo sicuri come i riformatori. Non funzionano. Alla fine siamo costretti a lasciar perdere. Quelli che scappano rimangono in strada, tanto è lì che vogliono stare. Con tutto il lavoro che abbiamo ci manca solo che dobbiamo fare le Mary

Poppins. Certe volte ce ne troviamo una banda perfino qui davanti, sul marciapiede del commissariato. Si prendono il gusto di provocarci.

– Quali sono i reati più comuni ai danni dell'infanzia?

– Ci sono le reti di adozioni, che in realtà sono un mercato di bambini, e poi la pornografia per pedofili. Si è parlato tanto del traffico d'organi, ma in realtà non abbiamo prove che in Spagna agiscano organizzazioni del genere.

– Non ti invidio, Machado.

– No, guarda, non è proprio il caso. Faccio un lavoro di merda. Se vuoi ti mostro le foto che abbiamo intercettato l'anno scorso su Internet. Roba hard con scolaretti, una vera aberrazione.

– No grazie, non ci tengo. Sarà meglio che mi parli dei bambini di strada.

Intervenne il viceispettore:

– Forse dovremmo chiedere un mandato per ottenere la foto della bambina che possiedono al centro El Roure. Almeno avremmo un punto da cui partire. Conosci qualcuno al tribunale dei minori che possa farci questo favore?

– Ma certo, la Royo, il magistrato Isabel Royo! Lei con gli sbirri ci va a nozze. Potete dirle che vi mando io. Ci ha già tirati fuori da qualche bel guaio. Di solito chi si occupa di bambini non ti aiuta manco a morire –. Mi guardò serissimo. – Il viceispettore ha ragione, Petra. Se già è difficile dare la caccia a una bambina che non ha un nome e non parla spagnolo, figurati senza una foto da mostrare in giro. Se vuoi, mentre tu parli con la Royo, io illustro al collega tutti i posti che dovete visitare e le persone che possono dirvi qualcosa.

58

Circa un anno fa abbiamo fatto una retata che non finiva più, la più grande che si fosse mai vista. Non che io pretenda di dirvi cosa fare, eh? A me non me ne importa un cavolo di come vi gestite le indagini.

Machado, con il suo linguaggio, non sarà stato all'altezza del poeta omonimo, ma bisogna ammettere che il suo aiuto fu inestimabile. Incontrai il giudice Isabel Royo, che all'inizio si mostrò piuttosto restia.

– Se non c'è un procedimento aperto, ispettore, come vuole che le spicchi un mandato?

Riuscii a convincerla solo quando invocai i diritti dell'infanzia.

– Pensi a quel che può fare quella bambina con una pistola in mano. Può ferirsi gravemente, o può uccidere altri bambini. Ha il diritto di essere protetta.

Il sistema funzionò, eppure non potei non avvertire una punta di biasimo nella sua voce, come se mi dicesse: «Se tu, brutta stupida, non ti fossi lasciata derubare, adesso non ci troveremmo in questa situazione».

Qualcosa di peggio mi toccò quando andai a presentare il mandato a Pepita Loredano, la direttrice del centro. Chissà perché quella donna provava tanta avversione nei miei confronti. In fondo, un istituto come il suo avrebbe dovuto collaborare con la polizia. Ma non era così. Forse, proprio come gli animali, che provano all'istante antipatie inspiegabili, la signora ce l'aveva con me senza motivo. Esaminò il mandato, verificò per telefono che fosse autentico, e poi si fece portare la fotografia di Delia. Alla fine la gettò sulla scrivania e mi guardò con un sogghigno.

– Buona caccia, allora – mi disse.

– Crederà mica che abbia intenzione di spararle addosso?

– Spero di no. Ma se la trova mi assicurerò che sia in buone condizioni, fisiche e psichiche. Anzi, gradirei che mi lasciasse il suo numero di telefono personale. Voglio potermi informare sull'andamento delle indagini. E poi desidererei essere avvertita non appena venisse a conoscenza di qualcosa. Le ricordo che la minore è ancora sotto la mia tutela.

– Se non sapessi che solo per il bene dei bambini lei adotta metodi così inquisitoriali, mi offenderei.

– L'ha detto, vengono prima i bambini.

Con il mio trofeo nella borsetta uscii di corsa di lì. Era fortunata quella donna, mi conveniva tenermela buona in caso di bisogno, altrimenti ne avrei fatto polpette.

Ora che potevo starmene un attimo tranquilla, osservai la foto della piccola ladra. Occhi grandi, espressione neutra ma con una punta di sfida. Che cosa diceva il suo sguardo? Nessuno sa cosa si annidi nella mente di un bambino. Io, meno di altri, di sicuro.

In commissariato, mi incontrai subito con Garzón, come avevamo deciso. Stava lavorando alle sue cose, un traffico di droga.

– Ha avuto quegli indirizzi, Fermín?

– Sì, ispettore.

– Siccome la vedevo in altre faccende affaccendato...

– Ispettore, anche lei ha altre cose da fare, oltre a occuparsi della sua pistola. Coronas si sta accorgendo che il nostro lavoro rallenta, e prima o poi non ci risparmierà un bel pistolotto.

– C'è tempo per tutto. Da dove cominciamo?

– Dalla pausa pranzo, Petra, e non faccia storie, sono le due del pomeriggio. Va bene La Jarra de Oro?

Accettai. Ci diedero un buon tavolo e il solito menu. Accanto a noi sedeva Yolanda con altri giovani agenti. Ci salutò agitando la mano come se fossimo tutti in gita domenicale. Garzón le rispose e io grugnii.

– Sempre incazzata, ispettore.

– Vedo che cominciamo bene.

– No, permetta che glielo dica da amico. Come l'altra volta con quella storia della consulente sentimentale. Sia lei che io ne abbiamo viste di cose nella vita. E allora perché se la prende tanto per una semplice chiacchierata personale?

– Mi spiace, i miei attacchi non erano rivolti a lei.

– Ma li ho ricevuti io.

– Reagisco male perché ci sono cose che mi infastidiscono per principio. Per esempio, che tutti si preoccupino tanto per le questioni di cuore. La nostra è una società decadente, ci interessiamo solo ai problemi individuali, e visto che abbiamo la pancia piena...

Il mio vice fece una faccia da ragazzetto davanti a un professore rompipalle. Poi si gettò sul suo piatto di fagiolini in umido come un Pantagruele a digiuno.

– Lei e la sua mania di fabbricare teorie per ogni cosa... Avrebbe dovuto fondare una scuola filosofica o come diavolo si chiama.

– Meglio una setta religiosa, è più redditizio. Ormai la

gente ha il cervello in pappa per colpa della stupidità imperante, e prenderebbe le mie rivelazioni come oro colato.

– Da quando la conosco, sembra che per lei la fine del mondo sia sempre dietro l'angolo, ma a quanto pare non è ancora arrivata.

– Si sta avvicinando.

– Voi intellettuali non vedete altro che il peggio.

– E io sarei un'intellettuale? Non dica sciocchezze, Fermín.

– Dico solo che lei è così pessimista perché se ne sta sempre chiusa in casa a leggere libri.

– Magnifico! Condannare il vizio della lettura è una tradizione molto spagnola.

– Accidenti, Petra. Sa cosa le dico?

– Sì, di andare a farmi friggere.

– Ecco, preferisco che se lo sia detta da sé.

Ci portarono due bistecche così grandi che il piatto non bastava a contenerle. Il viceispettore ne annusò gli effluvi con l'espressione estatica di un assaggiatore di vini. Pensai che un uomo che ama a tal punto mangiare non potesse sbagliarsi poi tanto sull'umanità.

– Non mi dia retta, Fermín. In fondo ha ragione, faccio la vita di una vecchia orsa.

– Volevo solo tirarla un po' su in previsione degli ambienti che ci toccherà visitare fra poco. Proprio del genere che le piace: informatori, pregiudicati, ruffiani... Divertimento garantito. Solo a vedere la lista che mi ha dato Machado mi è passata la voglia di ritrovare quella sua benedetta pistola.

– Lei non mi crede veramente preoccupata per la sorte di quella bambina, vero? Secondo lei tutto il mio interesse si riduce a una questione di orgoglio ferito per aver perso l'arma.

– Non mi provochi, ispettore, non mi va di discutere. Non le piace la sua bistecca? Posso finirla io? Visto che adesso c'è chi pensa a mettermi a dieta, quando mangio da solo devo recuperare.

– E dire che non si è ancora sposato. Aspetti ancora un po' e vedrà!

– Ecco, un'altra bella silurata sotto la linea di galleggiamento. Torni pure alla sua caverna da orsa, ispettore, e mi lasci perdere. Sarà meglio.

Risi come una strega soddisfatta del suo maleficio. Che sant'uomo. Nessun altro mi avrebbe sopportata con tanta pazienza. In quel momento si avvicinò Yolanda, che aveva finito il suo pranzo.

– Volevo dirvi che domani è il mio compleanno.

– Auguri!

– Ci sarà una festa. Ho affittato un'intera discoteca, vicino a casa mia. Poi vi do l'indirizzo. Verrete, vero? E in compagnia, mi raccomando. Potete portare chi volete.

– Io volentieri. Sarò puntualissimo. A che ora è?

– Alle otto. E lei, ispettore?

– Non crede che potremmo essere un po' fuori posto fra tanti giovani?

– Io non mi considero certo fra i vecchi – intervenne Garzón. – Ho intenzione di ballare come un invasato –. Poi mi lanciò uno sguardo di biasimo mentre cercavo il modo di declinare l'invito senza offendere.

Di colpo mi vidi con una pelle d'orso sulle spalle, rannicchiata in fondo a una caverna a leggere un libro.

– E va bene, vengo anch'io.

– Fantastico! – canterellò Yolanda. Stampò un bacio sulla guancia del viceispettore e si allontanò lasciandosi dietro una scia di profumo fiorito.

Attraversammo in silenzio il quartiere della Barceloneta. Ce la prendevamo comoda perché mancavano ancora tre quarti d'ora all'appuntamento. Il viceispettore sembrava perfino mezzo addormentato.

– Ha la digestione difficile, Garzón?

Lui sbatté gli occhi, sforzandosi di apparire incredulo, ma era evidente che stava solo cercando di riscuotersi.

– No, niente affatto, stavo riflettendo.

– E va bene, ma fra riflessione e riflessione, perché non mi racconta qualcosa del confidente che dobbiamo incontrare?

– Non è un confidente, ma un pregiudicato con la condizionale. È stato condannato per un reato ai danni di minori. Si è fatto otto anni di carcere e adesso va a firmare di tanto in tanto. L'ispettore Machado è convinto che abbia dei contatti o, almeno, che sappia cosa succede in giro. Dice che è il caso di metterlo sotto torchio.

– Che cos'ha fatto?

– Una brutta storia. Agiva come intermediario fra certi genitori poco coscienziosi e alcuni fotografi che pagavano un tanto all'ora per fotografare i bambini in pose «artistiche», per dirla nel modo meno schifoso.

– Che orrore!

– Ma dove crede che siamo finiti Petra? Questo è un ambientaccio.

– Sarà meglio che prenda l'iniziativa lei, io non saprei cosa dire a un tipo del genere.

– Come vuole, ma le assicuro che non lo tratterò con i guanti. Poi non mi venga fuori con la predica che non sono stato un signore.

Certo che neanche quel tipo poteva definirsi un signore. E, nel suo caso, le apparenze non ingannavano. Bastava vederlo per capire che era un ruffiano della peggior specie. Cos'altro avrebbe potuto fare con quei capelli radi, quegli occhi cisposi, quelle orecchie pendule e quella cicatrice in faccia, se non il delinquente? La sola cosa paradossale, in lui, era il nome: si chiamava Abel. Abel Sánchez. Ma se Abele avesse avuto un aspetto del genere, chiunque avrebbe giurato che avesse ucciso Caino.

Non sembrava spaventato, eppure, prima di sedersi con noi in quel bar bisunto, si guardò intorno con diffidenza. Temeva di essere visto in nostra compagnia. Il viceispettore fece le presentazioni in tono formale.

– L'ispettore Petra Delicado. Io sono il viceispettore Garzón.

– Piacere – biascicò lui, imponendosi una certa urbanità. Ma subito, senza darci modo di aprir bocca, ci sommerse con un fiume di parole. – Sentite, signori, avrà anche fatto benissimo l'ispettore Machado a mettermi in galera, ma la mia condanna l'ho avuta e sto ancora pagando per quello che ho fatto. Quindi non può permettersi di mandarmi continuamente i suoi colleghi a rompermi l'anima a forza di domande. Io sono pulito, adesso, capite? Pulito. Non ho niente da dire perché non conosco nessuno. Un uomo non può essere tormentato per tutta la vita solo perché ha commesso un errore. Le mie abitudini sono cambiate e non conosco nessuno che traffichi con i minori.

Il silenzio si stese fra noi come una nebbia. A dir la verità il ragionamento di quell'avanzo di galera non faceva una grinza. Ma sul viceispettore non sortì alcun effetto. Lasciò passare qualche secondo, si accese una sigaretta, e poi disse:

– Tu, l'unico che non conosci è tuo padre, Sánchez. A ben pensarci, meglio per lui. Prova a farmi un altro predicozzo del genere e ti tiro una bottigliata in faccia lì dove sei.

Gli mise davanti la birra che aveva ordinato, sbattendo la bottiglietta sul tavolo. Non so se quel trattamento fosse deontologicamente accettabile, ma Abel si ammansì all'istante e disse, cambiando tono:

– Che cosa desiderate sapere?

Tirai fuori la fotografia della bambina. Lo tenni d'occhio, mentre la osservava, ma la sua espressione non cambiò.

– È rumena – esordii.

– Mai vista in vita mia. Ma state scherzando? È una bambina piccolissima e io sono stato in galera otto anni. Come diavolo pensate che possa conoscerla?

Se prima i suoi argomenti mi erano parsi giusti, ora la logica era indubbiamente dalla sua parte. Ma il mio collega seppe ribattere anche a questo:

– Si dorme bene, in cella, vero?

– Cosa volete che vi dica? Io non l'ho mai vista.

– Voglio che tu ci dica chi ha a che fare con i bambini ultimamente, e chi tratta con i rumeni in particolare. Bambini dagli otto ai dieci anni.

– Se avete intenzione di darmi appuntamento nei bar per chiedermi cose di questo genere, finisce che un giorno o l'altro qualcuno mi spara addosso.

– Per fare fuori te basta uno spruzzo di insetticida. Vuoi deciderti a parlare, disgraziato?

Garzón aveva alzato la voce, e i pochi avventori del bar ci stavano guardando. Finalmente il tipo cominciò a parlare, distrattamente, come se quel che poteva dirci non avesse la minima importanza.

– Ora come ora non so chi possa essere in attività. Dico sul serio. Nessuno mi informa più di niente perché lo sanno che ormai sono fuori dal giro e che la polizia mi sta addosso. Posso solo dirvi, da quel che ho sentito qua e là, che molte rumene finiscono a lavorare in un laboratorio di confezioni alla Teixonera.

– Scrivici qui l'indirizzo.

– Di preciso non lo so.

– Quello che sai.

Con una calligrafia che rivelava il suo infimo livello di istruzione, Sánchez scarabocchiò qualcosa. Guardai il viceispettore. Sembrava soddisfatto. E anch'io lo ero, pur rendendomi conto che i passi per arrivare alla piccola ladra sarebbero stati ancora molti.

Quella notte non riuscii a togliermi dalla mente quello che il mio collega aveva chiamato un ambientaccio. A certi delitti non si può accordare nessuna giustificazione. Miseria, ignoranza, disturbi psichici non bastano a spiegare il grado di malvagità necessario per sfruttare un bambino. Anche se una conclusione del genere, nella serenità di una casa comoda, dall'alto di una biografia esente da sordidezze, è fin troppo scontata. Che ne sapevo io, pur essendo un poliziotto, del vero sottosuolo dell'essere umano? A parlare della malvagità intrinseca nella natura umana si rischia di scadere nel compiacimento. No, il vero male sta negli ambienti senza la minima fortuna, senza la più piccola traccia d'affetto, senza civiltà, senza memoria, senza speranza. Povertà, meschinità, volgarità e botte, questo è per molti il solo panorama da quando nascono fino a quando concludono malamente la loro vita fra l'indifferenza di tutti. Mi invase uno scoramento infinito. Anche se avessi recuperato la pistola, e l'incidente si fosse risolto nella bravata di una bambina, quella storia non avrebbe mai avuto un lieto fine.

In ogni caso, Fermín Garzón aveva ragione: dovevo riprendere il mio solito lavoro e occuparmi di quel furto come di una faccenda collaterale. Solo questo poteva aiutarmi a non finire nella spirale di quell'ambientaccio così inquietante. Ma non era facile. Idee strane, sempre meno realistiche, mi assalivano di continuo. L'ispettore Machado aveva detto che un gruppo di bambini di strada aveva l'abitudine di ciondolare davanti al commissariato. Una specie di provocazione, secondo lui, ma poteva essere qualcosa di più. Possibile che ci spiassero, mentre entravamo e uscivamo, per poi seguirci, coglierci in un momento di distrazione e rubarci la pistola? Ero stata io la prescelta? La piccola rumena era inviata da qualcuno che voleva approvvigionarsi di armi? No, supporre una cosa simile non aveva senso, la pistola di un poliziotto lascia tracce, è facilissima da identificare. Solo l'intervento del caso poteva spiegare l'accaduto.

Il telefono suonò. Era una certa Inés Buendía, educatrice del centro El Roure.

– Ci siamo già conosciute? – le chiesi.

– L'ho vista l'altro giorno al centro, ma nessuno ci ha presentate. Mi sono occupata personalmente di Delia quando è stata qui, e forse potrei darle qualche informazione interessante. Potremmo incontrarci domattina?

– Benissimo. Vediamoci al centro verso le nove.

– No, sarebbe meglio se ci parlassimo in un bar. Preferisco che la direttrice non sappia del nostro incontro. E se riuscisse a venire alle otto, meglio ancora, così arriverò in orario al lavoro.

Accettai l'appuntamento e decisi di andare a letto presto in modo da potermi alzare all'alba. Ma non riuscivo ad addormentarmi. Sembrava che il sonno volesse giocare a nascondino: ogni volta che stavo per acchiapparlo, sfuggiva. Mi addormentai tardi e male.

Non avevo affatto notato Inés durante le mie visite al centro di accoglienza. Era una donna ancora giovane, un po' hippy, dal sorriso aperto.

– In realtà mi dispiace di averla fatta venire, ispettore.

– Perché?

– Perché forse quel che ho da dirle è una sciocchezza e non le sarà d'aiuto.

– Tutto può servire in un'indagine.

– La direttrice mi ha parlato dei vostri incontri.

– Non che abbia collaborato molto, se devo dire la verità.

– È un po' scontrosa, ma non è una cattiva persona. Il fatto è che il centro rappresenta tutta la sua vita, la cosa a cui più tiene a questo mondo. E devo dire che da quando è arrivata lei, sei anni fa, le cose vanno molto meglio. Ma è molto autoritaria, molto protettiva con i bambini, e soprattutto non gradisce che poliziotti e giudici alterino il nostro trantran.

– Crede che abbia omesso di dirmi qualcosa di importante?

– Non so che cosa le abbia detto. Le ha parlato del carattere di Delia?

– Ha detto che non era una bambina facile.

– Direi che era qualcosa di peggio, ispettore. Quella bambina era una furia, come se si sentisse continuamente circondata da nemici.

– Non ha ricevuto assistenza psicologica?

– Sia la direttrice che lo psichiatra avevano deciso che dovesse prima ambientarsi un po'. Soltanto dopo avrebbe potuto ricevere una terapia.

– Si fa così, di solito?

– Nei casi di rifiuto, sì.

– E come si manifestava questo suo rifiuto?

– Era sempre arrabbiata, non parlava, ci guardava tutti con un odio che non è normale a quell'età, nemmeno nei bambini disadattati. Credo che le avessero fatto qualcosa, ma non ho idea di cosa. L'unico sentimento che esprimeva era quell'odio, quella rabbia che aveva dentro. Ne ero impressionata.

– Strano che non sia stata messa immediatamente nelle mani di uno psichiatra.

– Non ce n'è stato il tempo, ispettore. È scappata quasi subito.

– E come mai ha avuto il permesso di partecipare a quella gita al museo?

– Speravamo che si abituasse a stare con noi. Se non avesse potuto uscire con gli altri sarebbe stato peggio.

Scossi la testa più volte, cercando di dare un senso a quel che avevo sentito.

– Ispettore, non dica alla direttrice che l'ho chiamata. Non le farebbe piacere, direbbe che mi impiccio di cose che non mi riguardano. Forse ho agito d'impulso, ma non mi sarei sentita tranquilla se non le avessi raccontato quello che so. Pensa che possa servirle a qualcosa?

– Ma certamente.

Mi era servito a qualcosa? La bambina rumena, ladra, senza famiglia e senza nome, era infuriata. Potevo aggiungere un nuovo interrogativo alla mia collezione: da dove veniva la sua furia? Certo, sarebbe stato strano che fosse di buon umore. Le bambine rumene non vengono in Spagna in gita scolastica.

Il laboratorio di confezioni alla Teixonera, un quartiere operaio a nord della città, non era che un vasto magazzino dove quindici donne rumene cucivano reggiseni da pochi soldi. La responsabile, sulla sessantina, scarmigliata e tinta di biondo platino, non ci accolse molto bene.

– È tutto legale qui. Le ragazze hanno il permesso di soggiorno e un contratto di lavoro. Abbiamo avuto un mucchio di controlli: sono venuti i Mossos, quelli del comune, la finanza, l'ufficio d'igiene... Rispettiamo gli orari e le ordinanze, paghiamo le tasse, ricicliamo i cartoni, ma cosa volete ancora?

– Un momento, signora, – tuonò Garzón. – Non ci ha nemmeno lasciato parlare!

– Penserete mica di essere diversi? Si sa che quando la polizia viene a trovarti non è per un invito a nozze. E poi in televisione dicono che vogliono aiutare la piccola impresa! Figuriamoci. Ma se non ci lasciano nemmeno lavorare in pace!

– Basta! – la interruppi. Avrei voluto strangolarla con le mie stesse mani. – Non tutti i piccoli imprenditori si comportano come si deve. Ne abbiamo viste di porcherie, soprattutto quando ci sono di mezzo gli immigrati!

– Quando i cinesi finiranno per accaparrarsi tutto il mercato dell'abbigliamento sarà colpa nostra, che gliel'abbiamo servito su un vassoio!

Ormai gridavamo come due comari. Le rumene, per lo più giovani, si scambiavano sguardi, prima spaventati, poi francamente divertiti. Di sicuro veder strapazzare la loro titolare le rallegrava.

– Signora, per favore – Garzón si assunse il ruolo del moderatore. – Vorrà almeno sapere perché siamo qui, no?

– Di certo per niente di buono.

– Su questo sono d'accordo. Dobbiamo solo farle qualche domanda. Crede che qualcuna delle sue ragazze possa essere coinvolta in affari poco puliti?

– E cosa cavolo ne so io? Non le seguo mica fino a casa, e non chiedo con chi hanno scopato la notte!

Qualche ragazza rise. Di sicuro capivano lo spagnolo. Diedi una gomitata al mio collega.

– Andiamocene, viceispettore, non vale la pena continuare.

– Sì, meglio che ve ne andiate, qui non ci sono ossa da rodere per voi.

– Spero sia vero che in questo laboratorio è tutto legale, lo spero per il suo bene.

– Ah, guardi come tremo! Vi faccio i miei auguri...

La strada ci accolse con un frastuono di traffico. Garzón brontolò, quasi ridendo:

– Che belva! Dev'essere vedova. Il marito, ormai, se lo sarà mangiato!

– Non so che cosa la diverta tanto, Fermín. È stato orribile.

– Be', proprio orribile...

– Molto sgradevole. Quella donna, così aggressiva e volgare, il posto, così deprimente. Mi sento quasi male.

Si rese conto che non scherzavo.

– In effetti, la vedo un po' pallida. Entriamo in quel bar.

Era un locale miserabile, pieno di vecchi col berretto in testa che giocavano a carte in un gran chiasso di risate e imprecazioni. Il televisore, al massimo del volume, trasmetteva una partita di calcio. Ordinammo un tè al banco. Garzón lanciava occhiate verso lo schermo. Mi sforzai di bere, come se qualcosa di caldo potesse liberarmi dal malessere. Tutto, intorno a noi, era squallido, spento, triste.

– Si sente meglio?

– No, questo bar è spaventoso.

Lui rise in silenzio, sotto i baffi. Mi parlò in tono paterno.

– Cosa le succede, ispettore? Non può farsi mettere fuori combattimento da una strega scarmigliata. La smetta di pensarci, lasci perdere.

– Non è facile. Il brutto di vivere da sola è che quando arriverò a casa quella strega, come la chiama lei, mi perseguiterà per un bel pezzo.

– Lo sapevo che a lei questi ambienti... In fondo è troppo signora per fare la poliziotta.

– Non dica cazzate. Piuttosto, pensiamo a mettere sotto sorveglianza il laboratorio di quella strega.

– Adesso mi piace già di più.

– Meno male, anche se piacere a lei non è una delle mie priorità.

– Ecco, sentire le sue cattiverie mi tranquillizza. È già tornata quella di sempre. Ne approfitto per dirle che di sicuro non troveremo niente al laboratorio della strega. Deve avere le spalle molto coperte, altrimenti non si sarebbe permessa una scenata simile.

– Bella informazione ci ha dato l'informatore.

– Stiamo a vedere. Magari un po' di sorveglianza può dare dei risultati.

– Purché Coronas ci dia la sua autorizzazione. Visto che ufficialmente non sono state aperte delle indagini...

– Mandi Yolanda, non ha molto da fare ultimamente. Potrà darsi il cambio con Sonia. Non oggi, però. La strega non muoverà un dito, se sta combinando qualcosa di losco. A partire da domani.

– Ne parlerò al commissario.

– Lo faccio io domattina, adesso è tardi. Allora, ci viene alla festa di Yolanda?

– Le avevo detto di sì.

– Ci sarà anche il fidanzato, che se non ricordo male ha avuto una storia anche con lei.

– La cosa non mi preoccupa, non credo possa essere peggio di questo bell'incontro. Lei verrà con Beatriz?

– Ci siamo dati appuntamento là. Ci ho messo un po' a convincerla, sa? Dice che alla nostra età è ridicolo andare in discoteca.

– E io, cosa dovrei dire? Ma mi farà bene distrarmi. Non ho voglia di sognarmi quella strega, stanotte.

Uscendo dal bar, passammo davanti ai vetri opachi del laboratorio. All'interno le luci erano già accese. A giudicare dal colore livido, dovevano essere tubi al neon.

– Che disastro, vero, Fermín? Vengono dal loro paese sperando in una vita migliore e si ritrovano tutto il giorno a cucire reggiseni chiuse in un postaccio come quello.

– C'è di tutto nella vigna del Signore.

– Certo che il Signore potrebbe tenerla un po' meglio la sua vigna.

– Con lei vicino, lavorerebbe senz'altro come si deve, se non altro per non sentirla polemizzare tutto il giorno. Il mondo sarebbe fatto a suo gusto.

Era vero che due vecchioni come noi non c'entravano per niente in una discoteca come quella, ma nessuno avrebbe potuto farci una gran figura, visto che era buia come la bocca di un lupo. Era perfino difficile riconoscersi nella tremenda confusione di giovani che ballavano e vuotavano bicchieri di birra. Nessun'altra attività era possibile al Sacrifices, l'antro dove si teneva la festa. Obbligatorio bere e fare gli idioti.

Yolanda corse come una pazza verso di me non appena mi vide. Era bellissima, in un vestitino corto incollato come un francobollo. Mi buttò le braccia al collo con un affetto che mi lasciò sbalordita.

– Ispettore, credevo che non sarebbe venuta!

Le dimostrazioni di quel genere mi imbarazzano da morire. Feci un passo indietro, con il pretesto di cercare il suo regalo nella borsetta.

– Il viceispettore non è con lei?

– È rimasto fuori ad aspettare la sua fidanzata. Ecco, questo è per te, auguri!

Le diedi il pacchetto. Lo aprì. Una boccetta di profumo, il colmo dell'originalità.

– Ispettore, ma questo profumo costa un occhio della testa!

Da lontano, al bancone, distinsi Ricard. Alzò il suo bicchiere a mo' di saluto, in una posa da Bogart in agguato. È sempre un bel tipo, pensai. Una conquista passeggera che non avrei più rivisto se Yolanda non si fosse innamorata di lui. Pazienza. Qualcuno mi afferrò per la vita. Beatriz, contentissima di vedermi, mi diede due sonori baci sulle guance.

– Che piacere!

– E tua sorella, non è venuta?

– È andata al cinema con il giudice.

Yolanda venne ad abbracciarla. Quando aprì il suo regalo fece finta di svenire. Era un costoso cammeo d'argento.

– Cavoli, ma è fichissimo! Scusate, volevo dire che è splendido.

– L'avevamo capito – la tranquillizzai.

Si avvicinò Sonia, la sua collega, e ammirò i regali.

– Anch'io voglio essere amica dei tuoi amici!

– Vieni, andiamo a farli vedere agli altri.

Si allontanarono per mano, sgusciando fra ragazzi con la testa rapata e ragazzine con l'anello al naso. Beatriz alzò le sopracciglia.

– La gioventù!

– Sono orrendi, vero?

Lei scoppiò a ridere.

– La solita Petra! Andiamo a prendere qualcosa. Non vedo cos'altro possiamo fare qui, se non ubriacarci.

Una volta al bar, mentre Garzón e Beatriz ordinavano da bere, Ricard mi si avvicinò. Ci baciammo sulle guance.

– Come stai, Petra?

– Come sempre.

– Ti vedo splendida.

– Splendida come sempre, allora.

Lui annuì sorridendo. Di certo non aveva dimenticato le nostre schermaglie verbali.

– Yolanda ti ammira molto. Dice che da grande le piacerebbe essere come te.

– Yolanda è una ragazza portata agli slanci d'affetto, ma non so quanto sappia valutare le persone.

– Immagino che questo valga anche per il sottoscritto.

– Non stavo pensando a te. La cosa ti stupisce?

– Petra Delicado, sempre pronta a sparare a vista.

– Non c'è pericolo, oggi la mia arma è caricata a salve.

Mi parve cambiato. Era più sereno, meno pazzoide, più disteso nel parlare. Garzón si avvicinò con un bicchiere di whisky per me. Lo salutò, insieme a Beatriz. Io ne approfittai per andare a fare un giro per la festa. C'erano alcuni agenti dell'età di Yolanda che mi salutarono con disagio. Di sicuro si domandavano se fosse stato proprio necessario invitare anche me. Era comprensibile: la presenza di un capo non è mai gradita a una festa. Dovevo assolutamente fuggire di lì senza dare nell'occhio. Era questione di lasciar passare un'ora, ma non me la sentivo di rimanere oltre. Avviai una manovra discreta per avvicinarmi all'uscita. Un gruppo di ragazze che entrava gridando fece al caso mio. In due falcate, fui fuori. Mi girai e, proprio in quel momento, prima che avessi il tempo di respirare una boccata d'aria, un uomo sorridente mi tese la mano.

– Ispettore! Come sta?

Lo guardai cercando di ricordare chi fosse.

– Si è già dimenticata di me?

Ancora un po' confusa, risposi:

– Architetto Artigas, mi scusi, ma non riuscivo a immaginarla in un quartiere come questo.

– Esco proprio adesso da una riunione. Sto lavorando a un progetto per un centro commerciale nella zona.

Sorrisi, annuii, non sapevo cosa dirgli. Ero sorpresa che mi avesse salutata come una vecchia amica.

– Be', io...

– Lei si sta divertendo, vedo.

Solo allora mi accorsi di avere ancora in mano il bicchiere di whisky. Mi venne da ridere.

– Vado a posarlo dentro. Anzi, perché non mi fa il favore di portarlo lei? In realtà mi sono appena data alla fuga.

Lui, sportivamente, prese il bicchiere ed entrò. Ricomparve all'istante.

– Un aiuto davvero provvidenziale – gli dissi.

– Mi restituirà il favore. Posso invitarla a prendere qualcosa nei dintorni?

Cominciammo a camminare. Io ero un po' stordita. Cosa ci facevo lì, con quell'uomo educato e distinto?

– Come sta Marina?

– Bene, lei sta sempre bene. Avete trovato la piccola rumena?

– Non è affatto facile. Non abbiamo idea di dove possa essere.

– Strano, una bambina in mezzo a una strada, con una pistola.

– Ci sono un sacco di bambini abbandonati, senza famiglia e senza nessuno che si occupi di loro.

– Sembra impossibile.

– Eppure è così. Il sottobosco delle città è sempre più duro, più spietato.

– Le va bene lì?

Era un bar del tutto anonimo dove qualche coppia sedeva a chiacchierare. Entrammo e ci sedemmo. Lui ordinò un caffè. Io continuai con il whisky. Alla luce chiara del locale lo osservai meglio. Aveva l'aria di un uomo un po' isolato dal mondo, tranquillo, un tantino infantile, da inglese che dedica il fine settimana a potare le sue rose. Dava una sensazione di pace, di innocenza.

– Che cosa può spingere una donna come lei a entrare in polizia?

– Un tempo facevo l'avvocato. Avevo uno studio con il mio primo marito. Ho lasciato il lavoro e ho lasciato lui. Il mestiere di poliziotto mi pareva più vivo, più a contatto con la realtà.

Malgrado i modi discreti e raffinati, Artigas non riusciva a nascondere la curiosità.

– Si è mai pentita?

– In genere non mi pento mai di niente.

– Ammirevole.

– O meglio, non mi pento delle decisioni importanti. Dei piccoli fatti di ogni giorno mi pento continuamente.

Sorrise. Gli ero simpatica. E anche lui a me.

– Sua moglie si è molto arrabbiata per il riconoscimento?

– Mentirei se le dicessi di no. Era parecchio seccata, ma non ha importanza. Mia moglie è sempre così: aggressiva, nervosa. Ha molto successo professionale, e il suo è un campo difficile.

– Il suo non lo è?

– Io sono un tecnico. La mia attività non ha una componente commerciale così forte. Mi occupo di studi, pianificazioni, progetti...

Bevemmo, chiacchierammo. Il tempo scorreva piacevolmente. Guardai l'orologio.

– Sono quasi le dieci. Dovrò prendere un taxi. È tardissimo.

– Ho parcheggiato qui vicino. Posso accompagnarla.

Aveva una bella automobile tedesca. Il sedile posteriore era coperto da un guazzabuglio di carte e rotoli di disegni, sui quali giacevano un casco di sicurezza e un maglioncino da bambina. Quando mi depositò davanti a casa, la osservò attentamente.

– Lei vive in un posto molto interessante.

– Dietro la casa ho anche un piccolo giardino.

– Ha mai pensato di ampliarla?

– Mio Dio, no, che complicazione! E che spesa!

– Se mai dovesse venirle in mente di farlo, mi chiami. Potrei darle qualche idea.

– Non mancherò.

Scesi dall'auto e cercai le chiavi. Quando aprii la porta e accesi la luce mi accorsi che faceva freddo. Era tutto così in ordine, secondo i criteri della donna di servizio, che mi parve di entrare in casa d'altri. Di colpo mi tornarono in mente la responsabile del laboratorio, le operaie rumene, rinchiuse a cucire, i bambini di strada, la pornografia minorile. Il sorriso che avevo ancora sulle labbra sparì di colpo.

3

La prima giornata di Yolanda e Sonia davanti al laboratorio non diede alcun risultato. Le ragazze rumene arrivavano alle otto del mattino, all'una uscivano per la pausa pranzo, rientravano alle due e se ne andavano definitivamente alle sette di sera. Qualcuna aveva lasciato il lavoro più tardi. Forse facevano gli straordinari senza essere pagate, ma questo non aveva nulla a che vedere con le nostre indagini. Secondo il rapporto delle due giovani agenti che si erano date il cambio, non si erano visti entrare bambini né visitatori, né c'erano stati movimenti sospetti. Garzón arrivò da me con un avvertimento:

– Stia attenta, ispettore, al commissario è giunta voce che ha impegnato due agenti nel recupero della sua pistola perché non le va giù di aver subito un furto.

– Chi dice una cosa del genere?

– Sembra che lei non conosca i nostri cari colleghi. Sono capaci di dire qualunque cosa pur di mettere i bastoni fra le ruote al prossimo.

Aveva ragione. Il terzo giorno di vigilanza, Coronas mi fece chiamare nel suo ufficio. Cercava di apparire conciliante, come se prima della ramanzina mi meritassi un quarto d'ora di terapia.

– Petra, capisco che per lei perdere l'arma in quel modo sia stato un trauma. Eppure, tenere impegnate due ragazze in indagini senza troppo fondamento mi pare un po' fuori luogo, se devo dire la verità.

– Qui non si tratta di traumi, commissario. L'intuito mi dice che siamo sulle tracce della bambina.

– Senza indizi ragionevoli non si può mettere in piedi un'operazione del genere. Per non parlare del suo lavoro. Ha proceduto a informatizzare i dossier sullo spaccio di droga negli ultimi due anni?

– Lo sto facendo. Però mi pare che varrebbe la pena…

– Ma è come cercare un ago in un pagliaio! Se poi lei nel suo tempo libero ha voglia di mettere sottosopra la città, faccia pure. Ma in orario di lavoro, francamente no. Tanto meno servendosi dei nostri agenti. Mi ha capito? Chiami immediatamente Yolanda e le dica di tornare subito qui.

Non potevo fare altro che eseguire. Non avevo argomenti per oppormi. Andai personalmente a sollevare Yolanda da quell'incombenza. Volevo vedere ancora una volta il laboratorio. La trovai seduta in macchina, mangiava un panino. Mi sedetti accanto a lei.

– Come mai è venuta, ispettore?

– Ci sono novità?

Lei si pulì la bocca con un tovagliolino di carta.

– Circa due ore fa è arrivato un furgone. Tre ragazze hanno portato fuori degli scatoloni e li hanno caricati. Saranno stati i reggiseni già pronti. Poi la responsabile è uscita a pagare l'autista.

– Ti è parso che ci fosse qualcosa di strano?

– Be', se il tipo del furgone viene a ritirare la merce, è logico che sia lei a pagare? Secondo me dovrebbe farlo il cliente.

– Forse ha pagato solo il trasporto. Non credo si tratti di un particolare importante. Finisci il tuo panino, Yolanda, ce ne andiamo.

– Rinunciamo? Tre giorni non sono molti. Tenendo gli occhi aperti potremmo scoprire qualcosa.

– Lo so, ma tutti pensano che io sia isterica per questa storia del furto. Il commissario ha dato ordine di lasciar perdere.

Lei sbuffò.

– Dovrebbero saperlo che lei non è isterica, e poi che non è tipo da agitarsi per la minima cosa.

– Purtroppo non tutti la pensano come te. In fondo può darsi che abbiano ragione. Questa faccenda sta cominciando a ossessionarmi, e non mi fa bene.

– Ma la bambina? Che cosa farà della sua pistola?

– Se è abbastanza scaltrita dalla vita di strada, la venderà a qualcuno. Se invece conserva l'innocenza della sua età, la butterà in qualche discarica. Su, metti in moto, torniamo in commissariato. Sono venuta in taxi.

Partimmo e facemmo tutto il tragitto senza aprire bocca. Solo quando arrivammo a destinazione, lei mi disse:

– L'altra sera Ricard ha detto che l'ha trovata molto bella.

– Mi fa piacere – risposi, senza farci troppo caso.

– È arrivato a dire che sarebbe stato più facile vivere con lei che con me.

– Che stupidaggine!

84

– Si riferiva all'età. Sostiene che i traumi subiti dalla vostra generazione, una ragazza come me non può capirli.

– Senti Yolanda, non credo che una cosa del genere debba farti soffrire.

– No, non ci soffro, però mi dà da pensare. Lei cosa dice del fatto che io e Ricard viviamo insieme?

– Cos'è? Un test d'intelligenza? Se non ti dispiace, preferirei cambiare argomento, anzi, preferirei non parlare per niente. Non ho voglia di far conversazione.

– Come vuole, ispettore.

Non si arrabbiava mai quando la trattavo duramente, e in questo modo riusciva sempre a farmi pentire di averla trattata male. Ma quella volta me la presi ancora di più. Non sopportavo che Yolanda mi vedesse come una figura materna. Mi ammirava, non mi contraddiceva mai, mi obbediva ciecamente... No, essere il punto di riferimento di qualcuno comporta un eccesso di responsabilità che non ero disposta a sostenere. La sola idea era un peso per me.

Le settimane che seguirono al nostro ultimo tentativo di rintracciare la piccola ladra furono incredibilmente tranquille e noiose. Con una pazienza da santa spulciai a uno a uno quei dossier da informatizzare. Tutto il resto era routine. A poco a poco cominciavo a dimenticarmi della mia Glock. Eppure ogni tanto mi sorprendevo a osservare i gruppi di bambini immigrati che vedevo per la strada. Nel Raval ce ne sono parecchi. Sulle Ramblas vidi dei piccoli marocchini che facevano sberleffi davanti alle vetrine. Il proprietario di un negozio, un pakistano, uscì a disperderli, e quelli presero il volo ridendo e gridando in arabo. Un ago in un pagliaio. Ogni volta ero tentata di avvicinarli e chiedere, fotografia alla mano, se avessero visto quella bambina, ma sarebbe stato inutile. Ormai la mia pistola doveva trovarsi nelle fogne di Barcellona, e ci sarebbe rimasta finché la ruggine non l'avesse distrutta.

Marcos Artigas mi chiamò un paio di volte. La prima, solo per chiedermi se avessi avuto notizie della piccola rumena, anche se poi finì per invitarmi a prendere un caffè. Stava cercando di avere una storia con me? Strano. Un uomo sposato, di un ambiente così diverso… Declinai l'invito, non volevo guai. La seconda volta, invece, mi chiese aiuto per una questione che mi lasciò un po' perplessa: aveva bisogno di un documento, firmato da me o da qualcuno del commissariato, in cui si dichiarasse che sua figlia era stata interpellata per un riconoscimento. Il motivo? Lo voleva sua moglie, non mi spiegò altro.

Decidemmo di vederci in un bar. Non avevo molta voglia di parlare di quel documento, ma non potevo farne a meno.

– Le ho firmato la dichiarazione io stessa, architetto, anche se non so se abbia il minimo valore legale. In ogni caso, se dovesse occorrerle ancora qualcosa… Le devo molto, quindi le sarò eternamente riconoscente.

– Questo suona molto ufficiale.

Non sapevo che altro rispondergli. Cosa voleva? All'improvviso mi sentii esausta: il mondo mi sembrava un baratto continuo, un mercato a cui era impossibile sfuggire, in cui non si poteva fare altro che comprare e offrire. Ma non avevo bevuto abbastanza da riuscire a dirgli in faccia quel che pensavo, né era successo niente di così traumatico da giustificare un'esplosione di collera. Lo guardai come un'imbecille e gli dissi:

– Ci siamo conosciuti su un piano ufficiale, architetto Artigas, e non credo che nulla debba cambiare.

Sorrise tristemente, ma non rimase zitto. Annuì e poi disse:

– Non ho niente da obiettare all'ufficialità, ispettore, anche se penso che di tanto in tanto possono passarci davanti grandi opportunità che non degniamo di un minuto di attenzione. Le distanze che poniamo fra noi e gli altri ci impediscono di agire, di decidere, di costruire cose nuove.

Non capivo a cosa si riferisse, ero a pezzi, stavo attraversando un pessimo periodo. Mi avevano rubato la pistola, avevo appena intravisto un mondo spaventoso, di sfruttamento e delinquenza infantile, che mi metteva a confronto con problemi morali importanti, ero giunta perfino a dubitare di quello che era stato il caposaldo della mia felicità negli ultimi anni: la mia solitudine, ed ecco che di colpo saltava fuori un tizio che mi faceva una predica incomprensibile sulle opportunità della vita... Non ne potevo più. Sinceramente preferivo dormire. E poi, in mancanza di pensieri autonomi, si fecero strada nella mia mente tutti i peggiori luoghi comuni: il tipico borghese creativo, belloccio, con una moglie insopportabile... Ma cosa credi che voglia da te, Petra? Era chiarissimo: una scopata, voleva, una bella scopata senza pensieri, e arrivederci e grazie. Non avevo niente in contrario a questo genere di relazione umana, solo che in quel momento... Per di più ero convinta che una donna poliziotto fosse un boccone esotico per un personaggio appartenente alla buona società. Di sicuro se ci fossimo incontrati in altre circostanze l'avrei mandato a quel paese, eppure dovevo riconoscere che quel che mi infastidiva più di tutto era non aver preso io l'iniziativa di una possibile schermaglia amorosa. Ecco che cosa non mi andava giù. Ormai da anni ero passata dalla condizione di oggetto erotico a quella di soggetto, avevo smesso di fare la signorina seduta in un angolo ad aspettare il bel cavaliere che la inviti a ballare, ero sempre io a scegliermi il partner. Ero la Diana cacciatrice, la principessa capricciosa che indica col dito, la predatrice sessuale che divora il maschio. Ancora negli ultimi giorni, mentre classificavo verbali per ordine di importanza e passavo i dati al computer, avevo pensato che non sarebbe stata una cattiva idea entrare in convento. Lo pensavo seriamente, posso dare la mia parola d'onore. Un convento è un posto bellissimo, isolato, anacronistico, e a suo modo elegante. Avrei potuto continuare a fare il mio lavoro per poi ritirarmi in clausura solo quando fosse venuta l'età della pensione. Ero arrivata a parlarne con Garzón. Che errore. Mi aveva guardata come se fossi uscita da un sepolcro avvolta nel sudario, e aveva esclamato: «Ma cosa diavolo dice, Petra? Elegante, un convento? Una volta sono andato a trovare una mia cugina che aveva preso il velo vicino a Salamanca, ed era un posto che più squallido non si poteva. Non ce la vedo proprio, una come lei, a mangiare al refettorio in quei piatti di vetro trasparente con i bicchieri di alluminio, e neppure ad alzarsi alle quattro del mattino, per non parlare poi del velo... E, soprattutto, non me la immagino agli ordini di una madre superiora. A meno che la madre superiora non voglia farla lei...». Non mi conviene raccontare i miei sogni al viceispettore: con gli anni è diventato una voce della coscienza che immancabilmente mi mette sotto gli occhi la più spietata verità.

Ad ogni buon conto, dissi a Marcos Artigas che non intendevo uscire con lui. E poiché l'invito non era stato esplicitamente galante, la cosa mi riuscì con naturalezza, e lui dovette incassare.

– La capisco, ispettore. Un uomo sposato, con un matrimonio difficile, può essere un amico piuttosto pesante. Troppi problemi. C'è sempre il rischio che cerchi una spalla su cui piangere.

– Non la prenda così, è solo mancanza di tempo.

– La richiamerò, Petra, quando lei avrà più tempo e la mia situazione sarà più semplice.

Ero sicura che non mi sarei pentita di quel rifiuto, anche se Artigas somigliava tanto a Jeff Bridges, un attore che avevo sempre trovato terribilmente sexy.

Una sera, verso le nove, mi resi conto che avevo lavorato per quattro ore di seguito senza pensare. Forse ero vittima di un processo di meccanizzazione che alterava i neuroni, non mi era mai capitato che un lavoro così stupido e ripetitivo riuscisse ad assorbirmi fino a quel punto. Spensi il computer, impilai tutte le carte e, prima di lasciare l'ufficio, gettai intorno quello sguardo circolare che ogni lavoratore riserva al luogo dove ha trascorso l'intera giornata e che l'indomani tornerà ad accoglierlo. Uno sguardo che dovrebbe unire in sé la soddisfazione per il dovere compiuto e la ricapitolazione delle cose che restano ancora da fare, mentre il più delle volte non esprime altro che tedio.

In corridoio mi imbattei nel solito trambusto: colleghi che se ne andavano lanciando battute e canticchiando, agenti ancora in servizio, donne delle pulizie che cominciavano ad arrivare. Era un balletto che non mi aveva mai interessato granché, ma che quella sera osservai come se non l'avessi mai visto. Quasi tutti sembravano allegri, ben adattati all'ambiente, sicuri nella loro pelle. Quasi tutti tranne me. Petra, mi dissi, o cambi immediatamente registro e ti dai una mossa, oppure finisci in una bella depressione. Raggiunsi l'ufficetto del viceispettore con l'intenzione di chiedergli se volesse prendere un aperitivo, ma lui se ne era già andato. Pazienza, avrei bevuto da sola. Attraversai la strada ed entrai alla Jarra de Oro. Il cameriere si stupì di vedermi al bancone.

– Ancora qui, ispettore?

– Già.

Non era mia abitudine fermarmi a bere dopo il lavoro. Avevo sempre fretta di tornare a casa. E poi, la birra serale mi dava un'orribile idea di fallimento. Mi faceva pensare a quei poveretti che, temendo il contatto con la propria realtà quotidiana, qualunque essa sia, cercano di rinviare il più possibile il rientro a casa perdendo tempo nei bar. Vuotai il mio boccale tutto d'un fiato e pagai. Infilai la porta e fui accolta da un'aria umida e fresca. Scesi nel parcheggio, e proprio mentre stavo per aprire la portiera, un rumore di passi alle mie spalle mi fece trasalire. Un uomo veniva verso di me quasi di corsa. Misi mano alla pistola. Aguzzai la vista e... riconobbi l'agente Domínguez che mi faceva segno di aspettare.

– Domínguez, cosa succede?

– Mi scusi, ispettore, ma il commissario vorrebbe vederla. Anzi, desidera parlarle con urgenza.

– È ancora in ufficio?

– Veramente era già andato a casa, ma poi è tornato.

– Andiamo.

Camminammo insieme verso il commissariato. Domínguez era un ragazzo spilungone, sgraziato, ancora con i brufoli sulla faccia.

– Lei sa di cosa si tratta, Domínguez?

– Non ne ho la minima idea. So solo che il commissario era già andato via e poi è tornato in compagnia di un signore. Dicono che è un ispettore di un altro commissariato, però non saprei, certa gente a volte parla per parlare.

Quella volta non erano solo pettegolezzi. Trovai Coronas nel suo ufficio con un signore sulla cinquantina che mi guardò subito con aria cupa.

Coronas fece le presentazioni:

– Petra, questo è l'ispettore Atienza, un suo collega del commissariato di Gracia.

Gli strinsi la mano con un sorriso che lui non mi restituì. Era così serio che ebbi un brivido. Coronas ci pregò di accomodarci.

– Petra, è successo un fatto di cui Atienza desidera metterla al corrente.

– Accidenti, commissario, quanti misteri! Sono spaventata.

Atienza cominciò a parlare. Era molto agitato.

– No, non preoccuparti. Sì, insomma, forse un po' è il caso che ti preoccupi. Il fatto è che l'altro ieri è stato trovato un cadavere. All'apparenza uno straniero, che non abbiamo ancora identificato. Aveva i genitali spappolati da un colpo d'arma da fuoco. Forse una vendetta, forse una storia di droga. Abbiamo fatto esaminare il proiettile al laboratorio e... Be', risulta che gli hanno sparato con la pistola che hai denunciato come rubata. Ormai la cosa è sicura.

Mi si fermò la circolazione. I polpastrelli mi formicolavano. Avrei dovuto fare qualche domanda, ma avevo il vuoto nella mente. Coronas e l'ispettore mi guardavano. Riuscii soltanto a esclamare:

– Mio Dio!

Coronas si rese conto dello stato in cui mi trovavo. Si alzò, mi posò una mano sulla spalla.

– Si sente male, Petra?

– No, non è niente. Mi sento... mi sento come se mi fossi presa un pugno in faccia.

– Ci credo – disse Atienza.

– Adesso le cose stanno così, Petra: il caso è stato assegnato all'ispettore Atienza e a due agenti al suo servizio, tutti della squadra omicidi. Ma, dimostrando un cameratismo che gli fa veramente onore, Atienza ha pensato che, date le circostanze, forse a lei farebbe piacere occuparsene personalmente. Ha parlato con me, io parlerò con il collega Lopera, commissario di Gracia, e se lei...

– Accetto – risposi, senza nemmeno lasciarlo finire. Atienza mi guardò, già più tranquillo.

– Questa sera è tardi, ma se domattina vuoi passare nel mio ufficio, ti passo tutta la documentazione...

– Non potremmo farlo subito?

Coronas mi guardò preoccupato, e intervenne:

– Petra, comprendiamo che per lei questo caso ha una rilevanza particolare, ma deve rendersi conto che ormai tutti gli uffici sono chiusi. E poi l'ispettore Atienza ha bisogno di riposare. Domani avremo certamente le idee più chiare.

– Dove hanno trovato il corpo?

– In un vicolo nella parte bassa di Gracia. Sul portone di un magazzino.

– Da quanto tempo era morto?

– Secondo il medico legale intervenuto sul luogo del delitto, da non più di quattro ore.

– Questo vuol dire...

– Che è stato ucciso verso le due del mattino. Non ci sono testimoni dell'omicidio. Nessuno ha visto, sentito né sospettato nulla.

– Chi l'ha trovato?

– Gli addetti della raccolta rifiuti.

– Non si sa nient'altro?

– Abbiamo appena cominciato.

– Ma siete sicuri che...?

– Sul fatto che la pistola fosse la tua, non c'è dubbio. Lo sai che in queste cose gli esperti non sbagliano mai.

Coronas mi lanciò un'occhiata stanca.

– Lasci stare, Petra, domani è un altro giorno.

Uscii dal commissariato per la seconda volta quella sera, ma mi sembrava che dalla prima volta fosse passato almeno un anno. Il mio stato d'animo era radicalmente trasformato. Se prima oscillavo fra la passività e la depressione, ora ero in preda all'ansia più frenetica. «Domani, domani» mi ripetevo, come se il tempo dovesse trascinarsi di secondo in secondo per tutta la notte. Se fossi tornata a casa e avessi preso un libro in mano non sarei riuscita a concentrarmi neppure sulla prima riga. E nemmeno sarei riuscita a seguire un film, né ad andare a letto. Come avrei potuto prendere sonno con tutte quelle domande che mi ballavano nella testa? Era meglio non rientrare subito.

Telefonai a Garzón e lo misi al corrente delle novità.

– Ha voglia di cenare fuori?

– Non penserà mica di festeggiare?

– Ho assolutamente bisogno di parlare con qualcuno prima che mi scoppi la testa. Non può proprio?

– Ho fatto lessare delle bietole, ma a dir la verità, adesso che le vedo nel piatto, non le trovo molto appetitose. Sembrano morte dalla noia.

– La aspetto fra mezz'ora al Salammbô, in calle Torrijos, quartiere di Gracia.

Arrivò puntuale e, a giudicare dal gusto con cui poco dopo attaccò il suo piatto di tagliolini ai funghi, non sembrava rimpiangere le sue bietole.

– Quel che doveva succedere è successo – dichiarai, con fatalismo.

– E lei non avrebbe potuto far niente per impedirlo.

– Lo so, ma le indagini le avevamo iniziate, una pista la stavamo seguendo. Se non ci avessero ordinato di smettere...!

– Una pista molto vaga, niente di sicuro.

– Lei cosa pensa sia successo, Fermín?

– Me lo chiede sul serio? Non ne ho la più pallida idea, ispettore! Se a quel tipo gli hanno sparato nei coglioni, dev'essere stata una vendetta, un regolamento di conti. Nel caso di un delitto passionale, qualcuno saprebbe qualcosa, gli abitanti del quartiere l'avrebbero riconosciuto. Sarà certamente una storia di mafia, roba fra immigrati.

– Va bene, ma perché con la mia pistola? Come è arrivata dalle mani di una bambina a quelle di un killer?

– È probabile che la bambina sia legata al mondo della criminalità organizzata. Magari è figlia di un trafficante, sorella di un piccolo spacciatore... Oppure ha semplicemente venduto l'arma a qualcuno.

– Ma quale figlia? Quale sorella? Se ci hanno detto che la bambina non aveva famiglia!

– E chi lo sa? Nelle famiglie destrutturate, come le chiamano adesso, può capitare di tutto. Magari è stata abbandonata per un po', o era scappata di casa e nessuno l'ha cercata.

– No, è assurdo. Eppure, poniamo che Delia avesse qualche criminale in famiglia. In questo caso, avrebbe senso pensare che l'abbiano mandata a rubare la mia pistola, oppure che sia stata un'idea sua, un contributo al clan?

– Tutte e due le ipotesi sono plausibili. Ad ogni modo, ispettore, si rende conto anche lei che al punto in cui siamo fare congetture è abbastanza sciocco, non le pare? Non abbiamo un solo indizio da cui partire.

– Però queste sono le congetture che mi torturerebbero se non avessi chiamato lei.

– Se le dà sollievo parlarne, procediamo, come dicono i giudici. Io, però, se fossi in lei, mi godrei la mia cena e cercherei di pensarci il meno possibile.

– Non ho appetito.

– Possiamo ordinare un tè con qualche pasticcino. Li ho visti entrando. Adoro i dolci, il miele, le mandorle, la pasta sfoglia…!

– Che cosa ci vorrebbe per toglierle l'appetito, viceispettore?

– Roba da mangiare. Tutto il resto non serve. È provato.

– Fossi anch'io come lei…

– Non si tormenti, Petra, adesso ci hanno affidato il caso e lo risolveremo. Ma se ci mette troppa ansia rischia di non fare una sola cosa giusta e toccherà risolvere tutto a me.

– Ecco, proprio quel che avevo bisogno di sentirmi dire.

– No, quel che ha bisogno di sentire lei è un po' di musica classica di quella barbosa che le piace tanto. La calmerà. Vuole una pastiglietta per dormire?

– Una pastiglietta?

– Me le ha date Beatriz.

– Perché? Soffre d'insonnia?

– No, ma Beatriz vuole che ne abbia sempre una scorta, non si sa mai. È convinta che con tutte le cose or-

rende che mi tocca vedere sul lavoro, possano venirmi
gli incubi. È fissata. Come se ogni mattina mi arrivasse un cadavere squartato sulla scrivania...

– Le avrà spiegato che non è proprio così.

– Mille volte, ma è inutile. A voi donne piace pro-
teggerci da tutti i problemi, esistenti o inesistenti, fa
lo stesso.

– Rinuncio a rispondere.

– Meglio così.

Finché non riuscii a ottenere tutti i dati dal commissariato di Gracia non ebbi un attimo di pace. La vittima era giovane, sulla trentina. Non aveva documenti e
in archivio le sue impronte non risultavano. Aveva capelli biondi, occhi azzurri, carnagione molto chiara, zi-
gomi sporgenti e statura considerevole, tutte caratteristiche fisiche che facevano pensare a un immigrato del-
l'Est europeo. Era privo di segni particolari. Il referto
dell'autopsia sarebbe stato pronto a mezzogiorno.

Coronas si comportò benissimo e il caso passò senza problemi a me e Garzón. Yolanda e Sonia ci avrebbero dato una mano. Ero molto soddisfatta e, paradossalmente,
di ottimo umore. In genere, quando ho a che fare con un
cadavere non identificato, senza un solo indizio da cui partire, ho il morale a terra; quella volta, però, il solo fatto
di potermi assumere la responsabilità delle indagini mi dava un grande sollievo. Finalmente sarei riuscita a pene-
trare il mistero dello strano furto della mia Glock.

Ero molto grata ad Atienza. Di solito i poliziotti si
gettano come avvoltoi sulla carcassa delle vittime, men-

tre lui si era generosamente tirato indietro, cedendo il suo pasto alle mie grinfie. Fu molto sincero quando me ne spiegò i motivi:

– È gravissimo che ti abbiano rubato la pistola e poi l'abbiano usata per ammazzare qualcuno. E poi, tieni conto che fra poco, con la nuova legge, ci toccherà passare anche gli omicidi ai Mossos de Esquadra. Quindi ci conviene spartirci fra noi quel che c'è, finché possiamo.

Personalmente, non mi preoccupavo di cosa avremmo fatto in futuro, per il momento quel morto era mio e nessuno me l'avrebbe toccato. Anche Garzón era soddisfatto. Gli dissi:

– Quando vuole andiamo a Medicina Legale a ritirare i referti.

– Prima però dovremmo pur mangiare qualcosa.

– Un panino dove capita.

Il mio vice non poté far altro che adeguarsi. Eppure, in auto, non resistette alla tentazione di dire la sua:

– Credo, ispettore, che le converrebbe riflettere un po', se non altro per far scendere la tensione emotiva. Le ho già detto che un eccessivo investimento passionale nel lavoro finisce per essere d'intralcio.

– Non si preoccupi, Fermín, le prometto che avremo il nostro piatto caldo tutti i giorni. Oggi è un'eccezione.

– Veramente volevo dire un'altra cosa, ma lei la prende sempre così! Secondo lei non sono capace di staccarmi dagli aspetti materiali della vita.

– Sono sicura che ne è capacissimo, ma so anche che

seguire un certo ordine, in materia gastronomica, per lei è essenziale.

Rimase a meditare sulla mia risposta, alla ricerca di un senso riposto che potesse renderla sarcastica. Alla fine decise di attaccare sul piano teorico, tanto per mettersi al riparo.

– L'alimentazione è importante per il buon rendimento lavorativo. L'altro giorno ho letto su una rivista che molte ore di produttività vanno perdute proprio a causa della malnutrizione.

– Questo non è il nostro caso.

– Però ammetterà che spesso mangiamo in fretta e ingurgitiamo quello che capita.

Non gli risposi. Mi guardò torvo, voleva la guerra.

– Non dice niente?

– No. Mi ha convinta.

– Così in fretta?

– Già.

– Credevo fosse di buon umore, stamattina.

– Che cosa intende dire?

– Che mi mancano le sue impertinenze.

– Non si scoraggi, fra poco sarò di nuovo in forma.

Provvedemmo a incrementare il nostro rendimento con un paio di panini al prosciutto e due buone birre. Garzón lo ottimizzò accompagnando la birra con olive e patatine fritte. E finalmente, nel pieno delle nostre facoltà produttive, entrammo all'Istituto di Medicina Legale.

Il medico era un uomo timido, di mezz'età, che volle esporci personalmente il referto.

– La mia impressione è che la vittima abbia ricevuto il colpo a bruciapelo. Il dolore e il raccapriccio hanno causato la perdita di conoscenza, alla quale è seguita la morte per rapido dissanguamento. La perizia effettuata sul luogo del delitto conferma quest'ipotesi. A terra c'era una gran macchia di sangue, che formava un rivolo fino al tombino di scarico.

Quel particolare mi impressionò. Per la prima volta pensai alla vittima come a un essere umano, non solo come al corpo in cui era stato rinvenuto il proiettile della mia Glock.

– C'è altro, dottore?

– La vittima era in perfetta salute. Non aveva assunto alcolici né stupefacenti. Al momento della morte aveva cenato da poco.

– Ha potuto stabilire che cosa avesse mangiato?

– Direi che erano piatti arabi. Abbiamo rilevato la presenza di spezie, carne d'agnello, pane azzimo e datteri.

Garzón ed io ci scambiammo uno sguardo di speranza. Quella poteva essere un'informazione significativa. Nel quartiere di Gracia ci sono molti ristoranti etnici, ma l'idea che la vittima avesse potuto cenare lì riduceva comunque il campo d'indagine.

– È stata esaminata la dentatura?

– Non ancora. Per un referto in questo senso dovrete aspettare un altro paio di giorni.

– Lei che opinione si è fatta, dottore?

– Non saprei dirvi, ma un colpo di pistola ai genitali non è un procedimento comune. Tanto più che l'aggressore ha rischiato che la vittima venisse soccorsa, e forse salvata… Non so, o è una vendetta della criminalità organizzata, oppure un delitto passionale. Ma un regolamento di conti mi pare più probabile. Lascio a voi il compito di deciderlo. La mia è solo scienza. Volete vedere il cadavere?

Ci accompagnò fino alla cella frigorifera e sfilò la lettiga dal suo cassetto. Fece scorrere la cerniera del sacco che avvolgeva la salma. Lo strano biancore della morte apparve sotto i nostri occhi. Il volto conservava una smorfia di dolore. Era stato un bell'uomo, molto alto, dai tratti regolari e ben proporzionati. Pensai che, in teoria, non fosse così difficile identificarlo.

– Era vestito come un figurino – aggiunse il medico.

– Questo non ce l'hanno detto.

– Portava un abito gessato. Non me ne intendo, ma direi che era di buona fattura. E una cravatta firmata, non ricordo il nome.

– Chiederemo all'ispettore Atienza di vedere la sua roba.

Rimanemmo tutti e tre a guardare il volto esanime. I corpi senza vita esercitano un fascino particolare anche su chi c'è abituato.

– Volete che vi mostri la ferita?

Io dissi di no, ma Garzón assentì col mento. Mi ritirai, non avevo certo bisogno di sovraccaricarmi il cervello di immagini truculente. Sentii un gran silenzio alle mie spalle, e poi l'esclamazione del viceispettore:

– Mio Dio, che orrore!

– Non è stato possibile ricostruire questa parte del corpo. Verrà sepolto così.

– Certo che i conti da regolare dovevano essere pesanti.

– Mi sa di sì – disse il medico legale con un sospiro. Sentii di nuovo scorrere la cerniera lampo. Poi vennero tutti e due verso di me. Garzón era pallidissimo, con la faccia sconvolta.

– Vera macelleria, ispettore, avrebbe dovuto vederlo, per farsi un'idea dell'efferatezza del delitto.

– Ho una buona immaginazione, non c'è bisogno di tanto realismo.

Una volta fuori, il mio collega inspirò a fondo, più volte.

– Miseria, ci vuole stomaco per fare una cosa simile. Potremmo fermarci un attimo in un bar, così bevo qualcosa? Mi scusi, ma è necessario, ho un po' di nausea.

– Viceispettore, se ogni dieci minuti dobbiamo fare una pausa perché lei mangi o beva qualcosa, queste indagini dureranno mesi. Anche se posso capire che ora il suo rendimento lavorativo dipenda da un goccio d'alcol.

– Chiunque fosse qui a sentirla penserebbe che sono un alcolizzato, o un bulimico! Parla lei, che si è sottratta allo spettacolo!

– Nessuno le ha imposto di guardare quella ferita orrenda. L'ha fatto solo per saziare la sua malsana curiosità.

– Come può essere così superficiale, ispettore? Tutto può essere importante in un'indagine.

– Ha ragione, molto più importante che mangiare e bere.

– Sempre intolleranti, voi donne! Sempre a controllare la vita degli altri: non bere troppo, va' a letto presto, sposiamoci, non lavorare fino a tardi...

– Le proibisco di includermi nei suoi problemi personali!

Ormai ci eravamo messi a gridare, in mezzo alla strada e senza un motivo serio. Non potevamo andare avanti così. Io non attraversavo certo un buon periodo, ma neanche il viceispettore stava troppo bene, evidentemente. Pur ricordando che mi aveva dato della superficiale, cercai di farlo ragionare.

– Viceispettore, crede che ci troviamo nello stato d'animo giusto per iniziare un'indagine così complicata?

– No.

– E perché allora non cerchiamo di cambiare?

– Mi dica lei come.

– Per prima cosa, entriamo in quel bar, ci beviamo una cosa e poi, tranquillamente, pensiamo al modo migliore di organizzare il lavoro. È contento, così?

– Quest'ultima domanda poteva evitarsela.

– D'accordo, la ritiro.

Orgoglioso come un comandante in procinto di scendere in battaglia, Garzón si adeguò ai miei piani, anche se il malessere causato dalla vista del cadavere gli era di sicuro già passato. Pensai saggiamente che mostrarsi ragionevoli in una discussione è il modo migliore per averla vinta.

– Mi dispiace, ispettore, sono stato un po' pesante. La prego di scusarmi.

– Lasci perdere, Fermín, nemmeno io ho avuto la mano leggera.

– È la tensione, sa? Negli ultimi tempi me la prendo per niente.

– Non ci pensi, Fermín, davvero.

– Uno non può stare tranquillo quando gli girano pensieri ossessivi per la testa.

– Che ne dice di cominciare a lavorare?

– Un giorno, quando il servizio ce lo permetterà, vorrei parlare un po' con lei a quattr'occhi. Avrei bisogno di affrontare certi argomenti.

– Va bene, Garzón, parleremo, mangeremo, affronteremo tutti gli argomenti, sono disposta a dividere con lei ogni cosa, ma mettiamoci a lavorare, una buona volta.

– D'accordo, d'accordo, non si arrabbi. Guardi, ho già tirato fuori il taccuino per prendere appunti. Da dove cominciamo?

– Bisogna chiedere ad Atienza gli abiti e gli effetti personali del morto. Quello fa la sua bella figura passandoci il caso e poi si tiene gli indizi. Furbo, lui. E poi dobbiamo visitare il luogo del delitto.

– E fare il giro di tutti i ristoranti arabi di Gracia.

– E continuare a esplorare le piste sui delitti ai danni di minori che ci ha fornito l'ispettore Machado. Bisognerà anche tornare al laboratorio di confezioni.

– Non pareva un posto troppo sospetto. C'erano solo donne alle macchine da cucire.

– Dove ci sono donne, ci sono anche bambini, di solito.

– E va bene, me lo sono segnato. Sa che cosa penso?

– Dica.

– Che ci aspetta un gran lavoraccio.

– Osservazione inutile, lo sapevo già.

Il quartiere di Gracia occupa una vasta area che, dal

104

centro di Barcellona, sale lungo il versante della collina. Anni fa era un quartiere operaio, ma recentemente si è andato trasformando grazie alla posizione privilegiata che occupa in città. Oggi gli abitanti originari sono quasi tutti anziani, e sono notevolmente saliti i prezzi degli immobili, che senza perdere il loro aspetto popolare e un po' vetusto, sono stati accuratamente ristrutturati e venduti a professionisti e intellettuali. Il segno distintivo del quartiere è la presenza dei giovani, che vi si recano soprattutto per divertirsi. Sull'onda di una moda affermatasi ormai da tempo, nelle strette viuzze di Gracia si sono moltiplicati bar, piccoli ristoranti (molti dei quali etnici), negozi di abbigliamento d'avanguardia, cinema, librerie e cyber café. Yolanda ci fece da guida, sebbene non fosse quella la sua zona preferita per trascorrere il tempo libero. Lei frequentava soprattutto i locali del suo quartiere, i centri commerciali con cinema multisala ma anche, da quando stava con Ricard, la Filmoteca e il Palau de la Música. Provai a immaginarmela mentre seguiva una retrospettiva di Bergman o ascoltava Mahler in una sala da concerto e provai per lei un moto di tenerezza. Avevo l'impressione che si ritrovasse catapultata negli ambienti dell'alta cultura senza avere attraversato un'utile tappa intermedia. In fondo, è sempre così, l'amore ci proietta in situazioni ed esperienze che non avremmo mai creduto possibili. Io stessa mi ero comportata da avvocatessa della buona borghesia insieme a Hugo, il mio primo marito, e da burocrate puntigliosa quando cercavo di mettere ordine nella squinternata vita di

Pepe, il mio secondo marito. Ora, libera da zavorre sentimentali, ero una poliziotta litigiosa e anarchica finalmente padrona di una sospirata solitudine.

La strada in cui la vittima era morta dissanguata sembrava avere un nome non casuale: carrer Perill, *pericolo*, in catalano, e il punto in cui era caduto il corpo non poteva considerarsi troppo al riparo dagli sguardi dei passanti. Lo osservammo da tutte le angolazioni, confrontandolo con le fotografie scattate prima che il cadavere venisse rimosso. Il corpo era stato trovato seduto, leggermente inclinato verso sinistra, contro il muro di un magazzino. Di sicuro al momento dell'aggressione si trovava in piedi, quando gli avevano sparato si era appoggiato al muro, e poi era scivolato giù a poco a poco. Doveva aver agonizzato così, seduto, finché non si era accasciato di lato. Eppure, in un luogo tanto esposto, era davvero strano che nessuno avesse assistito al crimine, o notato quanto meno il corpo.

– Erano le due del mattino – disse Garzón.

– In quale giorno della settimana gli hanno sparato? – chiese Yolanda.

– Un giovedì.

– Strano che non l'abbiano visto. Le serate di tendenza cominciano proprio il giovedì. Sono tutti in giro a quell'ora.

– Ai miei tempi non c'erano tante distrazioni, si lavorava di più.

– Ma cosa dice, viceispettore? Io ci ho sempre dato dentro col lavoro eppure uscivo e mi divertivo alla grande! Il fatto è che a vent'anni si è più tosti, e ci si riprende in fretta.

Mi accorsi con preoccupazione che Yolanda usava il passato per parlare delle sue follie serali e, ancor di più, mi preoccupò notare che Garzón le rispondeva con malanimo.

– Col cazzo, più tosti! Qui non si sta parlando della voglia di divertirsi, ma dell'impegno, della capacità di usare bene il proprio tempo, cose che i ragazzi della tua età neanche si sognano.

Intervenni prima che scoppiasse una lite.

– Qui veramente si stava parlando di morti. Concentriamoci sull'argomento, per favore. Credi che qualche ragazzo abbia potuto assistere al crimine e star zitto, Yolanda? Tu il quartiere lo conosci. Pensi che dovremmo interrogare di nuovo gli abitanti della zona?

– Guardi, ispettore, alle due del mattino può esserci giro come no. Cioè, è vero che i giovani vivono un sacco di notte, ma in questa via di locali trendy non ce n'è manco uno. E poi, chi viene da queste parti, e chi ci abita, non si fa brutte storie. Non è un quartiere di malavitosi. Qui girano un casino di tipi alternativi, qualche squatter, magari... ma secondo me non ne caviamo niente facendo altre domande.

– In ogni caso, quel che mi colpisce non è tanto l'assenza di testimoni, quanto il fatto che l'assassino abbia osato sparare in un posto dove poteva facilmente essere visto.

– Magari il tipo stava scappando e l'hanno beccato proprio qui, oppure li ha affrontati credendo che non avrebbero avuto il coraggio di aggredirlo, e invece l'hanno fatto – azzardò Yolanda.

– Io non vedo perché stupirsi. Lo sappiamo che i mafiosi, che traffichino in droga o in qualsiasi altra cosa, non si fermano davanti a niente. Sono capaci di sparare anche alla messa di Natale – disse Garzón.

– E se fosse stata una vendetta per gelosia? – suggerì la ragazza.

– Con la pistola dell'ispettore? Impossibile. Pensaci, fanciulla.

– Adesso lasciamo stare, Yolanda. Comincia piuttosto a fare un giro nei bar della zona con la fotografia del morto. E prepara una lista dei ristoranti arabi di Gracia.

– Agli ordini, ispettore.

– Intanto Garzón ed io daremo un'occhiata agli abiti della vittima. Ci rivedremo qui fra un po'.

Non appena fummo sull'auto, mi sentii dire proprio quel che temevo:

– Quella ragazza mi dà sui nervi.

– Ma se l'altro giorno moriva dalle risate con lei e la sua collega!

– Non dico che non sia simpatica, ma deve capire che quando siamo in servizio deve comportarsi in un certo modo.

– Perché? Come si è comportata?

– Ma ha sentito come parla? Come se fosse con i suoi amichetti...

– Su, Fermín, nemmeno noi usiamo un linguaggio da ambienti diplomatici!

– No, d'accordo, lo ammetto, ci esprimiamo in modo crudo, a volte volgare, ma sempre all'interno della tradizione poliziesca e malavitosa. Imprechiamo, usiamo termini gergali, ma non quel linguaggio giovanilistico idiota: tosto, trendy, alternativo, alla grande... Questa è pura incultura, ispettore.

Non potei fare a meno di mettermi a ridere. Garzón mi guardava allibito, come se non capisse la mia reazione.

– Lei è incredibile, caro collega. Adesso le è presa la mania dell'analisi linguistica.

– Può ridere finché vuole, ma ciascuno ha le sue opinioni. Da quando esco con Beatriz mi sono molto raffinato, anche se non sembra.

– A me, lei è sempre parso raffinatissimo.

– Grazie.

– Anche se da qualche giorno ho l'impressione che sia di pessimo umore. Pensavo fosse solo colpa mia se ci prendevamo continuamente per i capelli.

– Bisogna che ci parliamo, le spiegherò.

– Va bene, ma non ora. Ora voglio che si concentri su quel bastardo che abbiamo trovato morto.

– Bastardo? È presto per dirlo. Forse è una vittima innocente.

– Se lo è, il Padreterno l'avrà già accolto in cielo.

Atienza era contentissimo di essersi sbarazzato del caso, e lo disse subito:

– C'è qualcosa in quell'omicidio che non mi piace. Ho dei presentimenti spaventosi. Voi come ve la cavate?

– Come un turacciolo nella corrente. Corriamo e corriamo ma stiamo sempre in superficie. Impossibile scorgere il fondo, non abbiamo idee né intuizioni.

– Qui dentro c'è la roba del morto.

Posò sul tavolo una grossa scatola di cartone. Accese la luce al neon del magazzino, che creò immediatamente un'atmosfera da traffici illegali, e cominciò a tirar fuori sacchetti di plastica, che via via apriva sotto i nostri occhi.

– L'abito, senza etichette. Tutte tagliate. Ce n'è ancora un pezzetto all'interno della giacca. Chi fa una cosa del genere ha i suoi motivi, non vuole essere identificato. E non è un caso che non ci fossero documenti nel portafogli, probabilmente era un immigrato clandestino. La camicia...

– Qui l'etichetta c'è. Versace.

– Forse è taroccata.

– Tutti i villani rifatti adorano Versace – dissi, senza pensare.

I due uomini mi fissarono, trovando certamente fuori luogo un commento del genere. Atienza mise la ciliegina sulla torta:

– A mia moglie piace da matti. Dice che se potesse si comprerebbe una di quelle poltrone che sembrano pezzi da museo.

– I mobili sono un altro discorso, quelli hanno una loro eleganza – balbettai, senza troppa convinzione.

– A me fanno schifo. Le ho detto che se un giorno mi mette in casa una mostruosità del genere io chiedo il divorzio.

110

– E lei cosa le ha risposto? – si interessò il mio vice.

– Che avrebbe risparmiato per comprarsene due.

I miei colleghi sghignazzarono come pirati in una taverna.

– Voi donne siete impossibili...

– Allo stato brado non siamo poi così difficili, tutti i mali cominciano col matrimonio.

Il viceispettore mi guardò di traverso. Atienza continuò con la sua rassegna:

– Nel portafogli aveva trecento euro, una tessera dell'autobus e due ritagli di giornale.

– Posso vederli?

– Non dicono granché.

Ero curiosa di esaminarli. Uno veniva da un giornale sportivo: parlava di una vittoria del Barça. L'altro era la pubblicità di un profumo, con la foto di una bella ragazza piuttosto svestita.

– Almeno provano che sapeva leggere lo spagnolo.

– Poco di più.

– Scarpe normalissime, anche se di buona qualità. Calzini neri. Ah, e questa spessa catena d'oro. Soldi e oro. Se qualcuno avesse ancora il dubbio che il nostro uomo sia stato ucciso a scopo di rapina, può tranquillamente scartare l'ipotesi.

– Non ci era nemmeno passato per la testa. Questo è chiaramente un regolamento di conti – disse Garzón. – E poi, a giudicare dall'aspetto del tipo, dai vestiti, dalla catena d'oro... direi che era un pappone bello e buono. E anche lo sparo nelle palle indica che la faccenda doveva riguardare certe attività. Se non fosse perché è stata usata la pistola dell'ispettore, io mi butterei sulle reti di prostituzione, invece che sui traffici di bambini.

– Forse ha ragione, ma allora mi dica lei cosa c'entrano la piccola rumena e la mia pistola in questa storia.

Atienza ci guardava, prima uno e poi l'altro, con un mezzo sorriso sulle labbra.

– Ragazzi, certo che ne avete di lavoro da fare! In ogni caso, una volta identificato il tipo, metà del caso è già risolto.

Da quando le mafie straniere e l'immigrazione clandestina sono all'ordine del giorno, identificare qualcuno è diventato davvero difficile. C'è in giro un mucchio di gente senza nome. L'ispettore Atienza era troppo esperto per prendere la cosa alla leggera. In realtà quello era un caso spinosissimo, ma ero convinta che l'avrei risolto, fosse anche stata l'ultima cosa che avrei fatto in vita mia.

Ci rivedemmo con Yolanda in plaza de Rius y Taulet. Al municipio di Gracia era in corso un matrimonio. Ci sedemmo ai tavolini di un bar all'aperto dove il sole di mezzogiorno smorzava un poco il freddo della primavera ancora incerta.

– Sette locali, e niente di fatto. Sono bar frequentati soprattutto la sera, uno serve anche da mangiare. Credo di averli ormai girati tutti, quelli nei dintorni di calle Perill. Nessuno ha mai visto il morto, nessuno lo riconosce.

– Crede che stiano zitti per paura, viceispettore?

Garzón non mi ascoltava nemmeno. Era tutto preso dallo spettacolo della coppia di sposi, due ragazzi abbastanza giovani. Gli amici gettavano il riso, e la ragazza si proteggeva con la mano. Era elegante, vestita di verde, molto emozionata. Anche lo sposo lo era.

– Viceispettore?

– Mi scusi, ero distratto dal circo che stanno facendo quei due. Quante illusioni, poveri ragazzi!

Yolanda saltò su come una molla.

– Perché poveri?

– Non sanno in che guaio si stanno ficcando. Nessuno spiega ai giovani che cos'è il matrimonio. E non venitemi a raccontare che adesso si convive prima di sposarsi. Il matrimonio ti proietta in una dimensione completamente diversa. Oggi non ha nessun senso prendersi un impegno del genere.

– Non dimentichi che esiste il divorzio, Fermín.

Yolanda, quasi in lacrime, interruppe i nostri discorsi prima ancora che scoppiassimo a ridere.

– Io non vi capisco! Sembra che alla vostra età abbiate già visto tutto, che tutto debba per forza andare male, che tutto sia sbagliato! Se una cosa non è stupida, allora è ridicola, volgare, di cattivo gusto. Non c'è niente che valga la pena, né sposarsi, né mettere al mondo dei figli, niente. Ebbene, sappiate che a me piacerebbe sposarmi, non credo affatto che sia stupido! E mi piacerebbe sposarmi in bianco!

Trattenne il pianto, si alzò in piedi e se ne andò senza dire altro. Garzón rimase a bocca aperta.

– Ma... cosa fa? Dove va? Come osa piantare in asso così due superiori? Vuole che le ordini di tornare?

– La lasci stare, viceispettore. Ha qualche problema sentimentale. Le passerà. Almeno lei, dovrebbe capirla, visto che i problemi non le mancano.

– Vorrei ricordarle che anche lei ha avuto i suoi, in passato.

– Certo, non lo dico per criticare. Ne abbiamo già parlato, ma, vede, io trovo scandaloso che oggi i problemi sentimentali occupino tanto spazio nella vita della gente.

– Eppure è naturale, ispettore. Prima non c'era scelta. Ti sposavi e sapevi che, se la cosa funzionava, tutto bene, e se no... eri fottuto e dovevi sopportare. Al giorno d'oggi ci sono nuove possibilità: convivere, sposarsi in chiesa, oppure civilmente, perfino con una persona dello stesso sesso, separarsi, divorziare, stare insieme ma non vivere insieme... insomma, tutto quel che si vuole. E, certo, per scegliere, bisogna pensare, sapere che cosa è meglio per te, e anche capire che tipo di rapporto sei in grado di sopportare: se di quelli che richiedono cure quotidiane, o di quelli avventurosi, oppure di quelli da fine settimana... È un vero casino, ispettore, e lei lo sa benissimo, anche se fa finta di niente.

I due sposi sorridevano intimiditi, un po' travolti dall'evento, come se si fossero appena svegliati da un sogno. Cercai di ricordare le mie due cerimonie nuziali, come mi ero sentita, che cosa avevo pensato. La prima volta, la mia attenzione era quasi interamente assorbita dall'evento mondano: gli invitati, i parenti, il mio bel vestito, che volevo apparisse in tutto il suo splendore... e lo stupore di avere Hugo accanto a me. Quel giorno era come vederlo lì senza che ci fossimo mai presentati prima. Eppure avevamo studiato insieme all'università, potevo considerarlo un amico, non solo un fidanzato, una persona di cui sapevo quasi tutto. Ma in quel momento era diventato mio marito e, come diceva giustamente Garzón, questo fatto assumeva un significato speciale, non aveva niente a che vedere con la convivenza, con l'amore o con l'amicizia. Nessuno esce indenne dal matrimonio.

Con Pepe avevo vissuto la cosa in modo completamente diverso. Era stato un matrimonio divertente, quasi una parodia. Io avevo parecchi anni più di lui, ero un poliziotto, i nostri progetti erano ancora incerti... Gli invitati ci guardavano come se fosse tutto uno scherzo. Anche se io avevo sensazioni ben diverse. Credevo che, sovvertendo i valori della coppia tradizionale, saremmo riusciti a vivere in perenne concordia. Non c'erano tensioni fra noi, né competitività... Io avevo chiaramente le redini in pugno, e quando uno ha il potere nelle mani, che cosa deve temere? Il tempo si era dato la pena di rispondere a questa domanda. Chi ha il potere deve temere soprattutto se stesso. Infatti ero stata io, poi, a distruggere quel che avevo cercato di costruire.

– A cosa pensa, ispettore?

– Pensare, io? L'ultima volta che ho pensato mi sono presa un tale spavento che ho giurato di non rifarlo mai più.

115

4

Ci sono molti ristoranti arabi nel quartiere di Gracia: libanesi, tunisini, marocchini, egiziani... Ovunque entrassimo, Garzón ordinava qualcosa, tanto per assaggiare. I padroni avevano l'aria di essere pienamente integrati nella vita cittadina. Avevano il locale sempre pieno, soprattutto di giovani. Servivano piatti sani, gustosi, diversi e a poco prezzo. Nessuno poteva eguagliarli nell'offerta. Al quarto ristorante, il mio collega aveva già assaporato spiedini di carne d'agnello, polpettine vegetali... Credo che, quando il padrone dell'Equinox riconobbe la vittima, ne fosse perfino dispiaciuto. L'Equinox era gestito da due prosperi fratelli nati in Libano, entrambi di una certa età. Il più vecchio, uomo cordiale e simpatico che parlava uno spagnolo perfetto, prese la fotografia fra le mani e annuì.

– Sì, me lo ricordo. Ha cenato qui, di questo sono sicuro, ma non saprei dire a che ora. Sul tardi, credo, in uno degli ultimi turni. Era un tipo particolare, così alto, vestito di nero, biondo... e aveva un accento straniero.

– Saprebbe dire di che nazionalità?

– Non saprei, forse russo. Di qualche paese dell'Est, direi, ma non è facile dirlo.

– Era solo?

– Sì. È entrato, ha cenato, ha pagato il conto e se ne è andato. Credo l'abbia servito Jazmina.

Parlò in arabo con uno dei camerieri e, un attimo dopo, arrivò una ragazza. Mostrammo anche a lei la fotografia. In uno spagnolo più incerto, disse:

– Sì, l'ho servito io, ma non ricordo cos'ha preso.

– Questo non importa. Vorremmo sapere, piuttosto, se ha fatto qualcosa di speciale, qualcosa che ti abbia colpita in modo particolare...

– Niente di speciale. Era la prima volta che veniva. Non sorrideva e non parlava. Ha mangiato e ha parlato al telefonino. Se ne è andato quasi subito.

– Aveva un telefonino?

– Sì.

– Ne sei sicura?

La ragazza non rispose, era un po' spaventata. Garzón cercò di tranquillizzarla.

– Vedi, questo può essere importante, ma se non ti ricordi bene, non preoccuparti. Dicci solo le tue impressioni.

– Ha parlato al telefonino, ma non so se per molto tempo.

– Parlava in una lingua straniera?

– No, no, parlava spagnolo. Sono sicura, perché non parlava bene. Si capiva che era straniero.

– Ricordi qualcosa di quello che ha detto?

– Non sono stata ad ascoltare.

– Proprio niente? Non ha sentito una sola parola? Un nome?

La ragazza scuoteva la testa.

– Era arrabbiato mentre parlava al telefono? Era triste o allegro?

Jazmina si sentiva in difficoltà, erano troppe domande tutte insieme. Il mio collega intervenne di nuovo, cercando di ovviare alla mia irruenza.

– L'ispettore vuole cercare di capire che tipo di discorsi facesse. Non so, capita che qualcuno ci colpisca per come parla al telefono davanti a tutti, perché grida, o si preoccupa per qualcosa che gli hanno detto...

– Non ci ho fatto caso. Lui era sempre uguale, quando parlava al telefono non cambiava faccia. E nemmeno quando ha ordinato, quando ha pagato... Sempre uguale. Ma viene tanta gente qui, e non ho tempo per guardare troppo i clienti.

– Abbiamo capito. Grazie, Jazmina, ci hai risposto bene.

Quando la ragazza se ne fu andata, il proprietario del ristorante diede un'ultima occhiata alla foto.

– Questa è una zona tranquilla, si vive serenamente. Se comincia a venire gente strana, siamo perduti. Noi abbiamo paura di queste mafie, toglietele di mezzo quanto prima.

– Come vede, ce ne stiamo occupando.

In strada, fui accecata dai raggi del sole. Assalii il viceispettore:

– Ma non c'era un telefonino, fra le cose del morto!

– No, non c'era.

– Forse gliel'hanno rubato fra l'ora di cena e l'ora dell'aggressione.

– Improbabile.

– Allora gliel'ha portato via l'assassino. Ma per quale motivo?

– Perché non potessimo identificarlo.

– L'assassino non era un professionista, viceispettore. Ha commesso un mucchio di sciocchezze. Avrebbe dovuto prendersi anche i soldi e la catena d'oro, per depistare le indagini. Sono errori che solo un bambino potrebbe commettere.

– Sta insinuando che Delia...? No, ispettore, no. Una bambina non spara a un uomo a bruciapelo. Ci vuole molto sangue freddo per fare una cosa del genere.

– O molto odio accumulato.

– Non ci pensi. Sono sicuro che da tempo la sua pistola non era più nelle mani della bambina. L'avrà data a qualcuno che se n'è servito per vendicarsi. Uccidere non è un gioco da ragazzi.

– Nelle mani di un bambino, tutto è un gioco.

– Può aver rubato la pistola per gioco, anche se ne dubito; ma uccidere... E poi, perché?

– Per vendicarsi.

– Un bambino non si vendica.

– Le ricordo che un bambino non è altro che un cucciolo d'uomo.

– Appunto, fra i cuccioli tutto è per finta, e un omicidio è una cosa vera, ispettore. E molto grave.

– Lo è quando si ha senso morale, ma un bambino, può avere senso morale? Un bambino spara con un giocattolo per far sparire quel che ha davanti; può essere un gioco innocente, perfino divertente. Bisogna avere consapevolezza del bene e del male per sapere che uccidere è una cosa grave.

– Non cerchi di confondermi con i suoi discorsi, Petra, per favore. Senso morale, consapevolezza del bene e del male... Questa è filosofia. E non esiste ancora una squadra di filosofi nella polizia nazionale.

– Be', mi pare una carenza a cui bisognerà rimediare.

– Lo farò sapere al commissario Coronas. Da parte sua, naturalmente. Cerchiamo di pensare invece alle cose più semplici, più normali. Guardiamo le statistiche: quanti bambini commettono omicidi in questo paese, o in qualunque paese del mondo, ispettore?

– Pochi. Ma bisogna dire che pochi se ne vanno in giro con una Glock carica. Una pistola è come un giocattolo, è facile da usare, e permette di uccidere senza usare la forza.

– Lasciamo cadere quest'ipotesi, ispettore?

– Io la parcheggerei solo per un po'. Che cosa dobbiamo fare ora?

– Chiamare il magnifico confidente che ci ha fornito Machado. Ci facciamo un'altra chiacchierata con quel bel tipo. Che gliene pare?

– D'accordo. Ma le propongo di rientrare in commissariato a piedi. Le servirà per tenersi in forma.

– È un'allusione?

– Solo una frase fatta, non se la prenda.

Era una splendida giornata piena di luce, e il sole cominciava a emanare un dolce tepore. Svoltammo in calle Mayor de Gracia, sempre frenetica, piena di gente e di auto. Dalla Diagonal partiva la discesa verso il mare e cominciava il Paseo de Gracia, senza dubbio il viale più elegante d'Europa, ampio, imponente, sereno, pur essendo la spina dorsale della città. Le vetrine dei negozi di lusso esibivano con parsimonia piccoli simboli di potere: un unico vestito, un gioiello… dovevano essere soltanto promesse delle meraviglie esposte all'interno. Pochi osano varcare la soglia di quei negozi, neppure per curiosità. Certe vetrine mettono soggezione, tanto da selezionare a priori la clientela. La porta è aperta solo per chi ha la possibilità di acquistare. Altrimenti, il disprezzo o l'eccesso di cortesia dei commessi bastano a far sentire piccolo e miserabile chiunque non sia in grado di sostenere certe spese. Garzón si fermò di colpo davanti al negozio di Chanel.

– Chanel. Non era quella vecchia francese rinsecchita?

– Che rozzezza, Fermín. Coco Chanel era molto di più di una vecchia rinsecchita. Era un'icona dell'eleganza femminile!

– Bah, non capisco come si possa passare alla storia per il solo fatto di essere eleganti. Con tutta la fame che c'è nel mondo!

– Ecco, lei pensa solo a mangiare! Ci sono altre cose nella vita, che lo vogliamo o no, e l'eleganza è una di queste. E poi lo sappiamo bene che la storia la scrive la gente con la pancia piena.

– Certo. Ma, mi dica, quel vestito, quanto potrà costare?

Indicava un tailleur a quadrettini, con i bordi sfrangiati e la gonna molto corta.

– Non ne ho idea. Un mucchio.

– Be', è mostruoso. Sembra che non abbiano nemmeno avuto il tempo di finirlo. Una volta il prezzo delle cose era proporzionato alla qualità e alla fattura. Adesso tutto dipende dal nome sull'etichetta. Lei lo spenderebbe un mucchio di soldi per quello straccio?

– Io?

– Sì, lei, tanto per fare un esempio.

– Probabilmente troverei immorale portare addosso tanto denaro.

– Ecco, proprio quel che volevo dire!

– Ma questo non significa che non mi piaccia. Se non ci fossero tante disuguaglianze, se non fosse così costoso o se comunque dovessi metterlo... allora sì, mi piacerebbe indossarlo.

– Sì, e se mia nonna avesse le palle sarebbe mio nonno.

– Fermín!

– Mi scusi, è un vecchio detto popolare del mio paese.

Rideva come un bambino, felice di avermi scandalizzata. Non c'era niente da fare con lui, era una causa persa.

– Per questo mi fa fermare qui, per dire volgarità? Di colpo si fece serio.

– Lei mi trova volgare, vero? Lo dica, su, lo dica.

– Be', non credo che il nostro ambasciatore a Londra tiri fuori di questi detti popolari alle cene diplomatiche. Ma non si preoccupi, è divertente.

– Sì, per un po' lo sarà anche, ma non per tutta una vita.

– Adesso sì che non la capisco. Che cosa vuole, recitarmi il catalogo completo dei detti popolari spagnoli finché non andremo in pensione?

– No, mi scusi, stavo pensando ad alta voce.

Di certo sperava che gli domandassi quali pensieri gli avessero oscurato il sorriso, ma non ne avevo nessuna voglia. Era capace di tirarmi fuori qualunque cosa, mentre io avevo intenzione di godermi la passeggiata, il sole, la prima aria primaverile, e di dimenticare l'uomo massacrato da un proiettile che io stessa avevo comprato. Solo che dopo un po' Garzón mi fece pena. Con chi poteva parlare se non con me? E poi, che razza di egoista insensibile ero diventata? Consideravo intoccabile la mia tranquillità, ma che cosa difendevo alla fin fine? Niente, forse solo un nido vuoto. È quel che succede ai vecchi scapoli, ai vedovi, a coloro che hanno deciso di abbandonare il mondo delle emozioni: si creano una corazza sempre più impenetrabile e ci costruiscono intorno un fossato, per poi rendersi conto che dentro non c'è niente, il vuoto assoluto. Sarei di sicuro finita anch'io così, a meno che non mi fossi decisa a prestare servizio volontario in una ONG.

– Vuole che ci fermiamo per una birretta, Fermín?

– Lo considera opportuno?

– Se mi sforzo, troverò pur delle ragioni per ritenerlo tale.

– Allora non perda tempo, decidiamo dove. Cominciavo appunto ad avere un po' di sete.

Ci sedemmo in un dehors già affollato, malgrado il caldo estivo fosse ancora lontano. File di turisti attendevano di visitare la Casa Batlló.

– Si vedono sempre più stranieri in giro – dissi.

– La disturbano?

– Un po'. Camminano come vacche svizzere, si fermano dappertutto intralciando il passaggio, non sono mai vestiti come si deve, e per di più generano un'offerta gastronomica insopportabile nei locali del centro. Non che disturbino, ma sono un po' fastidiosi.

– Stonano nel quadro.

– Questa sarebbe una buona spiegazione.

– E anche un problema.

– In che senso?

– Tutti noi ci creiamo un quadro della nostra vita e poi vorremmo che le cose vi si adattassero perfettamente, che andassero sempre come vogliamo noi, come ce le siamo raffigurate, senza lasciare spazio a nient'altro.

Lo ascoltai in silenzio. Quel che diceva mi interessava molto.

– Ogni mattina ci alziamo e controlliamo che il nostro quadretto sia rimasto uguale al giorno prima. Se è così, respiriamo tranquilli, e poi lottiamo per tutta la giornata perché nessuno dia una pennellata che noi non avevamo previsto.

– Quel che mi sta dicendo è bello, Fermín.

– Crede davvero che glielo stia dicendo perché lo trovo bello?

– Non mi fraintenda, la prego. È anche profondo. Poco fa stavo pensando anch'io qualcosa di simile.

– Forse camminare tranquillamente per la città aiuta a pensare.

– Sì, ma, mi dica, quel quadro di cui lei parla non è formato in realtà da quel che siamo riusciti a diventare perché lo volevamo?

– Lei è esattamente come voleva diventare?

– A una domanda del genere si può solo rispondere di no.

– In questo caso, si domandi come mai difende il suo quadro come se ne andasse della vita.

– Ho capito, Garzón, ma adesso basta con la filosofia. Scendiamo di due gradini, se non le dispiace. Sotto la filosofia c'è sempre la realtà. Mi racconti.

Lui mi guardò divertito.

– Parlare con lei è veramente impossibile, ispettore. Ha sempre il colpo in canna. E una mira infallibile, per di più.

– Non è difficile colpire il bersaglio, con uno come lei. Sono giorni che cerca di raccontarmi qualcosa di personale, e che io, testarda, non la sto mai ad ascoltare. Questo è il momento, ne approfitti.

– Non voglio tormentarla.

– Finché durerà il mio boccale di birra, avrò la forza di sopportare la tortura. Parli.

– E poi lei sa già di cosa si tratta.

– Del matrimonio?

– Del matrimonio, purtroppo.

– Beatriz le ha dato un ultimatum?

– No, ma si lamenta, insiste. Dice che gli anni che le restano vorrebbe viverli con me, in una casa tutta nostra. Dice che non è mai stata sposata e che le piacerebbe essere mia moglie.

– E sua sorella, verrebbe a stare con voi?

– No, lei rimarrebbe dove sta. Ma hanno un altro appartamento, molto bello, che potremmo occupare noi. In realtà, lei e sua sorella hanno diverse proprietà immobiliari a Barcellona, è questo il problema.

– Sarebbe un problema non averne.

– Cerchi di capirmi, voglio dire che fra noi c'è una grande differenza sociale.

– La stessa che c'è ora, che non siete sposati.

– Ma lei sa che Beatriz e sua sorella appartengono a una famiglia molto nota, vanno all'opera al Liceu, sono socie di diversi club esclusivi. Secondo lei, che figura ci farebbe un poliziotto grasso e volgare come me in un ambiente come il loro?

– Ha paura di quel che può dire la gente? Conosco Beatriz, e so che è abbastanza intelligente per fregarsene.

– Ma a me non va di trovarmi fuori posto, di non sapere come comportarmi né cosa dire.

– Si comporti come sempre. A me piace, e a quanto pare anche Beatriz la apprezza, altrimenti non si sarebbe innamorata di lei.

– Quindi, lei mi consiglia di sposarla?

– Sì.

– Proprio lei, che non è una sostenitrice del matrimonio?

– Dipende dai casi. È ovvio che lei non vuole perdere Beatriz, se ho capito bene.

– Sì, ha capito bene.

– Be', diciamo che se non la sposa corre questo rischio. Ci pensi, Fermín, e lo valuti. E si domandi se la ragione del suo rifiuto non sia soltanto la paura di perdere certe comodità della vita a cui è abituato, di alterare il quadro, come diceva poco fa.

Lui assentì varie volte, bevve, poi mi guardò tutto serio.

– La terrò informata.

– Sull'andamento dei suoi dubbi o sulla sua decisione?

– Solo sulla decisione, quando l'avrò presa. Non voglio disturbarla oltre.

– Lei non mi disturba, ma so per esperienza che parlare ossessivamente di un problema nasconde un desiderio inconsapevole di dilazione.

– Lo so, lo so, non mi faccia la predica. Torniamo al lavoro?

– Non ne ho la minima voglia.

– Il suo è un desiderio più che consapevole di dilazione.

– È duro dover partire da un fallimento.

– Continua a pensare al furto della sua pistola?

– Lo vede anche lei che le conseguenze sono gravi.

– Se non avessero usato la sua arma, ne avrebbero usata un'altra, e quel tipo sarebbe morto lo stesso.

– Questa è una cosa che non so.

– Fosse solo questo quel che non sa! Il fatto è che non sappiamo niente di niente.

– Non me lo ricordi, per favore.

– E invece glielo ricordo, così magari si rimette in funzione, una buona volta.

Ci alzammo e riprendemmo il cammino. Al vice-ispettore aveva fatto bene parlare, ora sembrava più sereno, meno oppresso dai suoi pensieri. Forse anch'io avrei potuto trarre beneficio da quel tipo di terapia, solo che le mie preoccupazioni non avevano niente di concreto, e questo rendeva impossibile parlarne. Se avessi saputo quali erano i miei problemi, magari avrei potuto fare qualcosa per risolverli.

Garzón andò a chiudersi nel suo ufficio e io affrontai la stesura del verbale sul cadavere non identificato. Ricerca nei bar: infruttuosa. Ricerca nei ristoranti arabi: risultato parziale. Importante: telefono cellulare scomparso. Che cosa avevamo trascurato in quella nostra mattinata di indagini sul campo? Forse avremmo dovuto visitare tutti i ristoranti. Avevamo trovato il locale dove la vittima aveva cenato quella sera, ma non sapevamo se ne frequentasse altri nella zona. Chiamai Yolanda e la incaricai di completare la ricerca in questo senso. Era molto più tranquilla di quando aveva lasciato plaza Rius y Taulet, ma aveva ancora una voce strana. Non volli domandargliene il motivo. D'ora in poi volevo essere la donna più disinformata del mondo quanto alla vita privata dei miei colleghi. Solo così sarei riuscita a concentrarmi su questioni in cui non riuscivo ancora a vedere chiaro. Non sapevo neppure che cosa avessimo di fronte: un'organizzazione criminale incentrata sulla pornografia per pedofili? Una rete di tratta delle bianche? Uno psicopatico con figlioletta complice? Tutto suonava assurdo e ridicolo, per il solo fatto che vi era coinvolta una bambina. Come si può associare l'idea di infanzia con quella di omicidio? Sono due concetti così antitetici che sembrano respingersi, come se non potessero avere il minimo punto di contatto. Eppure quella benedetta ladruncola esisteva, non me l'ero inventata io, e con la pistola rubata era stato ucciso un uomo. Questa era la concatenazione dei fatti, ma cercare di spiegarla cominciava a sembrarmi impossibile, come se fosse un enigma, o uno di quei casi da romanzo dietro i quali si celano magie o strane maledizioni. Quando qualcosa ci preoccupa molto, tendiamo a scivolare nell'ossessione, e il motivo dei nostri tormenti diventa sempre più astratto, più irrazionale. Bisogna fare uno sforzo per rimanere aderenti ai fatti, alla pura realtà. La piccola ladra non era uscita da un racconto gotico, non faceva parte di un mondo di spiriti. Era una povera bambina disorientata che rubava per vivere. Nient'altro. Una bambina di strada, venuta da un altro paese, forse orfana, un personaggio alla Dickens, sola e sperduta nella grande città. Cosa temevo che fosse? La personificazione del demonio? Il materializzarsi di maledizioni venute dall'Aldilà? Eppure certe fantasie prive di logica avevano il potere di serrarmi la gola. Malgrado tutti i miei sforzi per razionalizzare, la tentazione dell'occulto, dell'estraneo e dell'oscuro persisteva dentro di me come una malattia che minaccia di farsi cronica. Per fortuna una piccola testimone aveva visto la bambina fantasma. Di colpo, mi ricordai di Marina e di suo padre. Forse quell'episodio aveva scatenato una grave crisi matrimoniale. E io quasi non avevo riconosciuto quell'uomo il giorno in cui l'avevo incontrato per caso. Cercai il suo numero di telefono e lo chiamai. Al quarto squil-

Io ero già in preda a un attacco di panico. Che cosa stavo facendo? Perché chiamavo Marcos Artigas? Troppo tardi, non potevo più riattaccare: una vocetta tenue ma decisa disse:

– Pronto.

– Sei Marina?

– Sì.

– Sono Petra Delicado, ti ricordi di me?

– Sì, sei l'ispettore.

– Ma certo! Come stai?

– Bene. Devo venire a vedere delle altre foto?

– No, per il momento no.

– Che peccato!

– Perché, che peccato?

– Mi piaceva. Era divertente. E facile, anche.

– Infatti sei stata bravissima.

– Già.

Quella bambina parlava con la precisione di un telegramma e io non sapevo più cosa dirle.

– Senti, Marina, è in casa il tuo papà?

– No, mio papà non abita più qui.

Per poco non soffocai. Cosa diavolo significava? Si era trasferito? Era scappato? Si era separato? Qualunque cosa fosse successa, non volevo saperlo, desideravo solo riattaccare il prima possibile, liberarmi da una conversazione che non avrei mai dovuto cominciare.

– Be', non importa, non avevo niente di urgente da dirgli.

– Aspetta, ti do il suo numero di cellulare.

– No, guarda, non è necessario. Credo di averlo già. Un abbraccio cara. Ciao.

Misi giù senza darle il tempo di salutare. Vade retro, Satana! L'ultima cosa di cui avevo bisogno era una nuova raffica di confidenze su sentimenti, emozioni, amori difficili, matrimoni in pezzi... Non solo i colleghi costituivano una minaccia alla mia tranquillità, adesso anche i genitori dei testimoni. Decisamente, non mi sentivo pronta.

Quella notte dormii malissimo. Mi svegliai un'infinità di volte, tormentata da figure di bambine demoniache che profetizzavano la fine del mondo. Quando soffro di incubi, di solito li combatto andandomi a sedere sul divano. Mi bevo un bicchiere di latte caldo e leggo per una mezz'ora. Di solito mi fa bene. L'ambiente rilassante di casa mia, unito al piacere di ripetere i riti quotidiani, riesce sempre a restituirmi la tranquillità e a cancellare la sensazione di soffocamento suscitata dai brutti sogni. Ma quella notte il malessere persisteva. Non avevo nemmeno il coraggio di accendere il televisore, rimedio infallibile per riemergere dal mondo degli incubi alla banalità del reale. Avevo paura di imbattermi in un film dell'orrore con tanto di bambini posseduti o segnati da una tremenda maledizione. Decisi di continuare a leggere e, allo spuntar dell'alba, uscii. Conoscevo un bar vicino a casa che apriva molto presto e decisi di andarci.

Mi bastò spingere la porta a vetri perché il sangue tornasse a scorrermi caldo e vigoroso nelle vene. L'odore del caffè e dei cornetti appena sfornati, la vista dei primi lavoratori che facevano colazione con appetito, perfino la voce premurosa del padrone che mi domandava: «Cosa le servo, signora?», mi fecero venire le lacrime agli occhi. Sì, quello era il mondo reale, fatto di gente semplice, buona, capace di lavorare e di ridere, di dire sciocchezze e di volersi bene. Allora capii che cosa mi stava succedendo. Quel caso mi angosciava per una sola ragione: avevo visto il volto del male. Molte volte nella mia carriera di poliziotto avevo affrontato il crimine, ma non avevo mai sfiorato, neanche da lontano, questioni che avessero a che fare con l'abuso sui minori. L'eccesso di orrore, di crudeltà, di miseria morale che vi si avvertiva giungeva fino in fondo all'anima. Come nel caso delle donne picchiate, dei barboni maltrattati, degli immigrati truffati, dei poveri derubati, o dei ciechi condotti sull'orlo di un precipizio, il male qui era sopruso sul più debole, su chi non ha niente, nemmeno la possibilità di difendersi. Bambini che hanno mosso quattro passi nel mondo e già vedono abbattersi su di loro la barbarie più pura e indifferente, che si insinua nell'anima come ghiaccio e la paralizza.

Forse dovevo chiedere al commissario Coronas di essere sollevata dall'incarico. Non avrei dovuto dare molte spiegazioni. Il solo fatto che l'arma del delitto fosse mia conferiva a quelle indagini una forte componente emotiva che poteva essere controproducente. Questo sarebbe bastato a giustificarmi. Eppure ero decisa a resistere fino alla fine, a costo di mettere a repentaglio la serenità che per anni mi aveva permesso di godere della mia solitudine.

Garzón mi aspettava già davanti a casa, con un piede sull'acceleratore. Non so come facesse, ma era contento.

– Forza, ispettore, che il tempo vola!

– Oggi non vuole andare a prendere un caffè?

– Lo prenderemo in compagnia di quel gentiluomo, nel suo circolo esclusivo.

– Mi ero completamente dimenticata del confidente!

– La vedo un po' distratta, negli ultimi tempi, e anche un po' rincoglionita, se mi concede la mancanza di rispetto.

– Ho dormito malissimo.

– Soffre di mal d'amore?

– No, sono queste indagini a mettermi ansia.

– Si calmi.

– Non ho nessun motivo per calmarmi. Siamo di fronte a una bambina fantasma e stiamo trattando la vittima come se fosse il colpevole. Per di più la mia pistola è ancora in giro, chissà nelle mani di chi. Le pare una situazione in cui si possa stare calmi?

– Be', se la vede in questo modo... Cerchi di guardare al futuro con ottimismo. Lo dicono tutti i libri di self-help.

– Da quando lei legge libri di self-help, Fermín?

– Come crede che sia riuscito a diventare quel prodigio di equilibrio e saggezza che sono oggi? Dandoci dentro con il self-help fin dalla più tenera età. Quando gli altri bambini, alle elementari, mandavano a memoria la lista dei re goti, i fiumi di Spagna e altre sciocchezze simili, io leggevo di nascosto *Come essere felici e mangiare pernici tutti i santi giorni dell'anno.*

– Oggi non mi va di scherzare, Garzón.

– E fa male, perché solo con un po' di umorismo riusciremo a digerire quel che ci aspetta. Donna avvisata, mezza salvata, ispettore.

Lo guardai con la coda dell'occhio, solo per constatare che, a parte il tono scherzoso, parlava sul serio. Si mise a fischiettare qualcosa che sembrava una marcia militare, per l'energia che ci metteva. Insomma, il mio vice aveva trovato la ricetta per una duratura felicità, questo si vedeva.

Entrammo in un bar squallidissimo della Barceloneta, pieno di vecchi prosciugati da decenni di duro lavoro e vita grama. Alcuni bevevano birra, altri si limitavano al caffè guardando instupiditi la televisione. Il nostro uomo era già seduto a un tavolo in fondo. Tentò una ridicola manovra di depistaggio salutandoci a gran voce, come se ci incontrassimo per caso. Lo detestai con una veemenza che mi stupì. Garzón ordinò due caffè e lo guardò con sdegno.

– Quindi ci hai presi per il culo, eh, Abel?

Lui si mise una mano sul cuore con scarse doti attoriali.

– Io, avrei fatto una cosa simile? Potete spiegarmi perché?

– Ci hai mandati a quel laboratorio dove non c'è niente di niente. Ma non ha funzionato, capisci? Non ha funzionato e quindi si ricomincia. Stavolta rischi grosso, ragazzo mio, te lo giuro su quello che vuoi.

– Un momento, un momento, non correte. Ve l'ho detto che non sono più nel giro. Ogni tanto sento delle voci, ma non posso sapere che cos'è vero e che cosa no. Però la storia del laboratorio è sicura. Lì è scoppiato un casino tempo fa, e li hanno presi tutti, ma ho sentito dire che la cosa va avanti. Come e quando, non ne ho idea, ma lì c'è qualcosa sotto, ve lo dico io. Cascassi morto se è una bugia.

– Quasi quasi mi fa sperare che lo sia –. Avevo aperto bocca per la prima volta.

– Lei è molto spiritosa, vero?

– Non si rivolga a me, io non parlo con gente come lei.

Paonazzo per l'indignazione, stava per dirmi qualcosa, quando Garzón lo bloccò allungandogli dei soldi.

– Questo è da parte del commissario, perché ti compri qualcosa di carino.

– Grazie. Mi ricordo di quando in polizia non c'erano donne. Bei tempi.

Non risposi. Il viceispettore proseguì con un interrogatorio in cui alternava minacce a promesse di altro denaro, ma il nostro uomo non si mosse di un millimetro: secondo lui il laboratorio era sospetto. Alla fine Garzón gli fece segno di andarsene.

– Smamma, e sta' zitto, che ti fa bene. Se non hai detto la verità, può darsi che non caschi morto, ma una manica di botte non te la leva nessuno.

Lui uscì serafico, intascando il suo denaro. Affrontai Garzón:

– Se è vero che sa qualcosa, non capisco perché diavolo non lo arrestiamo invece di pagarlo.

– Lei questa storia dei confidenti non ce l'ha per niente chiara, Petra. Quel tizio ormai è fuori gioco e la sola cosa che fa è muoversi in certi ambienti che ci interessano. Tutto quello che può sapere è di seconda mano. Metterlo dentro non servirebbe a niente.

– E mettere dentro quelli che sono intorno a lui?

– Ancora meno.

– Be', a me fa schifo.

– Non dovrebbe farle così schifo, in fondo ci ha dato delle speranze, e proprio nel senso che intuiva lei.

– Quel laboratorio non mi è mai piaciuto. Non avremmo dovuto togliere la sorveglianza.

– Adesso la rimettiamo.

– Sì, ma prima andiamo a riparlarne con l'ispettore Machado.

Quello stesso pomeriggio Machado ci ricevette nel suo ufficio.

– Il caso della Teixonera l'abbiamo risolto noi, ma vi assicuro che è improbabile che qualcuno faccia di nuovo base lì. Ci siamo arrivati partendo da materiale fotografico individuato su Internet. Ma tutti i responsabili sono stati arrestati. Se ci è sfuggito qualcuno, sarà stato implicato in qualche faccenda di minor conto. Vi passo i verbali perché diate un'occhiata, ma credo sinceramente che Abel Sánchez vi abbia presi in giro.

Guardai la scrivania di Machado, ingombra di carte, schede, documenti. Di sicuro il lavoro non gli mancava. Lui si accorse che ero colpita dal suo disordine e mi disse:

– Lo so, sembra tutto sottosopra, ma non è così. Io so sempre dove mettere le mani. E poi il grosso dei reati avviene tramite la rete, quindi mi sono trasformato in pirata informatico e navigo tutto il giorno come un pazzo.

– Con buoni risultati?

– Pescare i responsabili è molto difficile. Il mondo virtuale è più labile di quello reale, sfugge da tutte le parti.

– Io non saprei quale scegliere, mi sembrano un casino tutti e due.

– Scoraggiata, Petra?

– Ho paura di sì. Senti, Machado, posso chiederti un favore? Tu devi averne sequestrate molte di foto porno con bambini, no?

– Le passiamo quasi tutte al tribunale come prove processuali. Ma ne abbiamo un bel po'. Sai, roba legata alle indagini in corso, o a quelle che non sono andate in porto…

– Ho bisogno che me ne cerchi una delle più scabrose.

– Delle più orrende, vuoi dire? Non le classifichiamo per contenuto, ma per data.

– Non ce n'è qualcuna che ti sia sembrata particolarmente spaventosa?

– Sono tutte da far rizzare i capelli. Aspetta, fammi pensare a qualcosa che mi abbia dato davvero fastidio. Magari Ráfols si ricorda come si chiamava quel caso che…

Sparì alla nostra vista. Garzón mi guardava perplesso. Non gli avevo detto che cosa avevo in mente. Naturalmente, non riuscì a fare a meno di esprimere il suo dispetto:

– C'è qualcosa che dovrei sapere e non so?

Una domanda ironica di questo tipo ha sempre il potere di mandarmi in bestia, e ce l'ha ancora di più se la mia condotta viene messa in dubbio in un momento difficile. Rimasi zitta. Lui tornò alla carica.

– Lo dico perché se lei si degnasse di tenermi informato sui suoi piani, dal momento che collaboriamo, anch'io potrei dare il mio modesto contributo.

– Non mi stressi, Fermín, non è il momento.

Machado rientrò interrompendo quel battibecco professionale. Aveva diverse cartelline sotto il braccio.

– Spero non abbiate mangiato nelle ultime due ore. Non sopporto di veder la gente vomitare.

Buttò le cartelline sul tavolo senza aprirle e le indicò col mento:

– Avanti, sono tutte vostre. Appartengono a un caso non risolto che abbiamo intercettato in rete. Non siamo riusciti a pescare nessuno. Mi scuserete se non le guardo con voi, ma cerco di espormi a queste immagini il minimo indispensabile, solo così riesco a preservare la mia salute mentale, che negli ultimi tempi se ne sta andando a rotoli.

Vincendo l'impulso a scapparmene via di lì, aprii la prima cartellina adottando un'espressione troppo fredda e indifferente per essere verosimile. Garzón fece lo stesso con un'altra. Cominciai a scorrere le fotografie. Machado se ne stava chino sulle sue carte con aria concentrata. Non ci guardavamo, non osavamo neppure far sentire il nostro respiro, nella stanza non si udiva altro che il fruscio delle carte. Dopo cinque minuti che parvero eterni, Garzón sbatté la cartellina sul tavolo.

– Cristo santo! – disse fra i denti, come graffiando le parole.

Io misi sotto gli occhi di Machado la foto di un bambino che non doveva avere più di tre o quattro anni, la più terribile che avessi trovato, la più disumana, la più patetica, quella che metteva vergogna per il solo fatto di essere nati uomini o donne.

– Fammi una copia di questa, Machado, in un formato piuttosto grande. Vediamo se ci aiuterà a smuovere qualche coscienza.

L'ispettore, senza nemmeno guardarla, la mise sullo scanner e poi ce la stampò. Solo allora le lanciò un'occhiata di sbieco:

– Ah, sì, questa è forte.

Una volta che l'ebbi in mano, Garzón la fissò inorridito. Machado ci guardava, sorridendo tristemente.

– Vi sono piaciute, eh?

– Sì, molto carine.

– Questa è la roba con cui lavoro. E poi dicono che sono sempre di un umore schifoso. Vorrei vedere! Chi non lo sarebbe al posto mio?

– Capisco.

– Buona fortuna. E alla minima cosa che possa riguardarmi, chiamatemi subito, così entriamo in azione noi. Intesi?

– Non preoccuparti.

Uscimmo dal commissariato senza parlare. Un'auto suonava il clacson a tutto spiano perché un'altra le impediva di uscire dal parcheggio. Garzón, all'improvviso, si precipitò verso il guidatore e, quasi infilando la testa nel finestrino, gridò:

– La smetta di fare casino o la arresto!

– Scusi, ma chi è lei?

Il mio collega gli mostrò il distintivo con violenza. Quel tizio rimase a bocca aperta, senza saper cosa fare. Li raggiunsi e presi per un braccio Garzón. Lui si lasciò condurre così fino all'angolo, poi si divincolò.

– Mi lasci in pace! Sono stufo di essere controllato perfino in quello che mangio! Stufo no, ne ho i coglioni pieni, ecco cosa le dico! E se lei è il mio superiore, e non posso alzare la voce con lei, io me ne frego, capisce? Io alzo la voce quanto mi pare e piace, mi portino pure ad Alcatraz, tanto meglio, così non mi toccherà più dover sopportare lei e tutto il merdoso corpo di polizia che non mi ha mai dato altro che seccature!

Gli misi una mano sulla spalla, parlandogli sottovoce.

– Anch'io mi sento malissimo, viceispettore. Lo prendiamo un caffè?

Abbassò gli occhi, abbattuto, e fece di sì con la testa. Entrammo in un bar e, senza nemmeno consultarlo, ordinai due whisky al posto dei due caffè. Garzón non batté ciglio. Bevemmo in silenzio. Un cameriere chiacchierava con un cliente.

– Come ti va il lavoro, Manolo?

– Bene, cioè, male. Dimmi tu se è possibile che a qualcuno piaccia lavorare.

– A nessuno piace, che io sappia. Ormai il lavoro è una cosa superata.

– Peggio che andare in carrozza, te lo dico io.

Guardai il viceispettore con la coda dell'occhio. Mi schiarii la gola, gli parlai in tono suadente:

– Non le andrebbe di fare un bel cazziatone a questi due che disprezzano i valori fondamentali della società?

Lui sorrise lievemente. Continuai:

– Forza, si tiri su. Può mostrare il distintivo e arrestarli. Pensi come ci rimarrebbero.

Si voltò verso di me con aria afflitta.

– La prego di scusarmi, ispettore, per favore.

– Ma non ha nessuna importanza, non ci pensi più.

– È che dopo aver visto quelle foto mi è venuta una rabbia, una rabbia che non le dico, contro tutto e tutti.

– So che cos'ha sentito.

– Sì, ma la colpa non è sua. E poi quel che ho detto non è vero, non sono affatto stufo di lei e non voglio perderla.

– Che cosa farebbe senza di me? Io sono la luce dei suoi occhi, la ragione della sua esistenza, sono... il capo che ha sempre sognato!

– Be', insomma, non esageriamo –. Ormai sorrideva apertamente.

– Ad ogni modo, la sua è stata una tipica reazione maschile.

– Ecco, sono già fregato. Vuole approfittarne per snocciolarmi il solito discorsetto femminista?

– Qualcosa del genere.

Mi confortava vederlo di nuovo litigare per scherzo, con la risata sepolta sotto i folti baffi.

– E adesso che tutto è come prima, possiamo andare.

– Dove, ispettore?

– Ciascuno a casa propria, e domani ricominciamo. Vuole che le spieghi perché mi sono fatta dare quella foto aberrante?

– Non ce n'è bisogno, credo di saperlo.

Ci salutammo in strada come ogni sera. Poiché non ero venuta con la mia auto, presi un autobus per Poblenou. Ero contenta di potermi mescolare alla gente normale, di constatare che le impiegate tornavano a casa dopo il lavoro, e che i negozianti tiravano giù la saracinesca. Garzón era riuscito a sconfiggere i suoi fantasmi, io no. Quel che gli avevo detto sulla tipica reazione maschile voleva essere una provocazione per farlo reagire, ma rispondeva veramente al mio pensiero. Gli uomini hanno la capacità di trasformare l'orrore in furia, liberandosi dal tormento interiore. Noi donne, invece, per allontanare le inquietudini dell'anima, seguiamo procedimenti più complicati, talmente complicati che in quel momento non ricordavo più come metterli in funzione.

Arrivata a casa, infilai la chiave nella serratura e la tolsi subito. No, non potevo rimanere sola, non ancora. Tornai al bar dove ero stata quella mattina. Un cameriere che non conoscevo mi mise davanti il whisky doppio di cui avevo bisogno. Gli effluvi dell'alcol mi invasero a poco a poco. Suonò il cellulare. Non adesso, per favore, pensai.

– Pronto! – Perfino il suono della mia voce mi infastidiva.

– Ispettore Petra Delicado?

– Chi parla?

– Sono Marcos Artigas.

– Chi?

Ci fu una pausa di imbarazzo all'altro capo della linea, il silenzio di chi non sa se sia il caso di farsi riconoscere.

– Sono il padre della piccola testimone protetta.

– Sì, certo, mi scusi.

– Credo che lei mi abbia cercato. Me l'ha detto mia figlia.

– La sveglissima Marina.

– Certo. Voleva parlarmi?

Le esperienze delle ultime due ore avevano cancellato dalla mia mente ogni cosa. Cercai di ricordare la conversazione telefonica con la bambina. «Mio papà non abita più qui». No, non volevo proprio niente, volevo solo essere gentile e chiedere scusa per avergli creato dei problemi familiari. Problemi piuttosto gravi, a quanto pareva, se ormai lui non viveva più con la moglie. Con la mente che correva a tutta velocità, non riuscivo a dire una parola. La voce di Artigas suonò esitante:

– Si ricorda cosa volesse dirmi?

– Niente di speciale, e poi sarebbe troppo lungo spiegarlo. Ma visto che ormai siamo al telefono... mi dica: non vive più a casa? Mi pare che Marina mi abbia detto qualcosa del genere, forse ho capito male.

– Ha capito benissimo, ma anche questa è una storia troppo lunga da spiegare.

– Capisco.

– Ispettore, dove si trova?

143

– In un bar, vicino a casa mia, a bere whisky.

– Ha già finito di lavorare?

– Come dicono nei film: non bevo mai in servizio.

Scoppiò a ridere, doveva stupirlo che usassi un tono così diverso da quello ufficiale che aveva caratterizzato tutti i nostri incontri.

– Anch'io sono uscito da poco dallo studio. Le andrebbe di vederci e prendere qualcosa insieme?

– Ma certo. La somma di due solitudini annulla la solitudine –. Davvero ero stata capace di dire una simile scemenza? Forse non mi faceva bene continuare a bere, o forse mi avrebbe fatto benissimo.

– Poetessa, oltre che poliziotta! Abbiamo due possibilità, anzi, tre: o ci vediamo vicino a casa sua, o vicino al mio studio, o da qualche parte a metà strada.

– La prego, non mi costringa a muovermi da dove sono. Per essere sincera, questo non è il primo whisky che bevo oggi. Sarà meglio che non mi allontani troppo dal mio letto.

– Benissimo, mi dia l'indirizzo e sarò subito lì.

Non avevo intenzione di domandarmi se stessi sbagliando. Non me ne importava un accidenti. Volevo bere, chiacchierare e dimenticare, non solo quel che avevo visto, ma anche quel che avrei visto il giorno dopo, e quello dopo ancora, per chissà quanto tempo, fino allo scioglimento di quel caso spaventoso, se mai ci fossimo arrivati.

Il bar non era niente di speciale, anzi, era piuttosto squallido, pieno di gente che cenava in fretta con un toast e una birra. Rimanendo lì, non avremmo dato nell'occhio. Dopo una ventina di minuti, che trascorsi guardando il televisore senza sonoro appeso sopra il bancone, un uomo alto, corpulento, biondo e barbuto, mi si avvicinò sorridendo. Ci misi un po' a riconoscerlo. Non è facile vedere realmente un volto che si è sempre guardato senza farci troppo caso. Aveva denti bianchissimi, e gli occhi, socchiusi, gli brillavano. Solo quando mi tese la mano mi resi conto di avergli dato un appuntamento, e mi sentii in imbarazzo. Niente a cui non si potesse rimediare con un altro bicchiere. Lui si sedette al banco accanto a me.

– Mi fa molto piacere rivederla, Petra.

– Vuole che ci diamo del tu? Non è che mi piaccia molto, ma in fin dei conti, siamo coetanei.

– Per me va bene.

In quel momento, l'ideale sarebbe stato rimanere in silenzio, a bere seduti l'uno accanto all'altra. Ma era impensabile. Il copione decretava che dovessimo parlare, fino a raggiungere uno stato di agio reciproco che ci permettesse di non dire più niente.

– Come sta andando il caso?

– Non troppo bene. Non abbiamo piste, né intuizioni, né ispirazioni.

– Poche speranze, insomma.

– Nemmeno quando l'avremo risolto potremo averne, di speranze. Lo sai cosa troveremo? Troveremo il fondo del marciume umano, della miseria morale, della cattiveria gratuita e dell'ignoranza. E una volta che avremo fatto pulizia in un angolino, il male si ripresenterà da un'altra parte. Finché esisteranno gli esseri umani, questa storia è destinata a continuare.

– Non riesco a immaginare una conclusione più amara.

– Prima di farti venire qui avrei dovuto avvertirti. Non so se sono in grado di rallegrarti la serata. È un brutto momento, scusami.

– Nemmeno io sto attraversando un bel periodo. Anzi, potrei perfino dirti che questo è il periodo peggiore della mia vita.

Cercai di osservarlo bene senza che se ne accorgesse. Era serio, un po' tirato, ma non pareva disperato. Bevvi un generoso sorso di whisky.

– Marina mi ha detto che non vivi più a casa. È successo quello che penso?

– Esattamente.

Mi sentii in preda al panico. Mi resi conto della situazione in cui ero finita. Avevo accettato di bere qualcosa con lui, e forse lui mi riteneva colpevole di un grave scontro coniugale che aveva precipitato la sua separazione. Che cosa potevo fare? Fuggire? No, meglio continuare a bere. Finii il mio bicchiere come se prendessi una medicina.

– Spero che quel che è successo con la bambina…

– La testimonianza di Marina ha solo innescato una bomba già pronta a esplodere.

– Capisco, ma mi dispiace ugualmente. Pensi di tornare sui tuoi passi?

– Ci siamo separati. Non si tratta di un disaccordo temporaneo. La nostra era una situazione senza uscita. Forse persone così diverse non dovrebbero mai sposarsi.

– Sei sicuro di voler parlare dei tuoi problemi matrimoniali?

Mi guardò con un sorriso amaro. Poi, rise di cuore.

– Sei una donna davvero originale. Lo sai?

– Certo che lo so. Sono un modello unico. E tutte le copie che hanno tentato di produrre sono venute difettose. Chi mi frequenta dovrebbe pagare il biglietto, come per andare al circo.

– Dico sul serio. Con te non si ha mai l'impressione di seguire uno schema prestabilito.

– Forse tutta la mia originalità dipende dal fatto che ho già buttato giù un paio di whisky. Ne prendiamo un altro?

– Perché no?

– Non che sia così maleducata da non volerti ascoltare, ma sai, ho constatato che non serve a niente parlare di sentimenti. Che cosa si ottiene? L'amore non dura in eterno. Ci sono coppie che trovano il modo di andare d'accordo anche quando viene meno la passione, e altre che non riescono a sostituirla con nient'altro. Il resto sono confidenze che non portano da nessuna parte.

– Hai proprio le idee così chiare?

– Vuoi che ti dica come la penso? Come la penso veramente?

– Forza, sono preparato al peggio.

– Penso che le storie d'amore siano di un'idiozia detestabile. Ci sono molte altre cose nel mondo di cui parlare.

– Come per esempio?

– Come per esempio la cattiveria. L'essere umano è fondamentalmente malvagio.

– Certo, negli uomini si annida il male, ma noi abbiamo il dovere di vivere come se non ci fosse. Altrimenti impazziremmo.

– Forse tu puoi farlo, nel tuo studio di architetto, ma io, con il lavoro che faccio, non me lo posso permettere. Ti faccio un esempio: ho sempre amato moltissimo la solitudine. Niente di filosofico, una cosa normalissima. Voglio dire che so come vivere comodamente e piacevolmente senza la compagnia di nessuno. Ebbene, questa sera mi sono rifugiata qui perché non riuscivo più a entrare in casa mia. Non ce l'avrei fatta a leggere un libro o ad ascoltare musica, avevo bisogno della compagnia di qualcuno. E sono venuta a cercarla in un bar.

– Però, facendo il poliziotto, dovresti essere vaccinata contro il male. In un certo senso fa parte della tua vita.

– Ma tu chi sei, una specie di Superman in pantofole? Mi vuoi spiegare come diavolo ci si vaccina contro una cosa simile?

Frugai nella borsa, tirai fuori quella fotografia ignominiosa e gliela ficcai sotto gli occhi. Non appena lui la mise a fuoco, il suo volto cambiò, come se avesse ricevuto uno schiaffo. Mi resi conto di aver seguito un impulso imperdonabile, e nascosi subito la foto. Rimanemmo entrambi appoggiati al banco, senza più guardarci.

– Mi dispiace – dissi alla fine. – Non avrei dovuto mostrartela, è una prova di reato.

– Capisco che indagare su cose del genere sia molto pesante. Ha a che vedere con il caso di cui ti occupi?

– Non direttamente, ma è tutta spazzatura che viene dallo stesso secchio.

– Davvero tremendo.

– Bene, mi dispiace di averti rovinato la serata. Non ti meritavi un numero del genere. Ho bevuto troppo, e adesso la sola cosa che posso fare è andarmene a casa a dormire. Lascia che almeno offra io.

Uscimmo insieme, e l'umidità della notte ci costrinse ad avvolgerci bene nei soprabiti. Avevo la mente annebbiata dall'alcol e non mi sentivo molto sicura sulle gambe. Gli tesi la mano per salutarlo e lui sorrise:

– Posso accompagnarti fino a casa?

– Sono un po' alticcia, ma riesco ancora a reggermi in piedi.

– Non lo dicevo per questo, ho voglia di fare due passi.

Lasciai che venisse con me e per qualche minuto camminammo in silenzio.

– Siamo arrivati – dissi.

– La casa che potrei ristrutturare.

– Ha più possibilità della proprietaria. A me, ormai, non c'è chi mi ristrutturi.

– Un buon architetto sa trovare soluzioni incredibili.

Lo guardai senza capire come avrei dovuto interpretare quella frase. Ma non mi importava, il nostro era stato un incontro così surreale che non valeva la pena di cercare un senso per tutto. Mi voltai per aprire la porta e sentii di nuovo la sua voce:

– Petra, ce l'hai un divano comodo in casa?

Annuii come se la trovassi una domanda normalissima.

– Mi lasceresti dormire sul tuo divano stanotte? Sai, adesso sto in un appartamento provvisorio dove non c'è niente che abbia a che fare con me.

– Come vuoi, ma ti avverto fin d'ora: l'invito non prevede un solo bicchiere in più, e non ho la forza di continuare a parlare.

– Perfetto, anch'io sono stanco.

– Posso darti un piumone e un cuscino, nient'altro. Ho una stanza per gli ospiti, ma non me la sento di prepararti il letto.

– Preferisco il divano.

– Un'altra cosa: ti lascio la sveglia. La metti alle sette, ti alzi e te ne vai. Non prendertela, ma sono sicura che domattina, prima di uscire di casa, non mi andrà di vederti. D'accordo?

– Affare fatto.

Entrammo. Mi accorsi che osservava il soggiorno con attenzione. Andai a prendere il piumone e il cuscino promessi. Li posai sul divano.

– Lì c'è un bagno, e quella è la porta della cucina. Se vuoi mangiare o bere qualcosa, serviti con assoluta libertà. Buonanotte.

– Buonanotte.

Cominciai a salire lentamente le scale. Lui si tolse il soprabito. All'improvviso mi chiamò.

– Petra.

– Dimmi.

– Ti ringrazio infinitamente. Neanch'io avevo voglia di rimanere da solo, stanotte.

– Lo vedi, è stato facile.

– Ci rivedremo di nuovo?

– Forse un altro giorno.

– Ti chiamo.

Avevo sonno, ero mezza ubriaca. Sciolsi due aspirine effervescenti in un bicchiere d'acqua. Le buttai giù. Poi misi il pigiama e mi infilai a letto. Dovevo essere matta da legare: un uomo che quasi non conoscevo dormiva sul mio divano come se fosse mio amico da sempre. E allora? Siamo tutti soli e sperduti nella stessa foresta, perché negare una coperta a chi ha freddo? A pensarci bene, mi confortava pensare che per una notte un uomo educato e apparentemente buono mi avrebbe fatto una più che discreta compagnia.

5

Yolanda aveva la faccia segnata da profonde occhiaie e, a quanto mi disse, anche Sonia portava dipinta sulla faccia la stanchezza dei turni prolungati.

– In quel dannato laboratorio non succede proprio niente, ispettore. A meno che lei non voglia colpirlo sul piano del lavoro, ma anche lì, non è che ci siano molte irregolarità: qualche ragazza si ferma un po' di più, ma probabilmente fanno gli straordinari, nient'altro. Sono un bel gruppo, allegre, chiacchierano e ridono. Non credo che prenderebbero la vita con tanta naturalezza se fossero coinvolte in qualche traffico losco. Per il momento, pare che lì dentro non si faccia altro che cucire.

– Ad ogni modo, andate avanti. Adesso c'è Sonia, vero?

– Sì, sì, è lì che si annoia, poveretta. Ora io vado a casa per cercare di dormire un po' fino al turno del pomeriggio. Stanotte non ho chiuso occhio.

– Sono momenti difficili, Yolanda – dissi, prima che fosse tentata di espormi i motivi della sua insonnia. So per esperienza che quando la gente si lamenta di queste cose ha un problema personale da raccontare. Lei dovette accorgersi della mia scarsa disponibilità, perché mi lanciò una delle sue occhiate piene di vaga ma tangibile recriminazione. Che cosa potevo farci, io? Pur non volendolo, negli anni ero diventata la consulente sentimentale di Garzón. Ci mancava solo che quella ragazza volesse servirsi di me allo stesso modo. Se proprio ci teneva, poteva confidarsi con Sonia, che aveva la sua stessa età, o con sua madre. Non ce l'aveva una madre? Ma fu tutto inutile. Yolanda uscì dal mio ufficio, e quasi subito tornò senza neppure inventarsi una scusa.

– Ispettore, crede che io faccia bene a stare con Ricard?

– Io? Non lo so, Yolanda, non me lo sono mai domandato. Perché non chiedi consiglio a tua madre?

– A mia madre? Dice sul serio?

– Certo. Le madri hanno esperienza della vita e ci conoscono molto bene. Chi può conoscerti meglio di tua madre?

– Chiunque mi conosce meglio. Anche il ragazzo che serve i caffè alla Jarra de Oro, anche la bigliettaia del metrò... E poi che esperienza ha lei della vita? È stata sposata trent'anni con quello stronzo di mio padre, non ha mai lavorato, non ha mai messo il naso fuori casa, non ha mai avuto un amante. Come può darmi dei consigli? Forse la madre di Sonia, sì... Almeno lei ha vissuto il periodo hippy, ha visto qualcosa in più. Sa come si chiama la sorella maggiore di Sonia?

– No.

– Amanecer. Si chiama Amanecer. E lei l'hanno

chiamata Sonia solo perché sua nonna ha insistito. Altrimenti l'avrebbero chiamata Nirvana.

– Bel nome. Molto significativo.

– Non rida, è vero. Sua madre pensava che i nomi dovessero essere simbolici, una specie di augurio per la vita. Lo sa com'erano gli hippy degli anni Settanta.

– E tu credi che una madre così nelle nuvole possa dare buoni consigli? Di sicuro ha più buon senso la tua.

– No, ispettore, so di cosa parlo. Quando ho detto ai miei che andavo a vivere con Ricard se la sono presa moltissimo. E non solo per la differenza d'età, anche perché fa lo psichiatra. Mio padre ha avuto perfino il coraggio di dirmi che un vecchio che passa tutto il giorno in mezzo ai matti non poteva certo farmi del bene.

– Forse non era poi tanto fuori strada.

– Ma se Ricard ha la sua stessa età.

– E siamo tutti e due molto più grandi di te, questo è un fatto.

– D'accordo, ma pensi se adesso i miei, dopo aver digerito la storia dello psichiatra, possono capire che non lo sopporto più.

– Sei tu che devi chiederti che cosa vuoi fare veramente, gli altri non possono trovarti una soluzione. E poi io non sono la persona più adatta per dare consigli sentimentali. Lo capisci, vero?

– Lo dice perché Ricard è stato un suo fidanzato?

– No, lo dico perché questo è un commissariato e noi siamo qui per lavorare, e anche perché sono il tuo capo e ti ho dato un ordine che non hai ancora eseguito.

– Sì, ispettore, ma anche il viceispettore è ai suoi ordini e lavora in questo commissariato, eppure con lui va a bere le birre e a chiacchierare di cose personali, mentre a me non vuole dare ascolto nemmeno per cinque minuti.

Mi guardava con ostinazione feroce. Mio Dio, quella sua testardaggine, così utile sul lavoro, era una vera seccatura in altri campi. Ma lei non demordeva, aspettava una risposta, mi inchiodava gli occhi addosso come se i suoi prossimi istanti di vita dipendessero da me. Mi raschiai la gola, cercando di trovare una via d'uscita.

– In sostanza, Yolanda, che cosa vuoi da me?

– Che mi dedichi un momento per parlare un po'. Non mi sembra di chiedere troppo.

– Va bene, d'accordo. Lo troveremo, un momento, ma quel che potrò dirti io non sarà che un'opinione fra mille.

Lei annuì.

– Sì, ma non dimentichi che me l'ha promesso. Ci vediamo, ispettore.

Testarda come una giovane mula, ecco com'era Yolanda. Mi piaceva, ero sicura che sarebbe diventata un'ottima poliziotta, ma la sua eccessiva preoccupazione per i problemi sentimentali rischiava di mandare all'aria il suo futuro e la mia pazienza. Che una ragazza della sua età fosse molto presa da certi argomenti non era strano, ma che tutti, a tutte le età, fossero completamente assorbiti dalle vicende di cuore, mi dava sui nervi. Nel frattempo la nostra società andava alla deriva e venivano a galla miserie d'ogni genere.

O forse ero io che mi lasciavo ossessionare troppo dal lavoro? L'amore occupa una parte importante nella vita di ogni essere umano, negarlo è perfettamente inutile. Ma io non ero un'esperta sull'argomento. Avevo una gran voglia di dire a Yolanda che doveva decidersi una volta per tutte a mollare Ricard. Cosa ci facevano insieme quei due? Erano completamente sbilanciati sul piano dell'esperienza. E poi trovavo imperdonabile che lui cercasse di cambiarla. Erano così diversi in tutto: età, formazione, gusti, classe sociale... Certo, anche Beatriz e Garzón erano diversi, e a lui avevo consigliato di sposarla senza curarsi delle differenze. Di una sola cosa ero certa: se accetti di esprimere un'opinione sui problemi personali di qualcuno, devi dire solo quello che l'altra persona vuol sentirsi dire. Nient'altro.

Il viceispettore infilò la testa nel mio ufficio.

– Ce ne andiamo, Petra?

Sì, era meglio muoversi, e lavorare. Smetterla di pensare e immergersi nel sudiciume senza fiatare. L'amore e la cattiveria umana, due poli opposti.

In auto accanto a Garzón, viaggiavo semiaddormentata mentre lui guidava mugolando una canzonetta. Di colpo si interruppe.

– Non so se gliel'ho già detto, ispettore, ma ci sarebbe un'altra cattiva notizia che ci riguarda. Be', cattiva forse no, ma neanche buona. È arrivata la risposta dall'Interpol sulle impronte digitali del morto. Non era schedato neanche all'estero.

– Mi sarei stupita di un simile colpo di fortuna.

– Era una possibilità.

– Da depennare anche quella. In queste indagini non c'è una porta che si apra, non una.

– Ce ne sarà una che ci lasci almeno mettere un piede dentro.

Continuò a canticchiare come se non si rendesse conto che tutta la negatività del mondo incombeva su di noi. Lavoravamo alle stesse indagini, eppure i miei colleghi erano tutti più allegri di me. Cominciai a sospettare che il mio stato d'animo avesse qualcosa di patologico. Permettere a un estraneo di dormire sul divano di casa mia solo per non sentirmi sola non era da me. Io, Petra Delicado, ero stata capace di una simile assurdità? Era imprescindibile far luce sul crimine prima che la mia salute mentale fosse del tutto compromessa.

Riconoscemmo da lontano l'auto a bordo della quale Sonia stava montando la guardia. L'avevamo già avvertita che saremmo passati al laboratorio, e lei si limitò a farci un saluto di nascosto. Fu Garzón a suonare il campanello, e pochi secondi dopo venne ad aprirci la responsabile che fin dalla prima volta avevo tanto detestato. La sua espressione era tutto un poema, ma almeno ebbe il buon gusto di non mettersi a urlare. In tono glaciale, si limitò a domandarci:

– Avete un mandato giudiziario?

Garzón prese quell'orrenda foto pornografica e gliela mise brutalmente sotto gli occhi.

– Abbiamo questa, la guardi bene. Ci tratterremo solo cinque minuti, ma se lei non ci permette di entrare, il solo nostro pensiero sarà che lei stia nascondendo scherzetti come questi. Vogliamo solo parlare con le ragazze.

La signora dovette rimanere piuttosto impressionata, perché, senza dir nulla, ci spalancò la porta. Gli occhi di quelle ragazze, chine sulle macchine da cucire, si alzarono verso di noi. Presi la parola:

– Dobbiamo farvi vedere una fotografia molto spiacevole. Vi preghiamo di guardarla bene e di riflettere su quello che vedrete. Poi daremo a ciascuna di voi un biglietto con il nostro numero di telefono.

Garzón, che aveva fatto fare un considerevole ingrandimento della foto, lo sollevò in modo che fosse visibile da ogni punto del laboratorio. La reazione del pubblico fu controllata, ma evidente. Alcune donne si coprirono la faccia con le mani, altre bisbigliarono qualcosa con aria disgustata.

– Non so se tutte voi parliate spagnolo, ma non c'è bisogno di molte parole per quello che vi chiediamo. E non so se anche voi abbiate figli piccoli, ma non credo sia necessario averne per rendersi conto di quanto sia schifosa una cosa del genere. Ora, lasciate lavorare la vostra coscienza, e se stasera, o domani, o magari dopodomani, vi ricordate o credete di ricordare qualcosa che possa aiutarci a scoprire chi può fare cose del genere, chiamate il numero sul biglietto. Sarà tutto confidenziale, nessuno saprà il nome della persona che ha parlato con noi.

Garzón cominciò a distribuire i biglietti che avevamo preparato. Io feci lo stesso dalla parte opposta del locale. Come stabilito, non guardavamo in faccia le operaie. Volevamo una delazione, non una confessione pubblica, che non era nemmeno pensabile.

Conclusa l'operazione, salutammo la proprietaria del laboratorio con un cenno del capo e uscimmo. Garzón prese fiato.

– Meno male che ha funzionato, perché il mandato avrebbe potuto chiedercelo.

– Quella foto è un salvacondotto potentissimo. Speriamo che oltre ad aprire le porte, risvegli anche le coscienze.

Ora si trattava solo di aspettare, questo era il nostro compito, uno dei più gravosi per un poliziotto, soprattutto quando l'indagine è incandescente. Mentre aspettavamo, ci spostammo nel quartiere di Gracia, per rivedere il luogo del delitto. Tornammo a fare domande nei bar della zona. Ormai i proprietari e i camerieri ci conoscevano, e si stupivano della nostra insistenza, che li infastidiva non poco. Garzón spiegava che magari poteva essere tornato loro in mente qualcosa di cui qualche giorno prima non erano sicuri, un particolare, un dubbio che col tempo si era dissipato. Tutto inutile. Evidentemente non era così, sembrava che quell'uomo, fino al momento della morte, fosse stato invisibile. Tornammo al ristorante Equinox, dove il simpatico libanese ci riconobbe subito. Garzón aveva deciso di fermarsi a pranzo lì. Chiacchierammo un po' con il proprietario, mentre ci serviva, eppure, come c'era da aspettarsi, non ne ricavammo niente di nuovo. Garzón mangiava in silenzio la sua carne di montone come se avesse perso il buonumore.

– La vedo pensieroso.

– Comincio a pensare, Petra, che lei abbia ragione a essere pessimista. Qui non compare il minimo indizio! E sono giorni che ci diamo da fare. Abbiamo solo un morto che continua a essere un illustre sconosciuto e una bambina sparita nel nulla con la sua pistola.

– Ha provato a insistere con la foto della bambina in tutti i commissariati?

– Devo ammettere di no. Mi fido dei colleghi. La tengono appesa al muro, e poi ormai lo sanno tutti...

– Continui pure, su, non si faccia scrupoli, lo dica che cos'è quello che sanno tutti: che mi sono fatta rubare la pistola da una bambina. Cosa vuole che conti ormai, per me, la dignità professionale! Ad ogni modo, forse dovrebbe fare un giro di telefonate, non sarebbe la prima volta che i nostri colleghi si scordano del loro dovere.

Garzón tirò fuori il taccuino e prese nota, più per farmi contenta che per convinzione. Alla fine del pranzo, prendemmo un tè alla menta. Era stato uno dei pasti più silenziosi della nostra carriera in comune. Di solito uno dei due riusciva a tirare su di morale l'altro, ma quella volta stavamo scivolando entrambi per la stessa china.

– Sa cosa le dico, Fermín? Se non riusciamo a risolvere questo caso ho intenzione di dare le dimissioni dalla squadra omicidi.

– Ma cosa sta dicendo?

– Quello che ha sentito. Chiederò di essere messa in archivio. In fin dei conti non sono molti anni che ne sono uscita.

– Sciocchezze, ispettore! Reazioni emotive!

– Sono un po' stanca. Questo è un lavoro in cui non si impara niente. Ti trovi sempre di fronte a difficoltà impreviste e ogni volta scopri che l'essere umano può cadere ancora più in basso di quanto pensassi.

– Sì, ma la stanchezza si supera e, quanto agli esseri umani, cosa vuole che le dica…

– Non mi dica niente, Garzón. Io me ne vado in ufficio. Lei cosa fa?

– Mi metto a fare subito quel giro di telefonate.

– Allora stiamo andando nello stesso posto.

Non osava dirlo, ma anche lui cominciava a scoraggiarsi. Ci salutammo nel corridoio del commissariato, dove mi imbattei immediatamente in Yolanda. Lei si finse sorpresa, ma era chiaro che mi aveva aspettata. Non voleva saperne di lasciarmi in pace finché non fosse riuscita a parlarmi dei suoi tormenti.

– Ispettore…

– Ti avverto che mi becchi in un brutto momento.

– Ma lei mi aveva detto che…

Non la lasciai finire. La presi per un braccio, spingendola verso l'uscita.

– Su, andiamo alla Jarra de Oro. Mi scuserai se non prendo una birra. Ho appena pranzato e preferisco un caffè.

– Come vuole, ispettore. Tanto più che offro io.

Pensai che anticipandola con un breve riassunto di quel che mi aveva già raccontato sarei riuscita ad abbreviare il discorso.

– Mi stavi dicendo che Ricard vorrebbe cambiarti e

161

critica i tuoi gusti, il tuo lavoro, il tuo modo di essere. Non andate d'accordo quasi su niente.

– Vedo che si ricorda. Chiunque penserebbe che lei non si interessi ai problemi dei suoi sottoposti, e invece è molto più attenta e comprensiva di quanto non sembri.

– Ricordo bene, vero?

– Sì e no.

Maledissi la mia sorte. Forse avevo sbagliato a giocare d'anticipo. Avrei fatto meglio a lasciar parlare lei per un po'. In ogni caso, ormai ero in trappola, tanto valeva sopportarla per dieci minuti.

– Spiegati.

– Quello che ha detto è vero, sono questi i motivi per cui le cose vanno male. E lei sa che se le cose vanno bene non ci sono problemi.

Oddio, preferivo mille volte lo stile confidenziale del viceispettore, più chiaro e diretto, senza tante ovvietà e giri di parole. Cercando di essere paziente, annuii più volte.

– Voglio dire che Ricard è una bravissima persona, ed è molto intelligente. Così intelligente che si fa del male, perché passa il tempo a domandarsi che cosa può andar bene per noi come coppia e che cosa no, come siamo fatti e come non siamo. Io credo che se non pensasse così tanto, o pensasse ad altra gente, tutto andrebbe a meraviglia. E invece no, lui pensa sempre a se stesso e alle persone che ha intorno. E, naturalmente, non c'è niente che gli piaccia ed è pieno di manie. Come può star bene con gli altri se non sta bene con se stesso?

Cercai a tutta velocità il luogo comune più consigliabile per l'occasione. Ne trovai uno che di solito funziona:

– Ne hai parlato con lui?

– All'inizio no, poi ho cominciato a lanciargli dei segnali per non offenderlo dicendoglielo apertamente.

– E lui come ha reagito?

– Non mi prende sul serio. Dice sciocchezze, tipo «sbirretta del mio cuore», «poliziotta dell'anima mia»... Lo sa che gli piace fare lo spiritoso.

– Ti sarei grata se rimanessimo in tema, smetti di riferirti a Ricard come se fosse un mio ex marito o l'amore della vita. Abbiamo avuto una storia passeggera, ed è finita subito. Non so come sia lui veramente, e non me ne importa poi molto.

– Mi scusi, ispettore, non si ripeterà. Le dicevo che Ricard mi tratta come una bambina. Lo fa con affetto, senza disprezzo, non creda. Ma alla fine non si arriva mai a niente, perché quando lui mi dice queste cose io finisco per mettermi a ridere e... capisce che non se ne viene mai fuori. Si è arrabbiato soltanto una volta, quando gli ho dato un libro di psicologia che avevo appena letto. Si chiamava *Vivi a fondo la tua relazione e rispetta il tuo partner*. Quel giorno sì che è diventato una furia, eppure non vedo cosa ci fosse di così grave. Poi gli è passata e si è messo a prendermi in giro anche per quel libro, con la fatica che avevo fatto per trovarlo.

– Magari è questo il vostro modo di funzionare come coppia. Non è detto che in una relazione tutto debba essere perfetto. Si tratta di trovare un equilibrio nell'imperfezione, esserne consapevoli e tirare avanti.

– Sì, l'ho pensato anch'io, anche se non saprei dirlo così bene, ispettore. Il fatto è che tirando avanti prima o poi succedono delle cose.

– Quali cose?

– Mi sono innamorata di un altro, ispettore.

– Vivaddio, Yolanda, non potevamo cominciare di lì? Questo non ha niente a che vedere con quel che mi stavi dicendo.

– Però mi dispiace, ispettore, – le tremò la voce, – perché Ricard è matto come una capra e non mi accetta come sono, ma mi vuole bene davvero, e poi lo vedo così indifeso alla sua età, così incapace di risolvere le cose pratiche e così... non so, ispettore, andare a dirgli «me ne vado con un altro» mi pare una cosa tremenda. L'ho già fatto una volta con il fidanzato di prima, e non mi va di continuare a spezzare il cuore degli uomini.

Ebbi sinceramente pietà di lei. Era una brava ragazza ed era così carina con le lacrime agli occhi!

– Su, non farla così grave. Ti sembra tutto molto duro quando ti trovi a dover decidere, ma non puoi rimanere con una persona per compassione, non renderesti felice nessuno. Pensa se tu ti sacrificassi per non fargli del male e alla fine fosse lui a lasciarti. Allora, come ti sentiresti?

– Ho pensato anche questo.

– Un adulto trova sempre il modo di cavarsela. E poi, lo sappiamo tutti che la vita è dura e dobbiamo accettarla così com'è. E dimmi, il tuo nuovo amore è un ragazzo della tua età?

– Sì, ha solo quattro anni più di me.

– Più che naturale.

– Lei lo conosce, ispettore.

– Ah, sì? E chi è?

– Domínguez.

– Domínguez, il gagliego?

– Sì – mormorò lei, insicura.

– Cavoli!

– Cosa c'è, ispettore?

– Non so, figliola, a me pare un po' imbranato. Sei sicura di essere innamorata di lui?

– Lo sapevo, lo sapevo che l'avrebbe detto! Mi sono accorta di come lo tratta.

– Senti, Yolanda, io non voglio dirti niente. Ma quel ragazzo non è un po' troppo provinciale e modesto per te?

– È molto tenero, ispettore, ed è buono, ed è contento di tutto quello che faccio, o almeno, lo trova normale. E poi, scopa da dio.

– Yolanda!

– Mi scusi, ma con lei parlo così sinceramente che dimentico l'educazione.

– Be', penso che non valga la pena continuare. Tu sai benissimo quello che vuoi.

– È vero, ma non so come fare.

– Di sicuro un modo lo troverai. E ti auguro di essere felice.

– E il consiglio, ispettore?

– Quale consiglio?

– Lei deve darmi un consiglio.

– Te ne ho già dati molti, non te ne sei accorta?

– Sì, però io mi aspettavo un consiglio conclusivo.

– Di' la verità a Ricard, Yolanda. Prima lo fai, meglio è. E non andare a vivere subito con Domínguez, rimani da sola per un po', in modo da essere sicura che lo ami. Ti basta o ne vuoi qualcun altro?

– No, grazie ispettore. Davvero. Le sue parole mi sono servite. Mi dispiace solo che lei non apprezzi Domínguez.

Sorrisi, le diedi una tiratina ai capelli e, mentre lei pagava, tornai in commissariato. Certo che se gli esseri umani sono un disastro a livello globale, noi donne lo siamo all'ennesima potenza. Che vergogna! Domínguez! Una ragazza così sveglia, lavoratrice, bella e sana come un frutto appena colto, non combinava niente accanto a un quarantenne che cercava di plasmarla secondo i suoi capricciosi criteri. Benissimo, meno male che l'aveva capito. Però, prima ancora di uscire da una relazione così poco produttiva, aveva già deciso di mettersi con un altro. E chi era andata a scegliersi fra tutti gli uomini che popolano questo benedetto pianeta? Domínguez! Un poliziotto senza un minimo di sale in zucca, con l'esasperante tendenza a rimanersene come un allocco ogni volta che gli si rivolgeva la parola. Forse le sue arti amatorie erano fuori del comune, ma da quando si ha bisogno di amare qualcuno per concedersi una sana scopata? No, Yolanda era innamorata di quella specie di caricatura del ragazzo a posto. Ma non c'è niente da fare, noi donne siamo come i tassisti, che detestano girare a vuoto e cercano immediatamente un nuovo cliente da far salire a bordo. Il mio cellulare suonò.

– Petra? Sono Marcos Artigas.

– Come va, Marcos? Hai dormito bene sul mio divano?

– Come un ghiro. Che assurdità, vero?

– Non tutto quel che è insolito è assurdo. Ci siamo tenuti una discreta compagnia, e questo va bene.

– Hai ragione. Senti, volevo proporti una cosa ancora più insolita. E anche un po' strana. Avresti voglia di assistere a uno spettacolo teatrale in cui recita Marina?

– Non sapevo che Marina facesse anche l'attrice.

– È una recita della scuola. Sua madre non può venire e ho pensato che ti facesse piacere un altro po' di discreta compagnia.

– Credi sia una buona idea? A scuola penserebbero...

– Non vedo che cosa ci sia di strano se un genitore si fa accompagnare da un'amica.

– Va bene. Non mi farà male vedere qualche bambino felice dopo le cose che mi tocca affrontare ultimamente.

– Perfetto. Lo spettacolo è alle otto.

Nemmeno nei miei incubi peggiori, nei periodi più depressivi e catastrofici, avrei accettato un invito simile: andare a una recita scolastica in compagnia di un padre separato. I pericoli erano molteplici: l'orrido spettacolo delle creaturine impegnate in patetiche attività che avrebbero dovuto apparire incantevoli, e la possibilità per nulla remota che il genitore pensasse di confidarmi tutti i problemi della sua difficile situazione familiare. Una prospettiva indigesta, che però ero disposta ad affrontare pur di non ritrovarmi chiusa nella temibile prigione della mia casa.

Cominciai a stendere un desolante verbale sulle indagini, dal quale non poteva risultare altro che la nostra disinformazione. Eppure, cercavo di farmi coraggio. Ero consapevole che il furto della pistola rendeva particolarmente inquietante quel delitto, facendo ricadere su di me una parte di responsabilità. Avevamo lavorato ad altri casi complessi, in cui la mancanza di indizi tingeva di incertezze ogni nostro passo, eppure non mi ero mai sentita tanto scoraggiata. Dovevo ripetermi che non era colpa mia se mi era stata rubata la pistola. Era stata una stupida fatalità, angosciosa soprattutto per l'età dell'insolita ladra. Come consigliavano quegli immondi libri di self-help che tanto piacevano a Yolanda e a Garzón, dovevo sforzarmi di pensare positivo; ossia convincermi che i passi incerti compiuti fino a quel momento ci avrebbero sicuramente portati da qualche parte.

Alle sette meno un quarto spensi il computer. Avevo appena il tempo di andare a casa e cambiarmi. Come ci si deve vestire per assistere a una recita scolastica? Ci avrei pensato. Certo non com'ero in quel momento: maglione nero, jeans e impermeabile. Presentandomi così avrei puzzato di sbirro lontano un chilometro. Uscii senza dir nulla a Garzón: di sicuro mi avrebbe chiesto dove andavo. Se gli avessi detto la verità mi avrebbe presa in giro, e non solo, sarei diventata la vittima della sua malsana curiosità e tendenza ai fraintendimenti. Avrebbe di sicuro pensato che uscissi con

Artigas e che lo facessi per ragioni sentimentali. Nemmeno per sogno, non avevo nessuna voglia di aggiungere carne al fuoco sentimentale che pareva divorare tutti quanti.

Un tailleur di tweed grigio, ecco che cosa poteva andar bene, e per contrastare l'impressione di serietà, un maglioncino dolcevita verde pistacchio. Mi pettinai e mi truccai, e lo specchio mi restituì l'immagine di una donna piuttosto elegante, dalla figura armoniosa e dall'aria un po' accigliata. Be', cosa avrebbe avuto da dire un libro di self-help a questo proposito? Sforzatevi di sorridere e comincerete a sentirvi meglio. Lo feci, e una donna dalla figura armoniosa con un sorriso forzato mi rispose dallo specchio. Al diavolo! Cosa volevo far credere? Di essere una casalinga matura, nonché professionista di successo, felice di andare a vedere il suo tenero virgulto sulle tavole del palcoscenico? No, niente da fare, nessun libro mi avrebbe aiutata a dimenticare di essere un poliziotto di cattivo umore che accetta un appuntamento insensato pur di distrarsi da indagini che alterano il suo equilibrio psichico.

La scuola di Marina si trovava nella parte alta di Barcellona. Era uno di quegli istituti progressisti e costosissimi, del tutto laici, dove i figli dell'élite passano dal castigliano al catalano all'inglese con la massima naturalezza. C'erano gruppi di genitori sulla porta che si salutavano con l'inconfondibile contegno borghese di questa città. Mi parve che il mio abbigliamento fosse abbastanza in tono e, ormai soddisfatta

del mio aspetto, cercai Artigas fra la gente. Finalmente lo vidi, in compagnia di due ragazzini sui dodici anni che mi presentò:

– Questi sono i miei figli Hugo e Teo.

Per poco non svenivo lì sul marciapiede. Ma quanti
figli aveva Marcos Artigas? Non dissi niente, ma non
riuscii a nascondere lo sbalordimento.

– Hugo e Teo sono gemelli, anche se non si assomi-
gliano. Li ho avuti dalla mia prima moglie.

– Ah, piacere, ma che bei ragazzini! – dissi stupida-
mente.

– E poi ho un figlio più grande, Federico, di sedici
anni, che oggi non è potuto venire perché domani ha
un compito in classe.

– Fantastico, vedo che ti sei impegnato a fondo nella procreazione!

Lui rise e scosse la testa.

– In un altro momento ti racconterò nei particolari
la storia della mia famiglia.

Strinsi la mano ai ragazzi, che mi guardavano come
una bestia rara. Di sicuro sapevano che ero un poliziotto.
Entrammo nella scuola e ci dirigemmo verso l'attrez-
zatissimo teatrino. Mi sedetti accanto ad Artigas. Lui
mi disse sottovoce:

– Scommetto che non avevi mai ricevuto un invito
così entusiasmante. Serata con bambini dall'inizio alla fine.

– Sono preparata a tutto.

Lui rise di nuovo.

– Non ti avevo detto che avevo anche tre figli maschi?

– Non sapevo nemmeno che fossi divorziato.

– Il mio primo matrimonio è stato molto lungo, al contrario del secondo, che è durato solo sette anni.

– Non mi sembra così scarso, come risultato.

– In ogni caso, adesso sono un padre da fine settimana. Sto cercando un appartamento grande per poter ospitare tutti i miei figli.

Mi accorsi che uno dei ragazzini allungava il collo per osservarmi di nascosto. Aveva i capelli cortissimi, la faccia piena di lentiggini e occhi estremamente vivaci.

– Hai detto loro che sono un poliziotto, vero?

– Come lo sai?

– Da come mi guardano.

– Se non hai niente di meglio da fare, quando questa barba sarà finita, perché di sicuro sarà una barba, potremo andare a cena da qualche parte. Anche se ti avverto che i miei figli hanno già un fuoco di fila di domande da farti.

– Immagino che saprò rispondere.

Le luci si spensero e io spensi il cellulare. Artigas mi sussurrò all'orecchio:

– È uno spettacolo a cui partecipano tutti gli alunni, indipendentemente dall'età. A quanto dice l'invito, gli attori non parlano, si esprimono con il corpo.

Mi guardò con ironica rassegnazione e io sorrisi. La cosa si preannunciava divertente. Cominciò a suonare una marcia molto vivace e sincopata. In un angolo del palcoscenico comparve un bambino, o una bambina?, travestito da papera. Lo seguivano, tenendosi per mano, un gran numero di anatroccoli gialli, sempre più piccoli. Il pubblico di genitori, deliziato, proruppe in gridolini di piacere. Senza dubbio dovevano essere bambini dell'asilo di non più di tre anni. Camminavano esitanti, disorientati, guardandosi intorno e minacciando di rompere la fila. Era davvero comico, e la gente cominciò a ridere. Avevano zampe da papero ritagliate nel cartone che li costringevano ad avanzare ancora più goffamente. Al bambino che veniva per ultimo, un anatroccolo lillipuziano, le zampe si girarono dietro i talloni, ma lui non se ne accorse, così come non si accorse delle risate che suscitava fra il pubblico. Anche noi ridevamo scambiandoci uno sguardo di momentanea felicità. Ci furono altri momenti come quello. Una recita di bambini è soggetta a un tale grado di imprevedibilità da sortire un effetto comico irresistibile. Tutto aveva un che di non riuscito, ma proprio questo rendeva irresistibile ogni scena: gli elefanti camminavano velocissimi, una delle gazzelle inciampò, e i bambini più grandi che facevano le giraffe si videro in serie difficoltà per la lunghezza del collo. Gli spettatori più divertiti erano indubbiamente Hugo e Teo. Ridevano a crepapelle scambiandosi gomitate. Verso la metà di quell'anarchica parata di animali, uno sciame di libellule in tutù e ali iridescenti entrò in scena sulle note di un'aria di Debussy. Fra loro c'era Marina, bionda ed eterea, tutta seria, concentrata nel suo balletto sulle punte. Era davvero incantevole, e non potei reprimere un sorriso d'affetto ripensando al suo inestimabile aiuto. Guardai suo padre e dissi:

– È bravissima.

– Forse ha un destino da diva – mi rispose lui scherzando.

– Quella bambina avrà successo in qualunque cosa si proponga.

Lui si strinse nelle spalle e sorrise. Era davvero simpatico, Artigas, e la sua idea di invitarmi quella sera cominciava a sembrarmi molto meno assurda.

All'uscita aspettammo Marina nell'atrio della scuola. Mentre Marcos salutava gli altri genitori, mi voltai verso i gemelli:

– Vi è piaciuto?

– Erano un branco di imbranati – rispose uno di loro. L'altro si associò a quella critica poco compassionevole:

– Non capisco che senso ha uno spettacolo dove non si parla. A teatro bisogna parlare.

– Non sempre, come vedi. In ogni caso non la finivi più di ridere.

– Bah! – minimizzò.

– Tu sei un poliziotto, vero? – mi chiese il primo gemello, guardando suo padre da lontano.

– Ispettore di polizia.

– E hai la pistola.

– Sì.

– Anche adesso? Ce l'hai nella borsetta?

– Sì, devo averla sempre con me. Ma adesso non posso farvela vedere – li avvertii, sapendo dove volevano arrivare.

Artigas ci raggiunse tenendo per mano Marina. Lei venne verso di me, col faccino ancora segnato da un paio di baffi da libellula, e mi baciò, non so se spon-

taneamente o dietro suggerimento del padre. Ne rimasi
piacevolmente sorpresa. Poi mi disse:

– Diglielo... – Indicò i fratelli. – Diglielo che è vero che ho lavorato per la polizia e ho riconosciuto quella bambina dalle foto.

Guardai i ragazzi:

– È assolutamente vero. Senza il suo aiuto le mie indagini sarebbero paralizzate.

– Indagini su cosa?

– Non posso dirvelo, è un segreto.

– Lasciate stare l'ispettore. Che non vi passi neanche per la testa di bombardarla di domande, altrimenti non andiamo più a cena.

Mentre Marcos mi elencava i possibili ristoranti adatti ai bambini, io ascoltavo di nascosto la conversazione che, altrettanto di nascosto, si svolgeva fra loro.

– Che buffonata! Per questo hai detto a papà di portarci? C'era una partita alla tele!

– Sei proprio deficiente – si difendeva la dolce Marina in un registro a me sconosciuto. – Tu pensi solo al calcio. Tutto il resto non ti piace perché non lo capisci.

– E cosa c'era da capire di quello scemo che camminava con i piedi all'indietro? Faceva pena!

Marina si lanciò su uno dei ragazzi, pronta ad attaccare, ma in quel momento suo padre, che pareva del tutto ignaro delle ostilità, si voltò verso di loro, bloccando lo scontro sul nascere.

– Su, ragazzi, andiamo al Coliseo.

Al Coliseo servono ottimi hamburger, insalate e spaghetti. Mi parve la scelta più giusta. Ci diedero un tavolo grande ed enormi menu con disegni che illustravano ogni piatto. Eppure mi assalì un'ondata di terrore. Di cosa si parla con i bambini? Di cosa si parla con un uomo che a malapena si conosce? Di cosa si parla in una situazione così insolita? I tre fanciulli parevano più calmi, anche se ogni tanto si lanciavano frecce avvelenate.

– Proprio divertente il bambino che faceva il papero – disse quello che si chiamava Hugo, senza dubbio il più sarcastico dei due. – Non si capiva nemmeno se camminasse in avanti o all'indietro!

Ma Marina era allenata a difendersi, malgrado la tenera età.

– Io lo capivo, chi aveva un po' di cervello lo capiva benissimo.

– A me sono piaciute le libellule. All'inizio credevo fossero mosche – intervenne Teo, dimostrando di non essere da meno del fratello.

Un pezzo di patata al forno volò dal piatto di Marina in grembo al ragazzo. Li guardai sgranando gli occhi e poi guardai Artigas. Lui, impegnato a mangiare, imperturbabile, non faceva minimamente caso alla guerra sotterranea che si stava combattendo fra i suoi figlioli. Eppure dovette cogliere con la coda dell'occhio il volo della patata, perché ordinò, senza scomporsi:

– Ragazzi, state buoni.

Poi venne l'interrogatorio, che mi costrinse a soddisfare le solite curiosità, espresse questa volta allo stato grezzo, senza la patina di discrezione che si impongono gli adulti. Hai già arrestato dei serial killer? Che pistola hai? Ma è pericoloso? Hai mai ammazzato qualcuno?

Artigas all'inizio sembrava un po' imbarazzato, tanto che cercò di farli star zitti, ma poi vedendo che me la cavavo benissimo, tornò alla sua pacifica cena. Anche lui fece qualche domanda, e tutto si concluse felicemente con l'esibizione della pistola. Questa fu la sola cosa che li entusiasmò, il resto fu decisamente deludente. Ci sono pochi serial killer in Spagna, i pericoli del mio mestiere sono limitati, e ben di rado la polizia spara, tanto meno per uccidere. Per di più, raffreddai la loro foga iniziale confessando che da tempo avevo smesso di sottopormi agli esercizi di tiro regolamentari. Di sicuro Artigas mi fu grato di quell'opera di smitizzazione, perché dubito che a un distinto membro della borghesia catalana faccia piacere veder germogliare la vocazione poliziesca in uno dei suoi rampolli.

Alle dieci e mezzo, un'ora delle più civili, avevamo già finito di cenare. Marina aveva visibilmente sonno, e i ragazzi se ne stavano zitti e composti, cosa che interpretai come segno di stanchezza. Marcos Artigas insistette più volte per accompagnarmi a casa, ma io dissi di no e chiusi definitivamente la questione alzando il braccio davanti a un taxi che passava. Salutai i ragazzi, e il padre mi aprì la portiera. Mi disse:

– Mi sento tremendamente in colpa per averti fatta venire a questa serata così... familiare. Non mi ero reso conto di quanto fosse insolito per te un incontro simile.

– Proprio perché è stato insolito mi sono divertita, davvero. I tuoi figli sono molto simpatici.

Ci scambiammo due casti baci sulle guance e il taxi partì. Ero contenta, non avevo mentito ad Artigas.

In realtà tutto era stato fuori del comune proprio per la normalità della situazione: bambini che mangiano e si prendono in giro, che fanno domande, che masticano, ridono... tutto meraviglioso. Quella massiccia dose di normalità era riuscita a farmi evadere dalle tenebre che avevo dentro. Finalmente avrei dormito benissimo.

Arrivata a casa, feci una doccia, mi infilai il pigiama e mi misi a letto con un libro. Mi tornavano in mente i diversi momenti della serata. Era davvero sorprendente che un uomo come Artigas avesse quattro figli, per quanto due fossero nati insieme e il totale fosse da suddividersi fra due matrimoni. Nessuno al giorno d'oggi ha quattro figli, sembra una cosa obsoleta, addirittura di cattivo gusto. Eppure erano ragazzini simpatici, e perfino educati. Non gridavano, non reclamavano un protagonismo eccessivo e dimostravano una considerevole vena umoristica. Chissà com'era la prima moglie di Artigas. Perché si erano separati? Perché si era risposato con una donna così diversa da lui? Insomma, quell'uomo non rientrava nei soliti schemi, aveva una sua originalità. Tranquillo, un po' assente, aveva qualcosa dell'hippy sognatore, ma anche dell'uomo razionale e tutto d'un pezzo, perfettamente adattato alla realtà. Sospirai. In ogni caso, grazie a lui e alla sua piccola troupe di nanetti, per una sera avevo dimenticato i tormenti della mia indagine. Quel pensiero mi fece ricordare che dopo lo spettacolo non avevo riacceso il cellulare, né avevo controllato la segreteria telefonica di casa. Non doveva essere successo niente di grave, ma il senso del dovere mi imponeva di riparare.

Dieci chiamate senza risposta, dieci, e tutte di Garzón, mi dimostrarono che ero in errore. Sei messaggi tutti identici. Altri sei sulla segreteria: «Petra, si può sapere dov'è finita? Chiami subito, è urgente». Il cuore cominciò a battermi forte. Senza quell'enfasi sull'urgenza avrei potuto pensare a un problema personale del viceispettore. E invece no, si trattava sicuramente del lavoro. Era quasi mezzanotte. Che cosa dovevo fare, chiamarlo? Non era già troppo tardi? Proprio in quel momento suonò il cellulare. Trasalii per la sorpresa e lo lasciai cadere. Mi lanciai a recuperarlo sotto una poltrona, non si era rotto, continuava a suonare, a quell'ora della notte. La voce del mio collega non alleviò la mia ansia.

– Ispettore, finalmente! Ma dove diavolo si era ficcata? La sto chiamando come un pazzo dalle…

– Lo so, Garzón. Cos'è, una lavata di capo al suo capo?

– Non scherzi, per favore. Venga subito in commissariato. C'è qui una delle operaie rumene, ma con me non vuole parlare. Le ho proposto Yolanda, Sonia. Niente da fare, vuole proprio lei. È qui dalle dieci, e non posso trattenerla oltre. Ho paura che se ne vada, e che magari domani ci ripensi e non voglia più dirci niente.

– Ce l'ha lì? Me la passi. Come si chiama?

– Illiana Illiescu.

– Buonasera, Illiana, riesce a capirmi?

– Sì, capisco.

Compresi le preoccupazioni del viceispettore, la voce era insicura, tremula, forse spaventata.

– Sono Petra Delicado, l'ispettore dell'altro giorno. Prendo la macchina e vengo subito lì. La prego di non andarsene, visto che ha già aspettato tanto.

– Domani devo andare a lavorare. Devo alzarmi presto.

– Arrivo subito, mi sente? Subito. Poi la accompagneremo a casa noi.

Chiusi la comunicazione. Da dove cominciare? Mi infilai i jeans e un maglione, scarpe senza calze, presi l'impermeabile, le chiavi della macchina. L'agitazione mi diede un'improvvisa fitta alla fronte. Non c'era tempo per un'aspirina. Volai fuori.

L'arrivo in commissariato riuscì solo a far crescere il mio mal di testa. Andai alla ricerca di Garzón. Dove aveva fatto accomodare la testimone? Nel mio ufficio? Speravo che non se ne fosse già andata. Di guardia, quella notte, c'era Domínguez. Mi salutò, e io quasi non gli risposi, ma non potei fare a meno di pensare in un lampo: «Che fortuna hai, ragazzo mio. E per di più credi anche di meritartela». Aprii la porta come un ciclone e, grazie al cielo, il viceispettore era lì con una ragazza bruna, sulla trentina, dall'aria timida e spaventata. Rilassai i muscoli a tutta velocità, per quanto è possibile una cosa simile, e feci una smorfia che voleva essere un sorriso tranquillizzante. Come un automa, le diedi la mano, che lei strinse senza energia.

– Buonasera, sono Petra Delicado. Spero di non averci messo troppo ad arrivare.

Mi accorsi che la ragazza era incinta. Sorrisi anche al viceispettore, senza la minima naturalezza.

– Ha offerto qualcosa a Illiana? Un caffè, magari una bibita?

– Sì, ispettore, ma non vuole accettare niente.

– Be', perché non c'ero io. Adesso prenderemo una di quelle ottime cioccolate calde della nostra macchinetta, vero?

Lei si strinse nelle spalle, senza saper cosa dire.

– Vorrebbe essere così gentile da andarcele a prendere, Fermín?

Gli feci un segno impercettibile che finalmente lui colse. Si sarebbe tolto dai piedi finché non l'avessi chiamato. Non appena il mio vice sparì, la ragazza mi guardò angosciata.

– Io voglio parlare per dire una cosa.

– Non c'è fretta. Si prenda tutto il tempo di cui ha bisogno, si rilassi. Il viceispettore non tornerà per un po'.

– Mio marito non vuole che io esca da sola di notte, mi aspetta all'angolo.

– Suo marito è rimasto ad aspettarla per tutto questo tempo? Ma perché non gli ha detto di entrare? Manderò subito un agente a chiamarlo, congelerà.

– No, è abituato, non importa. Ma io voglio parlare e andare via.

– Forza, Illiana, mi dica. La ascolto.

– Al laboratorio ci sono stati dei problemi per certe foto brutte con i bambini, poco tempo fa. Non con la signora che ha visto lei, ma con un signore che c'era prima e che adesso non c'è più.

– Sì, lo sappiamo. Tutte le persone che avevano a che fare con quella storia sono state arrestate.

– Tutte no. Una donna che lavora con me dice che quando avrò il bambino potrò guadagnare molti soldi. Dice che lei affitta sua figlia e che non succede niente, la pagano bene per le fotografie.

– Una delle sue colleghe?

– Sì, ma adesso non c'è.

– Non c'è? Avevi detto che lavorava con te.

– Adesso però è andata via. È andata via quando siete venuti la prima volta. Io non protesto perché mio marito dice che non sono affari nostri. Ma ho visto la fotografia ieri.

Rimase bloccata un momento, come se non trovasse le parole o il coraggio per andare avanti. Le diedi il tempo di riprendersi. Il suo volto si contrasse in una smorfia disgustata.

– Quelle foto sono brutte, quella donna è cattiva. Una donna che ha figli non fa questo. È sbagliato, è sbagliato.

– Sì, è orribile. Come si chiama quella donna?

– Marta. Marta Popescu.

– Sai dove abita?

– No, niente. Lei non ha mai detto dov'è casa sua.

– Sei sicura?

– Io vengo per parlare, dico la verità, non so dove abita. Non so.

Malgrado le difficoltà linguistiche riusciva a farsi capire perfettamente. Le credetti, ma avevo bisogno di qualche informazione in più.

– Quanti anni ha? Quanti anni ha la figlia?

– Sua figlia non so. Marta è più grande di me.

– Ti ha detto cosa pensava di fare, dove voleva andare?

– Marta non parla. Un giorno non è venuta a lavorare. La signora ha gridato tanto.

– La titolare si è arrabbiata perché lei non aveva detto che aveva intenzione di andarsene?

– Sì.

– E ti aveva proposto di fare delle foto al bambino?

– Sì.

– Ti ha detto che ti avrebbero pagata?

– Sì, molti euro.

– Ti ha detto chi?

– No, non ha detto niente.

– C'è qualcos'altro che puoi dirmi? Qualcosa che lei ti ha raccontato?

– No. Devo andare. Mio marito mi aspetta.

– Certo, non preoccuparti. Non diremo a nessuno che hai parlato con noi. Puoi stare tranquilla.

Chiamai Garzón. Lui entrò immediatamente, cercando di rendere verosimile la commedia della cioccolata.

– Illiana se ne va. Può accompagnarla all'uscita, viceispettore?

La rumena, non volendo essere scortese con il mio collega, prese il bicchiere di plastica che le veniva porto e bevve tutto d'un fiato. Tirai fuori trenta euro dal portafogli e glieli diedi.

– Così lei e suo marito potrete prendere un taxi.

Lei fece risolutamente segno di no.

– Io sono venuta qui per foto molto brutta, molto brutta, non per soldi.

– Non pensi male. Questa è una cosa che facciamo con tutte le persone che rimangono fino a tardi in commissariato. Con tutte – mentii.

Solo allora si decise a prendere i soldi e a metterli nella borsetta. Poi Garzón le aprì la porta e uscì con lei. Tornò pochi minuti dopo, assetato di notizie. Gli riferii tutto. Lui annuì più volte senza farmi una sola domanda.

– Bene, benissimo. La sua esca è servita, alla fine. Un'immagine vale più di mille parole. Almeno, per certe cose. Chi c'era ad aspettarla? È andata via con un tipo alto...

– Il marito: l'ha accompagnata fin qui ed è rimasto fuori ad aspettare.

– È rimasto fuori ad aspettarla per due ore senza sapere quando sarebbe tornata?

– Sì. Quella gente crede di non avere nessun diritto, non chiede niente, sopporta qualunque cosa.

– Porca miseria!

– Infatti. È così che vivono, nella miseria. E noi, cosa facciamo? Ci diamo una mossa?

– Sì, andiamo a dormire.

– E chi pensa a dormire?

– Ispettore, è l'una del mattino. Dove vuole che andiamo a quest'ora?

– Da nessuna parte. Ma prima dobbiamo stabilire il piano per domani.

– Il piano adesso è ovvio: bisogna tornare al labora-

torio. La responsabile avrà pure l'indirizzo di quella Popescu. Che poi si trovi ancora lì quando andremo a farle visita, è già un po' meno ovvio.

– La aspetto qui alle otto.

– Alle otto? Nemmeno questo è tanto ovvio, ispettore.

Ormai era sulla porta, si voltò verso di me: – A proposito, dov'era quando non riuscivo a rintracciarla,
ispettore?

– Le è proprio indispensabile una risposta?

– No, mi scusi, ognuno ha la sua vita – disse, con aria
lievemente offesa.

– Ero a una recita scolastica.

Mi lanciò uno sguardo tagliente.

– Le ho già detto che ognuno ha diritto alla sua vita, Petra. Non c'è bisogno di fare del sarcasmo. Buonanotte.

Uscì a passi alteri. Se gli avessi raccontato che ero
stata a mangiare hamburger in compagnia di tre ragazzini sarebbe stato capace di prendermi a ceffoni.

6

Decisi di non rimettermi a letto, ma di rimanere sul divano avvolta in una coperta. Mi pareva che così la notte sarebbe passata più velocemente. O forse speravo che gli spiriti del soggiorno fossero più benevoli di quelli della camera da letto. Donne che cedono in affitto i loro bambini per foto pornografiche. Una madre che condanna la figlia alla vergogna, proprio chi in teoria dovrebbe proteggerla e vegliare su di lei, la sola persona a cui lei possa affidarsi, la getta nel fango. Bene, molto bene, la vita è bella. Come potranno vedere il mondo questi bambini, quando saranno grandi? La vita è bella, sì. Miseria economica che genera miseria morale. I benefici effetti della cena con Artigas si erano dissipati. Ma avevo bisogno di dormire, il mattino era alle porte. Magari fosse stata già l'alba. Avrei voluto rimettermi subito a lavorare. Ora non cercavo più soltanto un colpevole, una bambina, la mia pistola. No, ora volevo smascherare un'intera rete di pornografia per pedofili, stanare i responsabili uno per uno, metterli in mano a un giudice, distruggerli, sputare loro in faccia, coprirli di vergogna, farli desiderare di non essere mai nati. Ma forse una rete non esisteva. Se avessimo trovato quella donna, e se lei fosse stata la sola responsabile, che cosa avrei fatto, avrei distrutto anche lei? Da dove veniva Marta Popescu? Come era stata la sua vita? Anche sua madre aveva fatto commercio della sua dignità? Sapeva leggere e scrivere? Era stata forse in carcere? Caddi in preda a un'enorme angoscia. Non potevo sistemare il mondo, potevo solo stringere i denti e sopportare. E così feci, finché la stanchezza non venne in mio aiuto e mi addormentai.

Alle sei del mattino mi svegliai e mi sentii molto meglio. Una doccia e il caffè mi restituirono alla normalità. Feci perfino tostare delle fette di pane e le mangiai con la marmellata prima di uscire. Entrando in commissariato, orgogliosa del mio equilibrio riconquistato, rimasi molto delusa vedendo che non c'era ancora nessuno. Telefonai a Sonia e a Yolanda. Ormai era inutile che continuassero a sorvegliare il laboratorio. Poi trasmisi il nome di Marta Popescu all'archivio, nella speranza che fosse schedata. Infine mi misi in contatto con i colleghi dell'ufficio immigrazione. Chissà che non avessero traccia del suo passaggio.

Assolutamente puntuale, alle otto, vidi arrivare Garzón.

– Ce lo prendiamo un caffè prima di uscire, vice-ispettore?

– Credevo che volesse mettersi immediatamente in marcia.

– Quella donna non sarà in casa, ne sono quasi certa. E poi, dieci minuti in più o in meno non cambiano niente. Ieri ho corso troppo, non è una buona cosa per le indagini.

Adesso il mio vice mi guardava contrariato. Per lui, avevo sempre torto.

– Cosa c'è? Non le va?

– No, si immagini. Stavo solo pensando.

– Posso sapere a cosa?

– Pensavo a come siete volubili voi donne.

– Ancora? Anche se lavorassimo insieme per altri trent'anni, lei non la finirebbe mai di tirarmi fuori le sue massime confuciane sulle donne. Lasci perdere, Fermín, noi donne siamo meravigliose comunque, volubili o no.

– Non ne ho mai dubitato.

– E poi... e poi abbiamo sempre ragione.

– Accidenti! – disse sottovoce. – Confucio era sposato, ispettore?

– Non lo so. Perché?

– Niente, niente, una semplice curiosità.

Le operaie erano già tutte al lavoro quando entrammo. Diedi un'occhiata generale e constatai che anche Illiana Illiescu era lì, seduta alla sua macchina da cucire, tutta concentrata. La responsabile del laboratorio ci guidò nel suo ufficio, un'esigua stanzetta con un tavolo e tre sedie. Questa volta non si permise di gridare né di andare in collera. Seria, compunta, ci chiese cosa volessimo in tono rassegnato.

– Stiamo cercando Marta Popescu. Sappiamo che ha lavorato qui.

– Ah, ma io non c'entro niente! Può anche darsi che qualcuno che ha lavorato per me si sia messo nei guai, ma non venite a cercare niente di poco pulito qui dentro perché non lo troverete.

– Lo sappiamo. Potrebbe limitarsi a rispondere alle nostre domande?

– Marta Popescu è sparita più o meno un mese fa. E pensare che aveva insistito tanto per farsi assumere. È venuta, ha lavorato tre mesi, e male, devo proprio dirlo, per poi piantarmi in asso senza dire una parola. Non ha neppure preso i soldi dell'ultima settimana.

– Era in regola con il permesso di soggiorno?

– È venuta da me con il passaporto rumeno. L'ho assunta e poi ho passato la documentazione all'ufficio stranieri. Le ho già detto che qui facciamo tutto come si deve.

– Allora avrà anche il suo indirizzo.

– Certo che ce l'ho. Aspettate, vado a cercare la scheda.

Aprì un grosso classificatore metallico cigolante e tirò fuori una cartella. Ce la porse. Dentro, c'erano la copia di un contratto di lavoro, la dichiarazione all'ufficio stranieri e alla previdenza sociale, e una scheda personale. L'indirizzo che vi figurava corrispondeva a una via del Raval. Una fotocopia del passaporto mostrava un'immagine della Popescu, bruna, trentasei anni, bei lineamenti, e occhi che guardavano fieri nell'obiettivo.

– Sa se avesse una figlia?

– No, non so niente di lei. Preferisco non sapere niente della vita privata delle mie dipendenti. A volte ci sono storie che è meglio non conoscere.

Passai il materiale al viceispettore, che lo esaminò con attenzione. Io continuai a interrogare la proprietaria:

– Ha mai notato qualcosa di strano nella Popescu?

– No, era un tipo di poche parole. Ma qui nessuna parla.

– Veniva qualcuno a prenderla?

– Non lo so. Quando loro escono io rimango in ufficio.

– Ricorda se negli ultimi giorni prima di andarsene era agitata? Ha notato qualche comportamento strano?

– Non lo so, non ci ho fatto caso. E poi, perché avrei dovuto farci caso? Mica sapevo che se ne sarebbe andata.

A un tratto intervenne Garzón:

– Qui c'è scritto che il suo ultimo giorno di lavoro è stato il 20 di gennaio. È proprio così?

– Sì, questo me lo ricordo. Era un mercoledì, e avevamo una commessa piuttosto grande da finire entro la settimana. Mi è parso strano che non venisse, ma visto che non aveva telefono, non ho potuto chiamarla. Ho chiesto alle altre ragazze se fosse malata, ma nessuna sapeva niente. Aveva poche amiche qui dentro. E anche se ne avesse avute, sarebbero state zitte. Loro non parlano.

– Quindi il 21 non si è presentata.

– Infatti.

Garzón tirò fuori il suo taccuino e cominciò a sfogliarlo all'indietro. Poi mi guardò, con un'espressione che non riuscii a decifrare.

– Ce ne andiamo, ispettore.

Mi rivolsi alla donna:

– Noi ci teniamo la cartella come prova. Quando le indagini si saranno concluse gliela restituiremo.

– E nel frattempo, se viene un'ispezione?

– Dica di parlare con noi.

Ci dirigemmo a passo svelto verso la macchina.

– Cosa c'è, ispettore?

– C'è che noi siamo entrati per la prima volta in quel laboratorio il 21 gennaio. Quel giorno la Popescu non c'era già più.

– Qualcuno deve averla avvertita.

– Ha già capito chi?

– Certo che l'ho capito! Lo chiama lei o lo chiamo io?

Abel, il nostro magnifico confidente con il nome da vittima biblica e il volto da pendaglio da forca, ci aveva fregati. Alla fine decidemmo di non chiamarlo. Cercammo il suo indirizzo nell'archivio di Machado e piombammo direttamente nella sua tana. La voce che suonò dall'altra parte della porta rivelava che non era sveglio da molto.

– Apri, Sánchez, abbiamo delle domande da farti – disse Garzón con voce tranquilla.

– Si può sapere perché cazzo siete venuti fin qui? Gli accordi erano che ci saremmo visti sempre fuori.

– Apri, per favore, è questione di un momento. Ti facciamo un paio di domande e ce ne andiamo.

Lo sentimmo bestemmiare mentre girava la chiave nella toppa e sganciava una catena. Non appena la porta si aprì un po', Garzón ci si buttò contro con una spallata brutale. Il battente cedette, e Sánchez, colto di sorpresa, rischiò di rotolare sul pavimento. Il mio vice lo prese per la maglia e lo spinse su un divano sfondato dove si accasciò come uno straccio. La paura gli impediva di protestare.

– Sta' fermo lì. Non provare nemmeno a muoverti.

– Ma cosa diavolo succede?

Garzón gli si catapultò addosso e gli rifilò un potente manrovescio.

– Zitto, Sánchez, zitto! Non sei in una bella situazione!

Chiusi la porta e cominciai a perquisire la stanza, mentre il mio collega frugava in camera da letto. L'appartamento era in pessimo stato, puzzava di fumo e di fritto stantio. Aprii tutti gli sportelli e i cassetti di quei mobili sgangherati, e ogni oggetto che prendevo in mano finiva sul pavimento.

– Non avete il diritto di fare una cosa simile!

Non gli badai, continuai a cercare qualcosa che potesse servirci come prova incriminante. Una fotografia, un foglio... ma sembrava che il solo tesoro di quel disgraziato fossero giornali vecchi, lattine di birra vuote e qualche terribile soprammobile di plastica. Dopo un po' Garzón uscì dalla stanza.

– Niente, ispettore. Adesso guardo in cucina e nel bagno.

– Ma si può sapere cosa state cercando?

Lo affrontai mentre il viceispettore spariva di nuovo.

– Marta Popescu. Cosa mi dici di lei?

– Niente. Non so chi sia.

Tirai fuori la pistola. Gliela mostrai.

– Io non ho la forza del viceispettore. Se devo picchiarti, lo faccio con questa, e ti farà male.

Mi guardò con un sorrisetto.

– Ci provi.

Lo colpii sulla bocca con il calcio della pistola. Gridò, portò le mani alle labbra. Il sangue aveva cominciato a scorrere. Terrorizzato, quasi in lacrime, balbettò:

– Ma cosa volete da me? Vi giuro che non ho fatto niente.

Non cambiai tono di voce, né persi la calma.

– Marta Popescu. Su, raccontami di lei.

Il viceispettore tornò, con una risata feroce.

– Ispettore, ha iniziato senza di me!

– Forse ne avevo bisogno. Ma vorrei sapere cosa succederebbe se fosse lei a picchiarlo con la mia pistola.

– Me la passi!

Sánchez si fece schermo con le mani.

– No, per favore! Vi assicuro che se sapessi qualcosa ve lo direi.

– Magari ne sai abbastanza da passare il resto dei tuoi giorni in galera.

– Si sbaglia, ispettore, glielo giuro.

– Perché ci hai messi sulle tracce della Popescu, perché? E perché l'hai avvertita che saremmo passati al laboratorio? Cosa c'è sotto?

– Posso spiegarvi tutto.

– Avanti, forza, abbiamo tempo.

– Lo sapete che in quel laboratorio è già scoppiato un casino tempo fa. Hanno preso un sacco di gente. C'era di mezzo anche Marta, perché avevano fatto delle foto a sua figlia, solo che lei è riuscita a farla franca.

Marta conosceva la bambina della foto. Lo so perché un giorno le ho viste insieme.

– L'ha fatta franca perché tu le hai fatto una soffiata. L'ispettore Machado aveva parlato con te e sapevi che sarebbe scoppiato un casino. L'hai avvertita perché non la pescassero. Voglio sapere perché.

– Ogni tanto me la facevo con lei. È una bella donna, un corpo fantastico.

– Bene, va' avanti.

– Nessuno ha mai fatto la spia, era rimasta a lavorare lì, e basta.

– Era in contatto con un'altra rete?

– Le giuro che non so se continuasse con quella storia delle foto. Lei non mi diceva niente, non si fidava. Lo sapeva che parlavo con voi.

– D'accordo, continua.

– Ma ormai mi ero stufato. Quella donna mi perseguitava, aveva delle pretese, chiedeva perfino soldi. Ha cominciato a dire che dovevo sposarla. Solo per i documenti, non sono mica scemo. A me piace divertirmi, ma senza complicazioni, capite? Senza storie. Lei mi ricattava, diceva che avrebbe fatto sapere alla polizia che l'avevo salvata dalla retata. Poteva costarmi caro, avrei fatto una figura di merda con l'ispettore Machado, che non mi avrebbe più dato un soldo. Poi siete arrivati voi e ho pensato che finalmente potevo liberarmi di quella strega. Ma dovevo stare attento, non doveva sembrare troppo facile, dovevate arrivarci da soli. Appena le ho detto che sareste passati di lì si è spaventata a morte ed è sparita. Nessuno l'ha più vista.

Io non volevo che finisse in galera, mi bastava che si togliesse dai piedi.

– Abita ancora allo stesso indirizzo?

– No, mi ha detto che si sarebbe cercata un altro posto, ma io le ho risposto che non mi interessava sapere più niente di lei. Non mi ha più chiamato. Non so dove sia finita.

– Sono tutte palle.

– Le giuro su Dio che non so nemmeno dove abiti!

Stavo per picchiarlo di nuovo, ma il viceispettore mi fermò.

– Giuri su Dio che non sai nemmeno dove incontrarla?

Contro ogni previsione, Abel Sánchez rimase zitto, rannicchiato sul suo divano. Biascicò qualcosa. Garzón insistette:

– Ormai per te è lo stesso che la prendiamo o no. Sánchez, non fare l'idiota. Tutto quel che lei poteva dire di te l'hai già raccontato, a meno che tu non abbia qualcos'altro da nascondere.

– Ma no, vi assicuro di no. È andata proprio come vi dico.

– E allora vuota il sacco. Dove possiamo trovarla? Ha ancora la bambina con sé?

– Certo, la bambina sta con lei. Avrà otto anni. Dove potrebbe andare?

Intervenni, vidi che in quella testaccia si apriva uno spiraglio.

– Non ti pesa sulla coscienza che quella donna continui a sfruttare sua figlia? Sanchez! Per l'amor di

Dio! Se ci dici dove trovarla potremmo anche dimenticare che l'hai salvata dalla retata.

Lui scosse la testa, e alla fine puntò su di me i suoi occhi giallastri.

– Lavora da un'altra parte, adesso. A Hospitalet. Mi ha chiamato per dirmelo. E mi ha detto che aveva preso una camera in una pensione, per un po', non so dove. Quando avesse trovato casa mi avrebbe richiamato.

– Hai un numero di telefono?

– Non ce l'ha il telefono. Ve lo giuro, questo sì che posso giurarlo. Lei non si è più fatta sentire, la cosa stupisce anche me. Pensavo di doverla spaventare di nuovo dicendole che eravate sulle sue tracce, ma non ce n'è stato bisogno.

– Dacci l'indirizzo di dove lavora.

Andò a cercare l'agendina, ne staccò un foglietto, ce lo porse. Garzón glielo strappò di mano, vi gettò un'occhiata e lo mise in tasca.

– Mi avevate promesso di lasciarmi fuori da questa storia!

Uscimmo senza dire una parola.

Lui gridò ancora:

– Me l'avevate promesso!

Appena fummo in strada, dissi al mio collega:

– Lo metta immediatamente nelle mani di Machado, saprà lui cosa fare.

– Lo lascerà in libertà. Uno come lui è più utile fuori che dentro.

– Ma certo, visto che è così affidabile.

– Senta, ispettore, un confidente non è, per definizione, una suora di carità. Ma le ricordo che è stato lui a metterci sulla pista giusta.

– D'accordo, gli faremo un omaggio.

Durante il tragitto in macchina, Garzón non la smetteva di lanciare esclamazioni trionfalistiche, come se il caso fosse già risolto. Tutta quella fiducia mi irritò.

– Non solo sta già vendendo la pelle dell'orso, ma sta già investendo il ricavato. Mi faccia una ricostruzione dei fatti, piuttosto.

– Facile: Marta Popescu non faceva parte dell'organizzazione smantellata, si limitava a vendere sua figlia di tanto in tanto. È sfuggita alla retata grazie a Sánchez, ma non è stata l'unica. Uno dei membri della rete è rimasto fuori anche lui: il nostro morto fantasma. Un giorno il biondo decide di proporle qualcosa, forse vuole farsi dare la bambina per rimettersi in affari, e lei, spaventata, rifiuta. Poi decide di liberarsi del tipo, gli telefona, gli dà un appuntamento e gli spara. Punto.

– E la mia pistola? Come ci arriva la mia pistola nelle sue mani?

– Forse la piccola Delia è rimasta nascosta in casa della Popescu tutto il tempo.

In quel momento una lucina si accese nella mia testa. Di tutto quel che aveva detto il mio collega, la sola idea che mi convincesse era proprio quella. Aveva il brillio della verità. Guardandomi con la coda dell'occhio, Garzón si accorse che il suo discorso aveva fatto breccia. Continuò, sempre più euforico:

– Voglio dire che se riusciamo a mettere le mani su Marta, salterà fuori anche la marmocchia rubapistole.

– La prima parte non mi quadra. Il biondo perseguita la donna, lei si sottrae...

– Le ragioni possono essere altre, ma fra il morto e la Popescu dovevano esserci dei conti in sospeso. Per forza!

– Aspetti a cantar vittoria.

Il viceispettore, lungi dal placarsi, si mise a fare il cretino. Intonò una canzonetta di sua invenzione le cui uniche parole erano: «Vittoria, vittoria! Vittoria, vittoria...».

– Insomma, Garzón, l'ispettore Machado ha mostrato le foto del morto ai colpevoli del precedente caso di pornografia, e nessuno ha ammesso di conoscerlo.

– È normale che dei malavitosi si proteggano fra loro.

– Quando uno l'ha scampata e gli altri non hanno niente da perdere?

– Petra, a volte conviene che uno dell'organizzazione resti fuori, può aiutarli con le famiglie, può tener vivi gli affari. Purché non li abbia denunciati.

Il laboratorio di Hospitalet non era esattamente di confezioni. Le operaie, tutte immigrate anche lì, cucivano unicamente cerniere lampo su jeans già pronti che provenivano da un'altra fabbrica. La responsabile era una ragazza che ci accolse con molta cortesia.

– Marta Popescu? Le è successo qualcosa?

– Perché me lo chiede?

– È un po' che non viene a lavorare.

– Ha cercato di mettersi in contatto con lei?

– Non mi ha lasciato un numero di telefono.

– Nemmeno un indirizzo?

– L'indirizzo sì, ma io non posso andare a casa di un'operaia che sparisce. Non ne ho proprio il tempo. Le ho tenuto il posto per due settimane, il che è già molto. Poi l'ho sostituita con un'ecuadoriana. Non presentarsi al lavoro senza spiegazioni è automaticamente motivo di licenziamento.

– Lo capisco. Può darci quell'indirizzo?

La nuova casa di Marta Popescu era in calle Valencia, vicino al mercato delle pulci di Els Encants. Figurava come attico. In auto, Garzón ed io cercammo di alleviare la tensione chiacchierando. Nessuno dei due osava dire a voce alta quel che temevamo: che la rumena avesse già preso il volo.

– Ha visto? La responsabile del laboratorio faceva di tutto per giustificarsi. La polizia ce l'ha ancora un po' di autorità morale, in fin dei conti.

– Non si faccia illusioni, viceispettore. Hanno paura, così come il confidente aveva paura di giurare il falso. Ciascuno rispetta i suoi piccoli tabù, ma credo che questo con l'autorità morale non c'entri niente.

In altre circostanze Garzón avrebbe reagito male, accusandomi di essere pessimista e guastafeste. Ma quella volta si limitò ad annuire. La sua mente era da un'altra parte. Come la mia, del resto. Avevamo perso la concentrazione necessaria per recitare la nostra parte nella commedia che mettevamo in scena da anni.

Lo stabile dove abitava la Popescu era vecchio e miserabile, senza ascensore. Quello che un tempo, pomposamente, era stato definito attico, si trovava all'ultimo piano, accanto alla terrazza condominiale, ed era una specie di colombaia. Bussammo più volte ma nessuno rispose. Garzón aggiunse qualche pugno più forte e tuonò con voce operistica:

– Polizia, aprite immediatamente!

Silenzio assoluto. Non c'erano altre abitazioni sullo stesso piano, ma dopo quell'urlo, una vicina abbastanza spaventata arrivò di corsa dal piano di sotto.

– Sono giorni che non la vedo – disse, senza salutare. – Né lei né la bambina.

– Le conosce?

– No. È poco che abitano qui, ma le vedo sempre salire e scendere. La bambina è carina, avrà sei o sette anni. Siete della polizia? Che cos'è successo?

Garzón se la tolse di torno sbrigativamente:

– Niente di grave, signora. Vada subito a casa e chiuda la porta. Se abbiamo bisogno di qualcosa la chiamiamo noi.

Lei obbedì all'istante. Quel «chiuda la porta» avrebbe spaventato chiunque. Il viceispettore si voltò verso di me, brontolando:

– Dio ci liberi dalle vicine ficcanaso. Cosa facciamo, ispettore?

– E cosa vuole che facciamo? Non abbiamo uno straccio di mandato.

– Ma io voglio vedere cosa c'è qui dentro. Le ri-

cordo che una minore è in pericolo di vita. Bisogna
trovarla.

– Certo, Fermín, però…

– Al diavolo i mandati. Col suo permesso, ispettore… si faccia da parte.

Senza aspettare il mio consenso, diede un calcio alla porta che, di colpo, cedette. Lo guardai sbalordita.

– Garzón! È diventato matto?

– Adesso è aperto. Non credo che quella rumena possa denunciarci. Le pago una serratura nuova di tasca
mia e pace all'anima. Avanti.

Piena di scrupoli, feci un passo avanti. La stanza era
piccola e buia. Nel bel mezzo, lunga distesa, c'era una donna, inequivocabilmente morta. Ci avvicinammo senza parlare. Giaceva supina, aveva gli occhi aperti ed era già ri-
gida. Nell'aria c'era un forte odore di putrefazione. Una
pozza di sangue rappreso anneriva il pavimento.

– È Marta Popescu?

– Immagino di sì. E la bambina?

– Qui, evidentemente, non c'è. Guardi dietro quella porta, dev'essere un bagno.

Con il fazzoletto, per non lasciare tracce, il mio collega la aprì. Era in effetti un piccolo bagno, vecchio e
malandato come il resto dell'appartamento, che consi-
steva di una sola stanza.

– Allarme generale, Fermín. Chiami il giudice, il
medico legale, la scientifica, e anche Yolanda e Sonia.

Garzón tirò fuori il cellulare e cominciò a telefonare,
mentre io mi guardavo intorno senza toccare niente.
Povertà, miseria, era tutto quel che si poteva trova-

re lì. Due brande, un tavolo, un frigorifero scrostato... E davanti a quei rottami, un moderno televisore a schermo panoramico. Solo per comprarsi quell'aggeggio Marta aveva venduto sua figlia? Oppure quel ridicolo apparecchio era tutto quel che restava di un passato migliore? Guardai il cadavere. Il volto aveva acquistato un'espressione impossibile da interpretare, la smorfia della morte ormai completamente padrona di un essere umano. Sembrava forse un mostro, quella donna? Non in modo particolare. Non ancora quarantenne, aveva i capelli tinti di rosso, un corpo armonioso e lineamenti che dovevano essere stati belli. Indossava una vestaglietta semplice e aveva diversi anelli d'oro alle dita. Una donna normale, abbastanza carina, che curava il proprio aspetto e lo faceva secondo un suo criterio estetico. Eppure, una donna così, capace di tingersi i capelli, di mettersi una vestaglia, di infilarsi gli anelli, poteva anche vendere la propria figlia di sette anni a uomini che approfittavano del suo corpo rovinando forse per sempre il suo futuro. Era incomprensibile, la mia mente si rifiutava di immaginarlo.

Il viceispettore si avvicinò. Aveva già finito.

– La ferita è allo stomaco, vede? Lì c'è del sangue rappreso, e anche sotto il corpo. Dev'essere morta dissanguata.

– Quanto tempo fa può essere successo?

– Non ne ho idea. Non sono così esperto, ma di sicuro parecchio, puzza da morire.

– Riesce a capire che genere di ferita è?

– Con tutto il sangue rappreso sulla stoffa, non si vede bene.

– Crede sia stata una pallottola?

– Ispettore, non mi faccia domande a cui non so rispondere!

– Mi scusi, è più forte di me.

– No, scusi lei, mi sono lasciato trasportare dalla tensione.

– Sarà meglio che ci calmiamo tutti e due.

Quel che successe poi non favorì certo la calma. Arrivarono tutti: il medico legale, i vicini, la squadra per il rilevamento delle impronte, il fotografo... e il giudice, che voleva sapere perché la porta era stata forzata.

– Ci era parso di sentire il lamento di un bambino – mentì Garzón, prima che io dicessi qualche sciocchezza. – Forse veniva da un altro appartamento.

Lei ci guardò diffidente e poi annuì. In fondo non le sembrava così grave. Solo la natura del delitto su cui stavamo indagando poteva risparmiarci provvedimenti disciplinari.

Il medico, dopo un primo esame, determinò che la donna era morta da un paio di settimane per una ferita da arma da fuoco. Un colpo sparato quasi a bruciapelo. Per ulteriori chiarimenti dovevamo attendere l'autopsia. Yolanda e Sonia fecero il giro dei vicini senza risultati. L'appartamento era all'ultimo piano, e nessuno aveva sentito niente, né spari, né grida, né rumori.

Il giorno dopo, sia la direttrice del laboratorio di confezioni che Abel Sánchez identificarono la vittima. Era Marta Popescu, non c'erano dubbi.

Ovviamente Coronas volle parlarmi, conoscere i particolari, rivedere tutto quel che avevamo fatto fino ad allora e capire chi fosse il cretino che aveva buttato giù la porta.

– Il cretino sono io – gli dissi, e lui non ebbe niente da ribattere. Rimase zitto e basta.

L'autopsia confermò le prime impressioni: un solo sparo allo stomaco, nessun segno di colluttazione, la donna non era sotto l'effetto di droghe.

Tre giorni dopo arrivò la perizia del laboratorio di balistica. Marta Popescu era stata freddata con una Glock. Esattamente la stessa che mi era stata rubata. Era morta qualche giorno prima dell'uomo misterioso, quindi era ovvio che non poteva essere stata lei a ucciderlo. Ora avevamo due cadaveri, grazie alla mia pistola, e due bambine scomparse da ritrovare. Un vero record. Quando lo seppi mi venne quasi da piangere. Ma data la mia idiosincrasia per le lacrime, fui subito assalita da un mal di testa feroce. Un medico l'avrebbe definita emicrania da stress.

Eravamo scossi, tutti quanti, e se mi avessero detto che l'intera città di Barcellona era nel nostro stesso stato, ci avrei creduto. Mettendo insieme tutte le prove di cui disponevamo veniva fuori una specie di rompicapo. Marta Popescu era stata uccisa da qualcuno che la conosceva bene, e che a sua volta conosceva il primo morto. Entrambe le vittime conoscevano la piccola ladra. Ma ogni volta che arrivavo a questo punto, Garzón mi bloccava.

– Dica piuttosto che entrambi sono stati liquidati da qualcuno che conosceva la bambina.

– Troppe conoscenze. Se non si trattasse di una bambina, chiunque concluderebbe che l'assassino è la stessa persona che ci ha rubato la pistola. Ma noi rimaniamo dell'idea che l'infanzia è innocente. Sa cosa le dico, Garzón? Posso sbagliarmi, ma temo che abbiamo a che fare con una piccola belva sanguinaria.

– Non dica bestialità, ispettore. È impossibile!

Yolanda e Sonia, che ci stavano ascoltando, trasalirono. Sonia, che non era certo un'aquila, si sentì autorizzata a intervenire:

– Mio nipote, a sei anni, tira calci negli stinchi alla gente solo perché gli piace.

Yolanda la fulminò:

– Be', non è la stessa cosa tirare calci e ammazzare la gente.

– A guardar bene, è sempre un gioco perverso – dissi io, cercando di salvare la povera Sonia. Poi mi rivolsi a Garzón:

– Almeno sarà d'accordo con me sul fatto che l'assassino è uno solo.

– Non ne sarei così sicuro. Il biondo si è beccato uno sparo nei cosiddetti, il che fa pensare a una vendetta sessuale. Mentre la donna è stata colpita allo stomaco.

– E questo a cosa dovrebbe far pensare? A una vendetta gastronomica?

– Non rida, Petra, sa benissimo che cosa intendo dire.

– Certo che lo so. Ma se quando avevamo una sola vittima potevamo interpretare i fatti in quel modo, adesso, come vede anche lei, è assurdo dare la stessa spiegazione.

– Non la seguo.

– Garzón, cerchiamo altri punti in comune tra i due omicidi. E si sforzi di seguirmi. Entrambe le vittime sono state colpite a bruciapelo...

– Se le vittime conoscevano l'assassino, è abbastanza normale. Stavano parlando tranquillamente e all'improvviso...

– Se stavano parlando, nel primo caso l'inclinazione sarebbe stata dal basso in alto. La prima vittima era un uomo molto alto.

– Non necessariamente.

– Ma lei è più testardo di un mulo! Come faccio a dimostrarle che...

– Come fa a dimostrare una cosa di cui non è sicura?

Garzón aveva ragione, non era il caso di fare esperimenti da laboratorio scolastico per convincere il mio avversario dialettico. Ci sarebbe voluta una formula esatta come quella della relatività. All'improvviso mi venne un'idea. Dissi alle due giovani agenti, che ci ascoltavano con crescente perplessità:

– Su, una delle due mi porti una copia dei referti delle autopsie. Anzi, in quadruplice copia sarebbe meglio.

Yolanda diede una sbrigativa gomitata a Sonia, che si mise subito in marcia. Dalla porta, domandò:

– Quadruplice vuol dire quattro copie, vero?

– Sì, bella, sì – disse Yolanda, dispiaciuta di non poter coprire oltre le limitazioni culturali della sua collega. Quando questa si fu allontanata, si sentì in dovere di dire:

– Lavora tanto, e non protesta mai.

Garzón ed io annuimmo fingendo il massimo della comprensione. Dopo un intervallo che ci parve lunghissimo, Sonia tornò, tutta orgogliosa, con il quadruplice frutto del suo lavoro. Distribuì i fogli.

– Vediamo, aiutatemi. La vittima raggiunta ai genitali era un uomo molto alto. Qui dice un metro e novanta. Quindi aveva i genitali approssimativamente a... – Guardai il viceispettore. – I suoi, a quanti centimetri da terra si trovano, Garzón?

– Ma che bella domanda! – commentò l'interpellato. Le due ragazze proruppero in risatine. – Credete che questo ci porterà da qualche parte? – Era già seccato.

– Le do la mia parola d'onore che sto parlando sul serio.

Fece una faccia rassegnata.

– Sono alto uno e sessantanove, ma non ho idea di...

Intervenne Yolanda:

– Ho un metro a nastro nel cassetto della scrivania.

Senza chiedere alcun consenso uscì di corsa. Per fortuna ritornò subito, eravamo tutti un po' in difficoltà. Entrò vittoriosa, ma il suo metro a nastro si trasformò di colpo in un oggetto imbarazzante di cui non sapeva cosa fare. Lo posò sul tavolo con gesto neutro. Il viceispettore si alzò con un sospiro, prese il metro e si voltò verso il pubblico.

– Smettetela di guardare i muri come se foste in un museo. Non ho nessuna intenzione di spogliarmi.

206

Dopo questo disinvolto avvertimento, le ragazze poterono liberare le risate e la tensione si allentò. Garzón procedette alla misurazione.

– Circa ottanta centimetri.

– Quindi, grossomodo, i genitali della vittima dovevano trovarsi a una novantina di centimetri da terra. E lo stomaco, viceispettore? A che altezza è il suo stomaco? Aspetti, prima controlliamo la statura di Marta Popescu.

Yolanda la trovò subito.

– Uno e cinquantacinque.

– Più o meno come me – disse Sonia. – Io sono alta un metro e cinquantasette.

Misurò la distanza fra il suo stomaco e il pavimento, contenta di quel momento di protagonismo.

– Quasi novanta centimetri.

Deglutii con difficoltà. Per la prima volta in quelle indagini il cuore mi batteva forte per l'emozione.

– Felice coincidenza, non credete?

– Dove vuole arrivare, ispettore?

– Le due vittime sono state uccise con la mia pistola, e in entrambi i casi la pallottola è partita da un'altezza di novanta centimetri, indipendentemente dall'organo colpito. Forse è l'altezza da cui può sparare un bambino. E tutte e due le volte lo sparo è avvenuto a bruciapelo, perché è il modo più sicuro per colpire quando non si ha pratica con le armi.

Alle mie parole seguì un lungo silenzio.

– Allora, secondo lei, la piccola Delia ha ancora la sua pistola e la sta usando. Ma a che scopo?

– Non lo so, Fermín. Non so che cosa leghi le due vittime, ma un nesso c'è per forza. Almeno nella mente di quella bambina.

– E la figlia della Popescu? – chiese Yolanda con un filo di voce.

– È probabile che le due bambine siano insieme, a meno che la ladra non sia scappata per conto suo. La stiamo cercando?

– Sì, ispettore. Se ne occupa l'ufficio minori.

– È stato trovato qualcosa di interessante in casa della rumena?

– Niente, né un'agenda, né un indirizzo...

– E Abel Sánchez?

– L'ispettore Machado lo sta mettendo sotto torchio.

– Bene. Bisognerà tornare al centro El Roure. La sua ipotesi, Fermín, non è male. Forse le due bambine si sono incontrate lì. Quell'educatrice, come si chiamava?

– Inés Buendía.

– Esatto. Inés Buendía diceva che molti bambini di famiglie destrutturate trascorrono periodi nei centri di accoglienza, poi tornano con i genitori. Potrebbe essere successo anche alla piccola Popescu.

Nuovo silenzio sepolcrale.

– Che schifo di caso, eh, signore mie?

– Un vero schifo.

Cominciammo a uscire in silenzio dall'ufficio. Sonia esclamò:

– Ispettore Petra, non ci ha dato ordini.

Capii che Yolanda stava per darle un'altra gomitata. Decisi di aiutarla. Le sorrisi e dissi:

– Hai ragione, Sonia. Tu e Yolanda vi metterete a disposizione della squadra che si occupa delle bambine.

Lei annuì, felice e orgogliosa. Ne approfittai per aggiungere:

– E la prossima volta che ti viene in mente di chiamarmi ispettore Petra, ti do un cazzotto, intesi?

Lei sbatté gli occhi, e annuì di nuovo. Si allontanò inorridita, mentre Yolanda le parlava sottovoce. Di sicuro le stava spiegando che non ero poi così tremenda, bastava prendermi per il verso giusto. Garzón ed io rimanemmo soli.

– Noi invece andiamo al centro El Roure, che ne dice?

– Ai suoi ordini, ispettore Petra.

Faceva dello spirito, senza riuscire a nascondere il turbamento. Quella storia di bambine assassine e madri sfruttatrici l'aveva visibilmente scosso. Non c'era niente che funzionasse. Né le bambine erano innocenti né le madri erano amorevoli e protettive. Glielo leggevo nel pensiero, perché non appena si mise al volante, mi disse:

– Ma in che mondo ci tocca vivere, Petra? Non c'è niente che vada come dovrebbe. Viene voglia di rinchiudersi in una grotta e non uscirne più per tutta la vita.

– Ci ha già provato sant'Antonio.

– E come gli è andata?

– Malissimo, gli apparivano leoni minacciosi e donne nude che lo tentavano alla fornicazione.

– E come faceva per resistere?

– Non lo so, forse immaginava di farsela con i leoni e di essere sbranato dalle signorine. In ogni caso ne uscì matto, e non credo che lei voglia seguire il suo esempio.

Garzón rise sotto i baffi, e poi sospirò:

– Lei riesce sempre a farmi ridere, ma le garantisco che sono sull'orlo della depressione.

– Anch'io, glielo assicuro. Non tutti i casi sono uguali, vero?

Il mio telefonino suonò. Risposi. Era Marcos Artigas. Voleva invitarmi a cena per quella sera.

– Una cena di famiglia? – chiesi.

Le sue risate non mi sorpresero.

– No, per Dio, no, questa volta niente bambini. Mi spiace di essermi fatto la fama del padre noioso.

– Ma no, è stato piacevolissimo.

– Allora, accetti?

– Sì. Puoi passare da casa mia alle dieci? Così avrò il tempo di cambiarmi.

– Va benissimo. Alle dieci.

Silenzio e sguardi di sottecchi da parte del vice-ispettore. Finalmente la domanda:

– Sta uscendo con un uomo, Petra?

– Si tratta solo di solitudini condivise. E lei?

– Io non esco con un uomo.

– Non faccia il furbo. Come va con Beatriz?

– Siamo sempre allo stesso punto. Una lotta: matrimonio sì, matrimonio no…

– Fa il duro, eh?

– Faccio come sant'Agostino, resisto alle tentazioni.

– Sant'Antonio.

– Sant'Antonio.

Rimanemmo zitti per un po'. Alla fine, lui aggiunse:

– Finirò anch'io per farmela con i leoni, in mancanza d'altro.

– O per essere felice tutta la vita.

– Magari.

Ci scambiammo uno sguardo di reciproca comprensione, interrotto solo dal semaforo che passò al verde. Via libera, forza, bisognava resistere e andare avanti, nonostante il traffico.

La direttrice del centro El Roure era uscita a fare delle commissioni, e così fummo accolti da Inés Buendía, che ci offrì subito un caffè della macchinetta e si sedette ad aspettare con noi. Ma le domande che ci tormentavano non tolleravano dilazioni. Garzón cominciò prima ancora di accorgersene:

– È mai stata accolta qui al centro una bambina rumena figlia di una certa Marta Popescu?

– Dal nome, non saprei dirlo. Dovremmo controllare in archivio, ma finché la direttrice non arriva... Non tarderà, vedrete. Esce spesso, per pagare fornitori, incontrare funzionari pubblici, assistere a riunioni... Ha molte responsabilità, poveretta.

– La aspetteremo, non si preoccupi. Ricorda se Delia si fosse fatta un'amichetta quando è stata qui?

– No, vi ho già detto che era molto ribelle, molto chiusa. Non giocava con nessuno, non parlava. Non mi pare proprio. Ma, chissà, le bambine a volte stanno da sole, e la notte dormono tutte insieme, senza nessuno che le sorvegli. Siamo giunte alla conclusione che psicologicamente è meglio così. Non vogliamo che si sentano rinchiuse in un'istituzione poliziesca.

Subito, si accorse di essere stata indelicata, e cercò di rettificare:

– Un'istituzione penitenziaria, volevo dire. È stato un lapsus. Non pensavo...

– Abbiamo capito, non importa. E, mi dica, Inés, non potremmo parlare con qualche bambina che abbia conosciuto Delia? Loro senza dubbio saprebbero dirci cosa faceva, forse potrebbero rivelarci qualcosa di importante.

– Oh, ispettore, questo mi sembra molto difficile. Solo la direttrice può autorizzare una cosa simile, ma dubito che voglia farlo. Certo, voi non potete capire la nostra scarsa collaborazione. Ma dovete pensare che, come dice il nome stesso, noi siamo un centro di accoglienza, e accogliere significa proteggere. I bambini che vivono qui hanno sofferto molto, e non sono mai colpevoli delle loro sofferenze.

– Non intendiamo incolpare nessuno, vogliamo solo aiutare una bambina che si è messa in un grosso guaio e può trovarsi in pericolo.

– Lo so, certo, ma per trovare una bambina non possiamo metterne in difficoltà altre come lei, altrettanto sofferenti. La direttrice è come una madre per tutte loro, e posso già dirvi fin d'ora che farà il possibile per proteggerle.

In quel momento Pepita Loredano comparve sulla porta, e il suo volto non riuscì o non volle nascondere il profondo fastidio che provava nel vederci. Si rivolse all'educatrice:

– Mi hanno detto che ci sono visite.

– Sì, stanno aspettando lei. Si ricorda dell'ispettore e del suo assistente, vero?

– Certo –. Ci diede la mano controvoglia.

– Vi lascio soli. È stato un piacere.

La psicologa si allontanò, e con lei mi parve che si allontanasse ogni possibilità di scoprire qualcosa lì dentro.

– Ha ritrovato la sua pistola, ispettore? – esordì la direttrice in tono di rimprovero.

– No, ancora no. E purtroppo abbiamo ragione di ritenere che sia ancora in mano a quella bambina.

– Ah, benissimo!

– No, non va per niente bene – risposi, trattenendomi dal mandarla all'inferno.

– Le assicuro che qui da noi la bambina non si è vista.

– Oggi però vorremmo chiederle di un'altra bambina che potrebbe essere stata accolta qui insieme a Delia.

– E si può sapere che cosa avrebbe fatto questa nuova bambina?

– Signora Loredano, per favore, la prego di cambiare atteggiamento.

– Non so proprio cosa dirvi.

Garzón, intuendo il pericolo, cercò di appianare le cose.

– Vede, signora, per noi sarebbe molto importante sapere se questa bambina può aver conosciuto Delia qui al centro. Non ha fatto niente di male, e noi non le faremo niente di male, possiamo assicurarglielo.

– Conoscete il suo nome, almeno?

– No, ma sappiamo che la madre si chiamava Marta Popescu.

– Si chiamava?

– È stata assassinata qualche giorno fa. Quanto al padre... non sappiamo chi possa essere.

La direttrice si mise le mani nei capelli, disperata.

– Che disastro, signori miei, che disastro! Ma quando si deciderà la polizia ad agire in modo da proteggere i minori?

– Le do la mia parola d'onore che non siamo noi gli assassini! – dissi, con aperta ostilità. – Stiamo lavorando a un caso molto penoso, molto grave, per questo chiediamo la sua collaborazione.

– Venite nel mio ufficio – concesse, come se fosse la regina di Saba.

La seguimmo. Avevo sempre più voglia di saltarle addosso e di darle un paio di ceffoni, ma mi sforzai di sopportare l'insopportabile. Lei si sedette al computer, seria come la morte. Garzón ne approfittò per farmi qualche gesto tranquillizzante, aveva paura che perdessi la pazienza. La voce di Pepita Loredano suonò neutra come quella di un navigatore GPS.

– Sì, eccola, Rosa Popescu, figlia di Marta Popescu. La bambina ha passato un anno con noi, in accoglienza temporanea. La madre, non coniugata, per un periodo aveva esercitato la prostituzione. I vicini si erano accorti che lasciava la bambina sola in casa per molte ore e hanno denunciato la cosa alle autorità. Per questo la figlia è stata accolta qui da noi. Dopo un anno la madre è stata in grado di dimostrare il proprio reinserimento sociale. Lavorava come operaia e aveva ottenuto regolare permesso di soggiorno.

– Ci sono altri dati su di lei? – chiese il viceispettore.

– Trentasei anni. Era entrata illegalmente nel paese con la figlia, nessuno sa come. Non ha più fatto parlare di sé. Lavorava normalmente e si occupava della bambina.

– Queste cose sono state accertate.

– Una nostra educatrice effettua visite periodiche alle famiglie, ma se tutto va bene, dopo qualche mese il caso è ritenuto chiuso.

A quel punto intervenni, colma di una soddisfazione inconfessabile.

– A quanto pare neanche voi, nella protezione dei minori, siete così perfetti, signora Loredano.

– Come dice?

– Dico che negli ultimi tempi Marta Popescu prestava la bambina per fotografie pornografiche.

– Non è vero!

– È assolutamente vero!

– Lo dimostri!

Garzón intervenne con la massima delicatezza.

– Temo sia vero, signora.

La direttrice arrossì fino alla radice dei capelli. Quasi non riusciva a parlare per la rabbia.

– E allora? Cosa vuole da me? Quelle donne sono feccia! Nient'altro che feccia! Non capisco come la natura permetta loro di concepire dei figli. L'ottanta per cento dei bambini che ospitiamo finiscono qui perché i genitori abusano di loro, li vendono, li abbando-

215

nano, li maltrattano. Quella gente fa schifo! Questa è la sola verità: fa schifo! Cosa possiamo fare noi? Pochissimo! Capisce? Pochissimo!

– La smetta di gridare e si persuada una volta per tutte che siamo sulla stessa barca.

– No, ispettore, io non potrò mai accettare una cosa non vera! Voi fate il vostro lavoro, trovate un colpevole e addio. Tutta la spazzatura rimane a noi! È qui che finiscono i bambini, ridotti a rifiuti umani a sei, a otto anni, e noi dovremmo avviarli verso una vita più felice. Ma questo è molto difficile, se lo metta bene in testa, praticamente impossibile, e lo sa perché? Perché quei bambini sono diventati duri, astuti, crudeli, perché sono diventati come i loro genitori!

Mi guardava con aria di sfida, la faccia congestionata e gli occhi in fiamme. Garzón spezzò il silenzio che seguì:

– Per favore, vi prego! Non pensa sia meglio se ce ne andiamo, ispettore?

Annuii, mi voltai e me ne andai senza un saluto. Sentii alle mie spalle il viceispettore che si congedava educatamente. Attraversai il giardino senza fermarmi e salii in macchina. Garzón arrivò un attimo dopo. Mise in moto e partì.

– Cavoli, ispettore, certo che voi donne, così solidali e comprensive, quando vi mettete l'una contro l'altra diventate delle belve!

– Mi sono comportata da stupida – risposi laconicamente.

– Perché?

– Perché ha ragione la Loredano. Noi troviamo il colpevole e pensiamo che sia tutto finito. Quando ci riusciamo, poi.

Non pronunciammo più una parola. Un mutismo carico di sentimenti indefiniti ma intensi si insediò fra noi. Garzón mi conosceva abbastanza bene per sapere che non mi sarebbe stato facile parlare.

– La porto a casa, Fermín?

– No, devo fare qualche commissione. Mi lasci all'angolo, per favore.

Gli obbedii. Lui scese dall'auto, e dal marciapiede mi disse:

– Non ci pensi più, per stanotte. D'accordo, ispettore?

– A domani.

Gli impazienti automobilisti di Barcellona suonarono i clacson dietro di me. Partii con rammarico. Avevo bisogno della compagnia di Garzón. Solo lui sapeva farmi ridere con le sue impertinenze. Eppure, in quel momento era meglio che non ci fosse, la sua immagine mi avrebbe ricordato quel che aveva detto la direttrice del centro: noi ci limitavamo a cercare un colpevole, e intanto le bambine che lei avrebbe dovuto aiutare erano ormai irrecuperabili, condannate all'emarginazione per tutta la vita. Provavo un senso di impotenza assoluto.

Parcheggiai davanti a casa con un nodo alla gola. Attraversai la strada di corsa. Proprio in quel momento, un uomo alto e biondo uscì da un'auto e venne direttamente verso di me. Era Marcos Artigas. Mi ero completamente dimenticata del nostro appuntamento ed ero

217

in ritardo. Lui sorrideva affettuoso, aveva gli occhi puliti, le mani grandi e accoglienti. Portava un cappotto foderato di pelo che si aprì insieme alle sue braccia.

– Petra, come stai?

Il suono della sua voce mi inondò di sensazioni gradevoli: odore di timo e rosmarino, mio padre che rientrava dal lavoro, i risvegli tranquilli con un raggio di sole che arrivava fino al mio letto, il rumore del mare. Mi avvicinai e lo abbracciai forte. Affondai la faccia nel suo petto ampio e morbido. Avrei potuto addormentarmi lì. Lui, uomo comprensivo, non disse una parola. Mi strinse, mi avvolse, divenne un cane lanoso e protettivo. Senza staccarmi da lui, gli dissi:

– Scusami, sono un po' giù. Mi occupo di un caso così sordido...

– Vuoi ancora andare a cena?

– E tu?

– Ho solo voglia di stare con te.

– Vieni.

Aprii la porta e lo condussi dentro.

– Non vorrei staccarmi dal tuo petto – dissi. – Ma per le scale rischiamo di cadere.

– Non cadremo, vedrai.

Mi accolse con il braccio destro, in cui nascosi il viso, e così salimmo fino alla mia camera. Lasciai la luce bassa mentre ci spogliavamo e poi mi stesi accanto a lui. Non avevo mai desiderato tanto che nel mondo ci fosse armonia, un miracolo che restituisse a ogni cosa il suo valore, che rasserenasse la vita, che delimitasse il vuoto, che placasse la vertigine.

7

Se Marta Popescu aveva fatto la prostituta, doveva aver avuto una buona ragione per smettere. Quest'idea continuava a ronzarmi nella mente. Garzón cercava di convincermi che fosse passata all'abuso di minori perché era più redditizio. No, a un certo punto aveva abbandonato la prostituzione e l'aveva fatto per uno scopo. Forse si sentiva minacciata, o forse voleva legalizzare la sua situazione in Spagna. Lavorava come operaia in un laboratorio, e solo occasionalmente, forse costretta da qualcuno, prestava sua figlia per le fotografie. La figura del confidente era di nuovo essenziale per le nostre indagini. Quel miserabile non ci aveva detto tutto quel che sapeva. Lui e la Popescu erano stati amanti, e per quanto meschino sia un uomo, non condivide il letto con una donna senza conoscere certi particolari della sua vita. Lo convocai per un interrogatorio. Il collega Machado non avrebbe potuto fargli le domande giuste senza conoscere i retroscena del nostro caso. Eppure, quel maledetto confidente era passato per ben tre volte nelle nostre mani senza mai dire tutto quel che doveva. Non sapevo come fare per ottenere risultati migliori. Dovevo minacciarlo, ma come? Facendolo giurare su quanto aveva di più sacro? Qual era il suo punto debole, supponendo che ne avesse uno? Questo, Machado doveva saperlo. Andammo da lui. La sua prima risposta fu una domanda:

– Fino a che punto sei disposta a infrangere le regole?

– L'altro giorno il viceispettore gli ha quasi buttato giù la porta. Non avevamo un mandato.

– Bravi. Ma questa volta dovrete spingervi oltre.

– Fino a che punto?

– Volete sapere se ha una carta nascosta nella manica, o no?

– Non perdiamo tempo, Machado.

– Mettetegli davanti una di quelle giovani agenti che lavorano con voi. Lui perde la testa per le ragazze.

– Ma neanche per sogno! Io non farò mai nulla contro la dignità di una donna.

– Allora, Petra, vedi tu. Io nella tua coscienza non posso entrare, ma sappi che Sánchez è molto sensibile a queste cose. Sono quasi sicuro che davanti a una bella signorina canterebbe. Si tratta solo di lavorarselo un po'.

– Ma come pensi che possa chiedere una cosa del genere alle mie agenti? Per carità, è fuori discussione.

– D'accordo, ma non prendertela con me. Lo dicevo solo per aiutarti.

Quando rimanemmo soli, Garzón assunse uno strano atteggiamento. Tergiversava, mi guardava con la coda dell'occhio, fischiettava. Capivo che voleva lasciare a me la decisione.

– Ma guardi un po' con cosa se ne esce Machado! Incredibile, un'idea da ruffiano!

– Sì, certo, una strana idea – disse lui poco convinto.

– Pagare i confidenti mi sembra già orrendo, ma offrirgli le mie ragazze come incentivo... Che assurdità!

Garzón fischiettava e canticchiava fra sé. Mi saltarono i nervi.

– Vuole smetterla di farmi il sottofondo musicale? Perché non parla?

– Io? E di cosa devo parlare?

– Della cazzata che ha in mente!

– Nessuna cazzata. Pensavo solo a quello che ha detto Machado, che lui nella sua coscienza non ci può entrare.

– E allora?

– Be', nemmeno lei può entrare nella coscienza di Sonia o di Yolanda.

– Ah, fantastico! Solo che la mia coscienza viene prima perché io sono il capo, e non intendo dare ordini in questo senso.

– Magari loro preferirebbero lavorarsi quel tipo pur di non avere un altro morto sulla coscienza.

– Ma visto che non lo sapranno, la loro coscienza rimarrà perfettamente a posto.

– Questa storia della coscienza è un bel casino ispettore. Io credo che ciascuno dovrebbe usare la propria per decidere quel che gli pare. Non è d'accordo?

– D'accordo, benissimo, ma allora con le ragazze ci parla lei! Glielo dice soltanto. Niente ordini, intesi?

E così, molto ipocritamente, mi disinteressai della faccenda, pur sapendo che Garzón non sarebbe rimasto con le mani in mano. E infatti, il giorno dopo, venne a dirmi che le ragazze avevano accettato il piano senza la minima obiezione. Non volli sapere che cosa avessero in mente. Se una sola delle ragazze pensasse di entrare in azione o se avessero organizzato un vero e proprio commando erotico a due. Cercavo di non vedere, ma almeno le forme, erano salve.

Il terzo giorno, mentre mi trovavo a classificare indizi con il viceispettore, Sonia e Yolanda entrarono nel mio ufficio. Venivano a rendere conto della loro seduzione poliziesca. Erano molto soddisfatte. Tutto era andato bene. Avevano ottenuto informazioni utili. Yolanda, con grande professionalità, aveva steso un piccolo rapporto che mi lesse. In sostanza, Marta Popescu aveva lasciato la prostituzione perché si era innamorata. Il suo amante era un immigrato clandestino e lei aveva cercato di farsi sposare da Sánchez per ottenere la cittadinanza. Sánchez giurava di ignorare l'identità di quell'uomo. E di lì non si era più mosso. Aveva solo dato a intendere che forse faceva parte della banda della Teixonera.

– Brave, ottimo lavoro! – esclamò il viceispettore.

– Sì, siete state bravissime – confermai. – Anche se voglio dirvi che sapervi imbarcate in una missione simile non mi piaceva affatto.

– Non deve preoccuparsi, ispettore, è stato facile – disse Yolanda. – Quando gli abbiamo chiesto di vederlo, ha protestato, ha detto che non voleva più saperne di noi. Poi io ho cominciato a lavorarmelo, e quando ormai era cotto a puntino, è entrata Sonia.

– Sì, è stato fantastico! Quando sono entrata Yolanda gli teneva già l'uccello in mano, e lui tirava certi sospiri che sembrava dovesse morire. E allora io...

– Be', non c'è bisogno di entrare nei particolari! Sta di fatto che mentre me lo lavoravo, gli facevo le mie domandine, finché non ha parlato!

– Sì, e proprio quando stava per venire, noi ci siamo tolte. Poveretto, c'è rimasto malissimo. Ma alla fine...

– Sì, sì, ha parlato – la interruppe Yolanda imbarazzata. Poi si rivolse a me e mi sorrise:

– Non pensi a noi, ispettore. Era un povero diavolo e non abbiamo dovuto fare niente di speciale, in fondo.

Garzón rise per dieci minuti buoni quando le ragazze uscirono dal mio ufficio. Rosso come un peperone, cercava inutilmente di darsi un contegno.

Mi strofinai la faccia più volte. Il viceispettore mi guardò, improvvisamente serio:

– È arrabbiata, Petra?

– Un po' stanca.

– Però è arrabbiata.

– Perché insiste?

– La conosco, e so che certe cose le danno fastidio.

– Mi sento abbastanza al riparo, questa volta.

– Meglio.

– Il che non significa che questo caso non mi faccia dare di matto. Qui non si va avanti, viceispettore! Si rende conto?

– Non è del tutto vero. Facciamo un passo dopo l'altro.

– Sì, ma girando su noi stessi.

– Eppure lei ha già elaborato un'ipotesi.

– Frammentaria, e carente di prove, ma... Sì, sono convinta che Marta Popescu fosse innamorata del nostro cadavere senza nome. È stato lui a trascinarla nel mondo degli abusi sui minori e... be', a questo punto non c'è più niente di chiaro. Facciamo una cosa: torni nei due laboratori con una fotografia del morto e la faccia vedere a tutte le lavoranti. Continuo a pensare che stiamo sbagliando qualcosa. Qualcuna delle colleghe della Popescu deve pure averlo visto, il suo uomo. Magari andava a prenderla al lavoro.

– La storia della sua pistola ci ha mandati fuori strada.

– Sì, ma la mia ipotesi ha un'altra pezza d'appoggio, non lo dimentichi.

– La bambina assassina.

– Che agisce per vendetta.

– Qui cominciamo a non essere più d'accordo. Una bambina che ruba un'arma, che riesce a rintracciare le due vittime, che non ha una famiglia, nessuno che la cerchi... che addirittura riesce a far sparire la figlia di una delle sue vittime! Mi dica, ispettore, quella benedetta bambina, dov'è finita? Dove si nasconde? Si è volatilizzata?

– Le risponderò come il nostro caro confidente: non lo so, non lo so e non lo so. Adesso, però, la prima cosa da fare è identificare il morto. Mentre lei parla con quelle donne, io vado in carcere.

– Ma...

– Sì, lo so, i responsabili del caso del laboratorio non parleranno! Ma dobbiamo pur provarci, no? Certe volte le teorie hanno un punto debole. Bisognerà trovare qualche incentivo capace di sciogliere la lingua a quella gente.

– Ha ragione ispettore. Sono contento che non si perda d'animo, e sono ancora più contento di quello che mi ha detto poco fa.

– Cosa le ho detto poco fa?

– Che adesso si sente al riparo da certe sordidezze.

Annuii senza aggiungere spiegazioni, e ci alzammo per andarcene. Era vero, qualcosa era cambiato dentro di me da quando quelle orribili indagini avevano avuto inizio. Ero giunta sull'orlo della depressione, ma qualcosa mi aveva salvata. Nell'accavallarsi degli eventi non avevo avuto tempo, e forse nemmeno bisogno, di dedicarmi all'introspezione. O forse avevo preferito non farlo perché non riuscivo a ricavarne nulla. In fondo, era evidente che l'incontro con Marcos Artigas mi aveva fatto bene. Marcos era un uomo di buon senso, tranquillo, cortese, che a letto si era rivelato un amante appassionato e generoso. In un momento difficile, quando più mi trovavo esposta alla solitudine e all'orrore, quell'incontro mi aveva infuso coraggio. Ma una cosa era chiara: si trattava di un episodio isolato e senza conseguenze. Nulla sarebbe cambiato fra noi. Non era la prima volta che mi concedevo qualche distrazione con un uomo, e questo non aveva mai interferito con l'impostazione della mia vita: tranquillità, godimento di una solitudine desiderata e nessun impegno amoroso. Per fortuna Artigas sembrava un uomo a posto, di quelli che non esigono spiegazioni e non pongono priorità. Il momento che stava vivendo, poi, era di quelli che si prestano agli incontri erotici senza conseguenze, come sempre capita dopo un divorzio. A pensarci bene, doveva essere molto equilibrato. Viveva quella separazione senza dare il minimo segno di disordine. Era vero che lo conoscevo poco, e che chissà quale processione di demoni si snodava dentro di lui senza che mi dicesse niente. Ma il solo fatto che riuscisse a tenere i suoi tormenti sotto controllo, senza manifestarli, era un pregio difficile da eguagliare. Non ero certa che quell'incontro amoroso potesse ripetersi, ma ero convinta che in ogni caso lui ed io ne avremmo sempre conservato un buon ricordo. Certo, per superare la tempesta depressiva che mi minacciava avrei potuto ricorrere ad altri rimedi meno carnali, come uscire con un'amica, per esempio, o passare una settimana in un centro termale, oppure leggere uno di quei libri di self-help che piacevano tanto al viceispettore. Ma la mia generazione ha sempre mostrato una particolare propensione per il sesso, servendosene come di una terapia multifunzionale. C'è qualcosa di più confortante di una bella scopata? Per di più è sempre possibile scegliere il modo giusto, indipendentemente da chi ci accompagna nell'avventura, conferendo all'atto le caratteristiche di cui si ha bisogno in ogni occasione. L'autostima vacilla? Non devi far altro che galoppare sopra il tuo partner come un'amazzone, sentendo crescere in te tutto il tuo potere. Hai bisogno di affetto e comprensione? Rannicchiati accanto al partner dopo aver fatto l'amore, come se dormissi per l'ennesima volta accanto a un marito molto amato. Per questo si dice che una componente molto importante del sesso è l'immaginazione. La mia sarà anche una generazione promiscua, ma non ha mai dovuto chiedere aiuto a nessuno per andare avanti. Se l'è cavata benissimo con le medicine spirituali che la natura le ha messo a disposizione. Di sicuro, la mia storia con Marcos Artigas era sotto controllo, e non sarebbe durata troppo a lungo. Mi congratulai con me stessa per avere trovato l'uomo ideale in quelle circostanze: maturo, simpatico, attraente, sicuro di sé e gradevole nei modi. Non avevo il minimo dubbio che si sarebbe presto risposato con una donna meravigliosa.

Sgranavo con indolenza questi confortanti pensieri davanti alla porta dell'ufficio di Flora Mínguez, il magistrato incaricato delle indagini, che sistematicamente mi faceva aspettare. Quando finalmente mi ricevette, non riuscì a risparmiarmi un'accoglienza teatrale:

– Ispettore Delicado! A cosa devo tanto onore?

Avevamo la stessa età, e non era la prima volta che lavoravamo insieme. Lei si era sempre dimostrata cordiale con me e ci aveva spesso aiutati, ma io sapevo che la sua fama di durezza non era solo una voce di corridoio, e l'avevo sempre trattata con la massima formalità.

– Questo suona come un rimprovero, eccellenza.

– Niente affatto. Mi fa piacere vederla qui, perché non è così frequente che lei venga a trovarmi.

– Però riceve periodicamente i verbali sulle indagini, non è così?

– Puntualmente, ma ho l'impressione che siano sempre di pugno del suo viceispettore, che del resto viene spesso a trovarmi per richiedere mandati e autorizzazioni.

– Non vorrei che le sembrasse una scusa, eccellenza, ma queste indagini assorbono completamente il mio tempo. È un caso complicato e sgradevole.

– Sì, e a quanto pare si sta complicando ancora di più, se dobbiamo supporre che gli omicidi commessi con la sua pistola siano collegati.

– Lo sono certamente, ma dobbiamo ancora provarlo. In parte sono venuta per questo.

– Non conosco il motivo che l'ha spinta a venire da me, ma dev'essere di sicuro eccezionale.

– Ho bisogno di scoprire l'identità della prima vittima, non posso attendere oltre. Quest'incognita rende tutto più difficile.

– Immagino di sì. E io che cosa posso fare?

– Eccellenza, vorrei parlare con l'organizzatore di una rete di pornografia che si trova in carcere. Si chiama Juan Expósito. Posso fornirle il numero del procedimento.

– E perché vuole parlargli?

– Per offrirgli qualcosa in cambio di informazioni.

– Che cosa?

– Uno sconto di pena, qualche trattamento di favore.

Le sopracciglia del giudice, armoniosamente disegnate, assunsero un cipiglio guerriero.

– Impossibile, non ci pensi nemmeno.

– I colleghi che si sono occupati del suo caso mi hanno assicurato che non parlerà per nessuna ragione, a meno che...

– Questi reati sono fra i delitti più miserabili che si possano commettere, e ci impongono di applicare la «tolleranza zero». Non si aspetti da me nessuno sconto di pena, perché non lo otterrà. Provi con un altro giudice.

– Lei sa che nessuno che non abbia a che fare con il caso mi darà ascolto.

– Allora...

– Eccellenza, per favore, sarà un patto interno che ormai non può suscitare allarme sociale. Il delitto per cui quell'uomo è stato condannato è un caso chiuso, mentre quelli di cui mi occupo devono ancora essere puniti. È necessario evitare la sofferenza di altre vittime innocenti.

– Non ci sono garanzie che ciò avvenga. La giustizia deve essere cieca e inflessibile, il condannato deve pagare.

– Eccellenza...

– Apprezzo l'energia e la passione con cui affronta il suo lavoro, ma devo avvertirla che anch'io sono energica. Difendo le mie idee, e so come vanno fatte le cose. Offra a quell'uomo la possibilità di seguire dei corsi in carcere, cerchi delle alternative legali, ma non mi chieda favori sottobanco perché la risposta sarà sempre no.

Dio! Detesto le donne con le idee chiare, e so quanto sia inutile uno scontro frontale. Benissimo, avrei mentito, avrei incontrato quel detenuto immondo e gli avrei promesso il paradiso in terra. E poi... Roma non paga i traditori. Il mio senso morale stava diventando piuttosto elastico ultimamente. Tutto cambia quando si ha a che fare con l'infamia più abbietta, non si può rimanere nel limbo del «Non giudicate e non sarete giudicati». Dovevo giudicare senza attenuanti, e non temevo di essere giudicata.

Machado mi suggerì di leggermi il fascicolo su Expósito e tutti i documenti relativi al caso della Teixonera. Insieme al capo dell'organizzazione erano caduti vari complici, ma lui mi sconsigliò di parlare con loro, erano solo carne da cannone e non avrebbero aperto bocca senza l'autorizzazione del boss. Io, che speravo di poter ricavare qualcosa dagli anelli più deboli della catena, capii che il mondo della delinquenza organizzata ha le sue leggi. Dovevo incontrare il capo. Dalle parole del collega era chiaro che avrei avuto a che fare con un uomo molto difficile.

– Sta' attenta a quello che offri in cambio, Petra. Il giudice ti ha dato la possibilità di gettargli qualche caramella?

– Ho paura di no.

– Allora, la vedo male.

– Ma ormai è in carcere, di cosa potrebbe minacciarmi?

– Quelli sono dei bastardi, Petra. Expósito non guarda in faccia nessuno. Pur di guadagnarsi qualcosa venderebbe sua madre a Jack lo Squartatore. Non aspettarti di trovare cattiveria in lui, troverai solo durezza e indifferenza. Per questo penso che non ti dirà niente. La sola cosa che ha in mano è il silenzio.

– Voglio provarci lo stesso.

Mi chiusi nella sala riunioni del commissariato e cominciai a leggere tutti i dossier, di cui mi avevano dato una stampata. La prima parte spiegava come venivano reclutati i bambini per le foto. C'era sempre di mezzo un adulto, che li cedeva in cambio di denaro. Poteva essere il padre, la madre, un tutore. A volte figuravano i nomi, a volte no. Proprio coloro che avrebbero dovuto proteggerli li offrivano in vendita. Mi sentii di nuovo malissimo, il sopruso ai danni di vittime indifese era il più osceno che conoscessi. Quel caso mi piaceva sempre meno, anzi, non mi piaceva affatto, e ormai mi ci trovavo immersa da troppo tempo. Ma non potevo arrendermi, non avevo altra via che andare avanti fino a trovare l'assassino. E se a uccidere fosse stata Delia? Come accettare l'idea che un'innocente avesse scelto la follia del male? Eppure dovevo stringere i denti, smetterla di farmi domande, continuare. Forse mi avrebbe fatto bene rivedere Marcos Artigas, anche solo per un caffè. Certo, dal nostro ultimo incontro lui non aveva più chiamato. Forse si era spaventato. Di solito un uomo telefona dopo un'incursione sessuale, soprattutto se ha tenuto alto il vessillo della virilità. Ma lui non chiamava. Voleva sottolineare che per lui la cosa non aveva la minima importanza? Preoccupazione inutile, con me. Proprio in quel momento il cellulare suonò e pensai che fosse lui. Mi sbagliavo, era Ricard, il mio penultimo amante.

– Petra, sei ancora al lavoro?

– Sì.

– Non potremmo prendere un caffè? Ti prego, sarà una cosa breve, ma ho bisogno di parlarti.

Ecco il caffè che desideravo, solo che la compagnia non prometteva di migliorare il mio umore, anzi, minacciava di abbatterlo totalmente. Ma non potevo negarmi. Quella relazione con lo psichiatra, così breve e inconsueta, non era finita in modo spiacevole. Potevo approfittarne per chiedergli qualcosa sull'origine del male nella mente umana. Gli diedi appuntamento alla Jarra de Oro.

Mi bastò vederlo per capire che non stava molto bene. Un bell'uomo, orgoglioso come lui, aveva una barba di due giorni, il colorito terreo, una camicia che stonava con il maglione... Certo, immaginavo il motivo per cui voleva parlarmi, ma non mi aspettavo certo di trovarlo in quello stato.

– Petra, sto malissimo.

– In effetti non hai un bell'aspetto, se devo essere sincera.

– Yolanda vuole lasciarmi. Immagino tu lo sappia, no?

– Mi ha detto qualcosa. Ti ha spiegato il perché?

– Si è innamorata di un poliziotto della sua età, un certo Domínguez.

Alzai le braccia al cielo, come per dire «cosa vuoi farci», ma prima ancora che mi venisse alle labbra qualche luogo comune, lui continuò:

– L'altro giorno me l'ha presentato.

– E come lo trovi?

– Non lo conosci?

– Certo che lo conosco, lavora con noi.

– Allora non capisco come puoi farmi una domanda simile. È un sempliciotto, un po' addormentato, poco intelligente, a quanto mi è parso. Che cosa può vederci Yolanda in un tipo del genere?

– Che domanda, Ricard, e io che diavolo ne so? Tu cosa ci vedi nell'altro quando ti innamori? Nient'altro che l'amore.

– Che spiegazione assurda! E dire che di solito sei brillante. Come puoi dire una simile banalità?

– Non posso chiederti questo, non posso risponderti quello... Sei proprio sicuro che volevi parlare con me?

– Scusami, non mi fraintendere. Voglio dire che quel ragazzo non può darle niente.

– Ricard, per Dio, sei uno psichiatra! Una persona non si innamora per quello che l'altro può dargli. Questo lo sanno tutti.

– Be', non lo capisco. Io a Yolanda do affetto, stabilità, possibilità di crescere, di imparare tante cose, di avere una vita comoda e senza scosse.

– Magari le piacciono le scosse.

– Questo non è divertente. E se intendi riferirti al letto...

Lo interruppi immediatamente:

– No, per favore, non ammetto discorsi di questo genere. Insomma, Ricard, scusa se sono pratica. Yolanda si è innamorata di un altro. Io cosa posso farci?

– Parlarle. Lei ha un'enorme considerazione di te. Tu per lei sei un modello. Non ti chiedo di condizionarla a mio favore, non sono così stupido. Ti prego solo di farla riflettere.

– E se il risultato delle sue riflessioni non fosse a tuo favore?

– Questo non è possibile. Per poco che rifletta si renderà conto che sbaglia, che la sola cosa che le conviene è rimanere con me. Ti chiedo solo questo, di farla pensare.

Era così fuori di sé che non potei fare a meno di accogliere la sua richiesta. E poi volevo togliermelo di torno. Che palle, gli uomini! pensai. Tutti sicuri di sé fino al midollo, arroganti, saccenti, incapaci di accettare la sconfitta. Mai più sarei uscita con un uomo, mai più!

Tornai al lavoro. Anche Marcos Artigas era così? Ma certo! Perché avrebbe dovuto essere diverso? Tanto per cominciare, non aveva nemmeno la decenza di telefonarmi per sapere come stavo. Forse avrei dovuto chiamarlo io, ma a che scopo? Per dirgli: «Non credere che perché siamo stati insieme una notte dobbiamo avere una relazione»? Era evidente che a lui una relazione non interessava. Ma avevo una gran voglia di chiarirglielo, a questo punto. Dovevo chiamarlo? Non dovevo? Decisi di mettere in pratica un consiglio che tante volte avevo dato ad altri: fa' quello che ti va di fare. Lo chiamai.

– Ti ricordi di me? Sono Petra Delicado, ispettore di polizia.

– Petra, ma cosa dici!

– Visto che non chiami molto spesso...

– Ci vediamo stasera? Fra mezz'ora?

– No, adesso no, devo lavorare. Meglio domani. Ho in programma una visita in carcere e probabilmente ne uscirò a pezzi. Parlare un po' con te mi farà bene.

– Benissimo, chiamami quando sei libera.

– E se tu fossi occupato?

– Mi libererò. Il fatto è che non osavo chiamarti.

– E perché?

– Avevo sempre l'impressione di disturbarti in un momento delicato delle tue indagini.

– Figurati. C'è sempre tempo per un amico.

– Mi fa piacere. Allora ci vediamo domani.

Così andava già molto meglio. Ogni cosa al suo posto. Gli uomini hanno il vizio di credersi indispensabili, e ogni tanto devono rendersi conto che non è così.

Non volli che il viceispettore mi accompagnasse al carcere di Can Brians. Ero convinta che un colloquio a quattr'occhi fra me e il detenuto potesse avere più efficacia. Ma non avevo ancora in mente una strategia precisa. Sul momento avrei deciso che cosa mi conveniva di più. Pur di strappargli le informazioni che mi servivano, ero pronta a tutto: anche a scongiurarlo, a infuriarmi, a mentire.

L'edificio stesso dava i brividi, come tutte le carceri. Per quanto male possano aver fatto coloro che vi sono rinchiusi, è sempre inquietante pensare che degli esseri umani debbano marcire dietro le sbarre. Pochi sono favoriti da un vero programma di reinserimento. La maggior parte dei detenuti lascia passare il tempo senza far niente, senza nemmeno comprendere la gravità di ciò che li ha portati lì. Alcuni impazziscono, quando ne diventano consapevoli.

Mi portarono in una saletta destinata agli incontri con gli avvocati, un locale rettangolare e perfettamente spoglio. Mentre aspettavo cercai di rimanere tranquilla, mi ero proposta di non lasciarmi trasportare da nessuna emozione. Mi dispiaceva solo che fosse proibito fumare, avrei tanto voluto accendermi una sigaretta. Quando finalmente Expósito arrivò, il mio disappunto per il divieto crebbe. Avevo bisogno di aggrapparmi a qualcosa, forse a ben più che al tabacco, dato l'aspetto di quell'uomo. Se Sánchez mi era sembrato abbietto, dovevo riconoscere che in confronto a Expósito era quasi Cary Grant. Expósito era sulla sessantina, basso e tarchiato, con la pelle olivastra in contrasto con i capelli tinti di giallo limone, e lo sguardo sfuggente, ma a tratti penetrante, di un avvoltoio. Portava una camicia a quadri sbottonata sul petto, e aveva strani caratteri asiatici tatuati sulla mano. Gli mancava solo un cartello sul petto con su scritto: «Delinquente». Sospirai, sperando che quel che avevo da dirgli mi uscisse spontaneamente. Ma fu lui ad avviare la conversazione, se così la si poteva chiamare:

– Non vengono molti poliziotti a trovarmi. Forse perché lo sanno che non mi piacciono.

Qualcosa da dire ce l'avevo, anche se forse non era la cosa più indicata:

– Nemmeno a me piace parlare con lei. Preferirei far visita alle bestie allo zoo.

Lui si mise a ridere con una specie di rantolo asmatico.

– Spiritosa! Mi fa piacere, almeno mi posso divertire un po'.

– Anch'io mi voglio divertire, Expósito.

– E va bene, allora cominciamo. Cosa mi racconta?

– Ho bisogno che lei mi dica alcune cosette sul caso per cui è stato condannato.

Ripeté la sua risata da iena afona:

– Ah, questa è buona! Comincia bene.

– Parlo sul serio.

– Meglio, è più divertente.

– La smetta di scherzare, se non vuole pentirsene.

– Lei non può minacciarmi, ispettore. Sono in galera. La galera è una botte di ferro.

– Ma forse potrei prometterle qualcosa che le interessa.

Frugò nella tasca dei pantaloni, tirò fuori un bocchino di plastica e si mise a succhiarlo. Ogni tanto arrotondava la bocca da pesce bavoso come per lasciar uscire anelli di fumo. Aspettai che quella pagliacciata finisse. Pensavo volesse solo farsi pregare. Ma a quel punto disse una cosa che mi spaventò:

– So benissimo che la polizia racconta un sacco di palle quando vuole qualcosa, ma non si preoccupi, lei prometta pure quel che le pare. Tanto, se poi non succede un cazzo, ci scappa il morto.

– Come? Cosa sta dicendo?

– Che senza uscire di qui, e senza muovere un dito, mando qualcuno al Creatore. Non posso dirle chi sarà il fortunato. Ma ho il braccio molto lungo, io.

Quindi, prima di parlare, pensi bene a quello che dirà.

Solo allora capii che razza di gran bastardo era, e fino a che punto l'avevo sottovalutato.

– A lei della vita non interessa proprio niente, Expósito? Non c'è niente che conti per lei? E mi riferisco a cose che non si possono comprare né vendere.

Rimase un po' sconcertato, non sapeva che pesci pigliare. Strinse il bocchino fra i denti giallastri.

– Tutto si compra e tutto si vende.

– Non è vero. Ha visto che bel sole c'è oggi? Ha sentito cantare gli uccelli nel cortile?

– È venuta fin qui per dirmi queste cazzate?

– No, voglio farle capire che lei non ha tutto sotto controllo. Mi piacerebbe che si vedesse, e che si accorgesse di non essere altro che ignorante. Lo sa come mai cambiano le stagioni nel corso dell'anno? Lo sa quante specie di uccelli ci sono in Spagna? Ha la minima idea di chi abbia scritto il *Lazarillo de Tormes*? Lei è un asino, Expósito, a malapena sa leggere e scrivere.

Aveva perso quel sorriso cinico, e sulla sua faccia butterata si era dipinta un'espressione cupa, una smorfia che nascondeva la collera. Continuai, sempre più sicura di me:

– Lo sa di che materiale è fatta la Torre Eiffel, in quale punto del globo si trova il Sudan? Ha mai ascoltato dal principio alla fine una sinfonia di Beethoven? Probabilmente qualunque ragazzino delle medie ne sa più di lei.

– Io non ho potuto andarci, a scuola! E allora? Non tutti siamo figli di papà.

Adesso ero io a ridere, falsamente quanto lui, ma con voce squillante. Mi accorsi che era furibondo, divenne paonazzo. Assunsi un'altra inflessione e cambiai strategia.

– Eppure, Expósito, lo vede come stanno le cose. Io, che so tanto più di lei, alla fine ho bisogno di sapere quello che lei sa. Strana la vita, vero? Anche un uomo ignorante può essere prezioso, se dice quello che sa. Soltanto così serve a qualcosa.

Era quasi fuori di sé, ma era un osso duro. Mi guardò con occhi incandescenti.

– Io non parlo, ispettore. Non faccia la maestrina con me. Non le dirò niente.

Sentii crescere fra noi un muro di pietra, eppure intravedevo ancora una possibilità. Tirai fuori dalla borsa le fotografie dei due cadaveri e gliele misi davanti.

– Non è necessario che faccia nomi. Mi dica solo se li conosce.

Non assentì né negò, il suo muso di topo rimase assolutamente privo di espressione. Per almeno due minuti ci fu silenzio. Continuavo a tenergli le fotografie sotto gli occhi. Non riuscivo a farmi un'idea di quel che gli passava per la testa. Mi avrebbe mandata al diavolo? Per quanto tempo era capace di rimanere immobile? Era difficile costringerlo a parlare, gli avevo dato del cretino nell'ingenua speranza che volesse sentirsi importante. Quel che mi avevano detto era vero: un tipo così non avrebbe mai aperto bocca senza essere si-

curo di ottenere qualcosa in cambio. E io non avevo
niente da offrirgli. Era passato un altro minuto, e ora
lui stava già guardando il secondino sulla porta. Be',
almeno ci avevo provato. Mi alzai e gli diedi le spalle.
Proprio allora la mia ultima speranza fu esaudita. Sentii la sua voce fessa e astiosa:

– Lui, sì.

– Lo conosceva?

– Sì.

– Lavorava per lei?

– Sì, era un rumeno.

– Come mai non è stato arrestato?

– Per caso.

– Mi dice come si chiamava?

– Possiamo rimanere qui anche tutta la vita, ma il
nome no.

Gli credetti. Non stava bluffando.

– Sa chi l'ha ammazzato?

– No. Sarà stato qualche fuori di testa.

– Perché fuori di testa?

– Quello non aveva conti in sospeso con nessuno.

– Quindi non è stato lei a dare ordine di ammazzarlo?

– No, era uno che non contava niente. Perché dovevo correre dei rischi?

– E la donna? Conosceva anche lei?

– Mai vista.

– È vero?

– Sì. E adesso basta, non mi chieda più niente che
sono stanco.

Raccolsi le foto, mi alzai. Non mi andava di ringraziare quel rifiuto umano. A lui questo particolare non sfuggì.

– Non mi dice nemmeno grazie?

– Conservati in salute, Expósito, e pensa di tanto in tanto a quello che hai fatto. Questo ti servirà a farti capire chi sei.

Sorrise cinicamente e si alzò anche lui. Il secondino mi aprì la porta. All'ultimo momento lui mi chiamò, e mi voltai.

– Senta, il *Lazarillo* non l'ha scritto nessuno, guardi che lo so.

– Vorrai dire che l'autore è anonimo, piuttosto. Se non l'avesse scritto nessuno, non ci sarebbe. Lo vedi come sei stupido, Expósito? Addio.

Lui fece un tentativo più simbolico che reale di aggredirmi, ma il secondino lo trattenne. Uscii senza affrettare il passo.

Quello stesso pomeriggio raccontai lo strano interrogatorio a Garzón, che non si riaveva dallo sbalordimento.

– Non ci credo! Ma com'è riuscita a farlo parlare? Che minacce ha usato?

– Nessuna minaccia. L'ho toccato nel suo orgoglio culturale.

– Ma che orgoglio culturale può avere uno come quello lì?

– Gli ho detto che non sapeva niente di letteratura, né di geografia, né di scienza, che era un asino fatto e finito, e lui se l'è un po' presa. Ci ha tenuto a dimostrarmi che quello che sapeva lui era molto più importante.

– Cosa? Ha detto a un tipo del genere che non sapeva niente di letteratura? Lei non finirà mai di stupirmi, ispettore!

– Ad ogni modo non ha voluto fare nomi.

– Magari l'ha rimproverato di non sapere niente di storia universale...

– Non sto scherzando, Fermín. Ma non capisco perché non ha voluto dirmi il nome del rumeno. Ormai quello è morto!

– Sì, però una volta avuto il nome e scoperto dove abitava, potremmo trovare altri indizi sulla storiaccia per cui lui è finito in galera, e potrebbero saltare fuori altre persone coinvolte. Uno come Expósito non può permettersi di fare la spia. Soprattutto perché se ci fossero nuovi arresti il prossimo morto sarebbe lui. Comunque quel che ha saputo è fenomenale.

– Vediamo cosa possiamo farne.

– Be', in primo luogo sappiamo che il morto era rumeno. Che aveva a che fare con il traffico di pornografia per pedofili, che è sfuggito alla retata in cui sono incappati i suoi complici, e che era una semplice pedina.

– Non sarà stato un delatore, piuttosto? Ha parlato, hanno preso tutti tranne lui, e Expósito giel'ha fatta pagare.

– È possibile. Ma in questo caso lo sapremmo. Machado avrebbe avuto la soffiata da lui, mentre non è stato così. E poi dobbiamo tener conto della sua pistola, della piccola ladra, della donna morta e della figlia della donna morta, che adesso è scomparsa.

– Lo vede che la mia visita carceraria non è servita a niente?

– A qualcosa è servita invece. Ci aiuta a chiarirci le idee. E poi, grazie a lei, chissà che un giorno non ci ritroviamo un professor Expósito all'università.

– Non manderei i miei figli alle sue lezioni.

– Io, da parte mia, sono riuscito a far riconoscere la fotografia del rumeno alla direttrice dell'ultimo laboratorio dove ha lavorato Marta Popescu.

– Non mi dica!

– Sì, era venuto a prenderla al lavoro. L'ha notato perché era un bell'uomo.

– E allora?

– Li ha visti baciarsi sulla bocca e poi andare via insieme. Nient'altro. Quindi è vero che avevano una storia. Abbiamo una certezza in più.

Cercammo di mettere insieme qualche ipotesi collegando gli elementi vecchi con quelli nuovi, in una nebbia che sfumava i contorni. Non era facile, perché la piccola ladra, forse assassina, finiva ogni volta per complicare tutto, come se non quadrasse mai nell'insieme.

Anche Garzón cercò di concatenare i fatti sulla base delle prove di cui disponevamo, ma presto dovette arrendersi. Come mai Delia conosceva entrambe le vittime? Era arrivata dalla Romania con loro? In questo caso doveva aver vissuto con l'uomo, perché se fosse stata a carico della Popescu, vicini e testimoni avrebbero saputo che le bambine erano due. Il rumeno era forse il padre di Delia? Eppure doveva essere stata la bambina a ucciderlo. Poteva aver ucciso il proprio padre e poi la sua amante? E per quale motivo? E la madre di Delia, chi era? Dov'era finita?

– Viceispettore, le ultime informazioni mettono in relazione il morto con il caso del laboratorio.

– E con l'altra vittima.

– Allora è chiaro quel che dobbiamo fare. Primo: chiedere di nuovo a Machado tutti i fascicoli sul caso. Bisogna rivederli, andare a fondo, studiarli a memoria, se necessario. Secondo: incaricare una ricerca d'archivio. Prendendo in considerazione gli ultimi due anni, ci servono notizie su qualunque soggetto, uomo o donna che sia, morto o scomparso, identificato o non identificato, di cui si sappia o si sospetti che fosse di nazionalità rumena.

– Ho paura che senza un nome sia come cercare un ago in un pagliaio.

– Non proprio. La madre di quella bambina deve essere morta, Garzón. La piccola è scappata dal nido, lasciandolo vuoto, e nessuna madre sopporta di vedere per tanto tempo un nido vuoto senza darsi da fare. È meno probabile che salti fuori un padre, ma non si può mai sapere.

– Entrambi possono essere morti prima, al loro paese.

– Possono anche essere stati uccisi, per questo la piccola si sarebbe vendicata.

– Lei insiste nel voler attribuire ai bambini comportamenti da adulti. Questo non è possibile, ispettore.

– Faccia quel che le dico, non discutiamo. Se non ci saranno risultati, avremo tempo per litigare dopo. Ma le figure paterne mancano, in questa storia.

– È lei il capo. Trasmetterò i suoi ordini a Yolanda.

– Lasci stare, lo farò io. Devo parlarle.

La vendetta, la vendetta era il punto in comune fra quelle due morti. Poteva apparire troppo shakespeariano, ma quella bambina si era vendicata. Non mi erano ancora chiare le ragioni per cùi una bambina di otto anni poteva fare una cosa simile: un assassinio, la riduzione in schiavitù, il sequestro? Di uno dei genitori? Di tutti e due? Non esistono altri protagonisti che i genitori nella vita di una bambina di quell'età. Yolanda prese nota di tutto senza fare una sola domanda. Era efficiente e precisa come un orologio svizzero. Solo quando fu sul punto di andarsene, mi decisi a onorare la parola data:

– Yolanda, dove vai così di fretta?

– A recuperare i fascicoli sul caso del laboratorio, ispettore. A eseguire i suoi ordini. Desidera altro?

– Be', mi piacerebbe parlare un po', perché...

Rinunciai a farle una predica sull'opportunità di riflettere. Cosa diavolo avrei potuto dirle?

– Vedi, Yolanda, è venuto a trovarmi Ricard e mi ha chiesto di invitarti a riflettere bene sulla tua decisione prima di lasciarlo.

Lei fece subito una faccia scura. Abbassò gli occhi. Si lasciò cadere su una sedia, come se avesse perso le forze.

– È troppo tardi, ispettore Delicado. Ieri notte ho portato via le mie cose da casa sua. È molto doloroso per me, mi sento quasi come se fossi io a essere lasciata.

– Lo so, lo so, non dirlo a me. Quindi sei sicura di quello che fai?

– Sì. Ci ho pensato, ci ho pensato molto e sotto tutti i punti di vista. Ma non posso voltare le spalle all'amore. Sono molto innamorata dell'agente Domínguez, ispettore.

Ne approfittai per esprimere i miei dubbi. Questa volta non parlavo in nome di Ricard.

– Certo, non l'avevo dimenticato. E credi che Domínguez... insomma, ti pare che lui sia l'uomo giusto per te?

– È molto tenero, ispettore, molto buono e lavoratore. Ma, soprattutto, è più simile a me. Abbiamo la stessa età, gli stessi gusti. A lui vado bene così come sono, non vuole che cambi. E poi siamo d'accordo sul progetto di fondare una famiglia. Io voglio dei figli, ispettore. E sa cosa mi ha detto Ricard quando gliene ho parlato? Che la sola idea di riprodursi lo deprimeva! Che se mai avesse deciso di avere una creatura sotto la sua responsabilità si sarebbe comprato un gatto birmano, piuttosto.

Non mi era difficile riconoscere lo stile nichilista dello psichiatra.

– Una vera cazzata, ispettore, mi scusi. E va bene che a tutti piace scherzare, ma ci sono momenti in cui è necessario fermarsi e prendere la vita sul serio, no?

– Capisco perfettamente. E poi, ormai non c'è più niente da fare. Vivi la tua vita, Yolanda, sono sicura che ti andrà tutto bene.

Mi baciò sulla guancia prima di andarsene. Sorrideva. Era un incanto. Speravo proprio che quel pesce lesso di Domínguez sapesse farla felice.

8

Il capo dell'archivio generale era l'ispettore Magdalena González, una bella bruna sulla quarantina che faceva fremere non poco il personale maschile. La conoscevo bene e sapevo che forniva sempre una collaborazione attiva e intelligente. Le spiegai la questione, lei mi ascoltò e poi scosse la testa.

– Che incredibile imbroglio, Petra. Ha un pessimo aspetto, da qualunque parte lo si prenda.

– Non parlarmene. A poco a poco stiamo scoprendo nuovi elementi, ma ci manca una struttura logica in cui inserirli.

– E le bambine, dove saranno finite?

– Se sono davvero insieme, devono essersi nascoste molto bene: l'ufficio minori le sta cercando, e non c'è modo di scovarle.

– Non mi piacciono le storie in cui sono coinvolti dei bambini. Penso ai miei tre figli e mi viene l'angoscia.

– Qui mi sa che l'angoscia è garantita.

– Be' non credere che possa fare molto con i *data base* che ho a disposizione. Certo, ci saranno di sicuro dei rumeni morti o scomparsi negli ultimi due anni, ma come speri che questo possa aiutarti?

Non saranno altro che nomi, ammesso che siano quelli veri.

– Almeno conosceremo le circostanze della morte, o della scomparsa, e questo potrebbe aiutarci a stabilire dei nessi, farci venire nuove idee.

– Non voglio scoraggiarti, Petra, ma da quando ci sono tanti immigrati clandestini, a volte ho l'impressione che a morire non siano persone in carne e ossa, ma fantasmi. Come se esseri umani che hanno avuto una vita, figli, un lavoro, si disintegrassero nell'aria. Ci sono molti casi di omicidi irrisolti le cui vittime non sono mai state identificate. Non hanno lasciato una sola traccia dietro di sé. Come se fossero fatte di una sostanza incorporea.

– È orribile.

– Sono d'accordo. Mi si rizzano i capelli ogni volta che archiviamo un caso di questo genere. Lo sai cosa vuol dire vivere trenta, quarant'anni, e poi sparire senza che nessuno ti cerchi?

– Ne ho un'idea abbastanza chiara. Quando morirò succederà qualcosa di simile anche a me.

– Ma cosa dici, Petra, per l'amor di Dio!

– Parlo sul serio, e non è che me ne importi molto. Tu hai dei figli, qualcuno ti sopravviverà, ma io sono un'anima solitaria e pago un prezzo per la mia libertà. Un prezzo che a volte è alto. Anche se immagino che i disgraziati del tuo archivio non abbiano avuto il privilegio di scegliere.

– Sei un po' depressa? Vuoi che pranziamo insieme?

Mi misi a ridere. Mi ero lasciata trasportare dai miei pensieri in modo piuttosto gratuito.

– Possiamo pranzare insieme quando vuoi, ma non preoccuparti, sto bene.

– E poi, visto che hai di queste idee, pensi che avere figli possa offrire la garanzia di essere ricordati? Figurati! La prima cosa che fa un figlio quando muore un genitore è cercare di dimenticare al più presto che sia mai esistito. Bisogna pensare a vivere. Non si dice sempre così?

– Scusa. Non sono venuta qui per rovinarti la giornata.

– No, non mi rovini niente, cara. Al contrario, mi fai pensare. E non è male pensare un po', visto il lavoro che facciamo. Corriamo sempre, sempre… e a casa, ancora di più! C'è la lavatrice da riempire, la spesa da fare… Riflettere fa bene, anche se non sempre le conclusioni sono delle più rosee.

Magdalena aveva fama di essere una forza della natura, e certamente lo era. Mise le mani sui fianchi e mi sorrise.

– Ma non dimentico che sei venuta per sfruttarmi.

– Vero. Quando pensi che riuscirai a consegnarmi la lista che ti ho chiesto?

– Hai fretta?

– Non lo so.

– Questa è la risposta più sincera che tu mi abbia mai dato. Contaci per domani.

Magdalena ed io avevamo una buona intesa, che risaliva al nostro periodo di tirocinio in polizia. Qualche volta ci eravamo incontrate per mangiare un boccone nella pausa pranzo. Solo che lei aveva la sua famiglia, che la assorbiva molto, ed io ero una lupa solitaria. Certo, una famiglia ha i suoi pregi, ma la quantità di doveri e sacrifici che comporta mi aveva sempre fatto fare un passo indietro. Che fossero pure felici gli altri, quelli che si sentivano portati per la vita comunitaria... io mi accontentavo della mia caverna.

Quella sera, aprendo il frigorifero, scoprii che la donna di servizio mi aveva comprato una grande bistecca e dei pomodori meravigliosi. In condizioni normali, mi sarei subito messa all'opera: un'insalata caprese e un succoso manicaretto carnivoro alla piastra. Ma non avevo appetito, e nemmeno voglia di cucinare, sia pure un piatto così semplice. Qualcosa non funzionava dentro di me, tutti i riti che avevano felicemente accompagnato la mia solitudine di donna autosufficiente cominciavano a mostrare la corda. Ma non avevo alternativa, quando si vive soli è necessario saper organizzare il proprio spazio e il proprio tempo in funzione di piccoli piaceri. Solo così i doveri quotidiani diventano un divertimento. Quella sera, però, decisi che non era il caso di preoccuparsi per la mancanza di entusiasmo. Era logico che non mi sentissi troppo bene. Stavo valutando la possibilità che una bambina di otto anni avesse vendicato la morte dei propri genitori uccidendo due persone con la mia pistola. Non era esattamente la favola di Biancaneve. Era Shakespeare, ma senza teste coronate, né castelli, né fantasmi. Solo fame, miseria, pornografia e abiezione umana. Un classico attualizzato. Non ero costretta ad accettarlo come un fatto di tutti i giorni. Anch'io avevo il mio stomaco e la mia sensibilità, anche se avevo fatto il possibile per dimenticarmene. Potevo quindi concedermi una tregua senza per questo sentirmi inadeguata. Forse lo ero, ma in via del tutto transitoria.

Per premiare queste mie considerazioni, che mi ricollocavano nel novero delle persone mature ed equilibrate, decisi di concedermi un whisky. «Bene, Petra» mi dissi, «usiamo le medicine che abbiamo a disposizione», e mi affidai all'antica sapienza degli scozzesi. Proprio allora il telefono suonò.

– Petra, sono Ricard. Ho pensato che non ti saresti opposta se ti avessi chiesto di parlare un po'.

– No, non mi opporrò, Ricard, sarebbe troppo drastico. Semplicemente eserciterò il mio diritto a declinare la tua proposta. Parleremo, certo, parleremo, ma in un'altra occasione, forse perfino in un'altra vita. Buonanotte.

Misi giù il telefono, congratulandomi con me stessa per la facilità e la leggerezza con cui ero riuscita a evitare una situazione probabilmente assurda. Ma il telefono suonò di nuovo. Insomma, la gente non è capace di rispettare una bella uscita di scena, come a teatro o nei film. Sarebbe stato più pratico togliermelo dai piedi con metodi convenzionali: «scusami, ma ho un terribile mal di testa», «purtroppo questa sera devo lavorare»… Alzai il ricevitore rassegnata.

– Petra, non credo sia giusto…

– Vuoi che ti dica che cosa non è giusto, Ricard? Vuoi proprio che te lo dica? Non è giusto chiamare a casa mia alle nove di sera con la pretesa di parlarmi delle tue pene d'amore. Mi dispiace, cerca di capirlo. Ho parlato con Yolanda, esattamente come mi hai chiesto, e non posso fare proprio niente. Si è innamorata di un altro, semplicissimo. E contro questo...

– Sì, meraviglioso! E per dare il tocco finale non trovi niente di meglio che mandarla a masturbare un pregiudicato. Credevo che fossi una femminista, che avessi un minimo di dignità!

– Lei ti ha raccontato questo?

– Ne parlava con Sonia davanti a me.

– Pensavo non viveste più insieme.

– No, però...

Non ero in grado di ascoltarlo oltre. Una furia sorda si impadronì di me.

– Ricard, sono stanca. Ti prego di lasciarmi tranquilla. Non farmi arrabbiare.

– Credevo che, da femminista quale ti proclami, non avresti mai permesso alle tue sottoposte di finire in una situazione del genere. Sono convinto che esistano sanzioni contro chi usa metodi così ignobili.

– Certo, esistono. Di solito, in questi casi, vengo condannata al patibolo. Denunciami pure se vuoi. Qualunque cosa sarebbe meglio che dover sopportare le tue telefonate.

Interruppi di nuovo la conversazione, ben decisa a non rispondere se il telefono avesse suonato ancora. E invece no, silenzio assoluto. Guardai il mio bicchiere di whisky. Non ne avevo più voglia. Ci mancavano solo i rimproveri isterici dello psichiatra. Non capivo come mai se la prendesse con me, visto che era stata Yolanda a lasciarlo. Soltanto perché gliel'avevo fatta conoscere io? Ambasciator non porta pena. Con tutti i problemi che avevo, mi toccava pure sorbirmi le ire di un ex amante occasionale. Una furia cieca, fredda come una lama, mi percorse le viscere. Stavo diventando stupida? Come potevo permettere che un tipo come Ricard concepisse la minima pretesa di farmela pagare? Avevo sempre evitato di approfittare del mio ruolo di poliziotto nella vita privata. Mi pareva la cosa più immorale al mondo. Ma era venuto il momento di essere immorale, di adottare misure da far venire il voltastomaco a chiunque. Avrei chiamato Ricard e l'avrei minacciato di arresto per molestie telefoniche, o avrei parlato con qualche picchiatore perché gli desse una lezione, o sarei andata a casa sua e l'avrei minacciato con la pistola. Sì, se lo meritava, ero stufa di fare sempre la finta tonta, l'anima candida, la donna dall'etica ferrea. Bevvi un sorso di whisky e lo trovai disgustoso. Sentii dei rumori alla finestra. Aveva cominciato a piovere. Di solito, la pioggia in piena notte mi infondeva una sorta di beatitudine. Ma in quel momento non ero dell'umore giusto. Forse non lo sarei stata mai più. Mi premetti forte le tempie.

La differenza fra una persona mentalmente sana e una che non lo è sta nel fatto che, giunta alla disperazione, la prima agisce, e la seconda si lascia andare. Posso essere una stupida, ma non sono una squilibrata, quindi, senza pensarci troppo, chiamai Marcos Artigas.

– Petra, che piacere sentirti!
– Be', non si direbbe.
– Perché?

253

– Perché non chiami mai. Devo sempre chiamarti io se voglio che ci vediamo.

– Non è vero. Di solito ti anticipo. E poi posso spiegarti.

– Bene, vieni a casa mia, così me lo spieghi di persona.

– Fra venti minuti sono lì.

Insomma, quell'uomo era come i pompieri, veniva solo su richiesta, ma bastava chiamarlo perché corresse a tutta velocità. Era stata un'azione impulsiva da parte mia, quella telefonata, ma a cosa servono gli amanti se non per usarli in caso di bisogno?

Lo trovai di nuovo un gran bell'uomo, grazie a Dio. A volte i giudizi soggettivi che si formano nei momenti di emozione finiscono per giocare brutti scherzi. Sorrideva come se nulla potesse scalfirlo. Eppure si era appena separato, il suo secondo matrimonio era andato in pezzi e in più aveva una sfilza di figli che neanche Giove sull'Olimpo. Come faceva a non star male? Era un superuomo, un insensibile, un bulldozer?

– Posso offrirti un whisky e il mio malumore, poco di più.

– Accetto il primo.

– Non so se riuscirò a risparmiarti il resto.

– Poco male, ti farò da punching ball.

Sorrisi un po' mesta. Andai a prendere due bicchieri.

– No, Marcos, non sarebbe carino. È imperdonabile rovesciare malumore addosso a un uomo come te.

– Un uomo come?

– Un uomo che non lascia trasparire le proprie sofferenze. Forse sofferenza è una parola eccessiva, ma dal momento che ti stai separando...

– Le separazioni sono sempre dolorose. Immagino tu lo sappia. Ma cerco di razionalizzare.

– Sì, e pensi che con una conoscenza occasionale non ci sia motivo di far emergere sentimenti così intimi.

– Ne sei convinta?

– Be', non è che ci abbia riflettuto molto.

– E se fosse proprio il contrario? E se questa «conoscenza occasionale» fosse così importante che non voglio rischiare di metterla in fuga con i miei rimuginii da separato?

Giocava forte, il bastardo, doveva essere un seduttore di professione. Mi conveniva stare attenta. Risi.

– Su, su, non esagerare. E poi mi fa piacere che tu mi racconti quello che vuoi.

– Non ho questa impressione. Direi piuttosto che tolleri poco le debolezze altrui.

– Se devo essere sincera, è proprio così. I lamenti mi annoiano terribilmente. Ma potrei essere curiosa, semplicemente curiosa, di conoscere i motivi che conducono un uomo a un duplice divorzio.

– Bah, le mie spiegazioni ti suonerebbero noiose tanto come i miei lamenti.

– Devo insistere?

– No, la mia storia è molto semplice, si riassume in due minuti. La prima volta ho sposato Olga, una donna di poco più vecchia di me. Dopo un anno è nato Federico, il mio primo figlio. Siamo stati felici per un po'. Poi sono arrivati i gemelli, e siamo stati fe-

255

lici per un altro po'. Lei aveva studiato lingue, ma non aveva mai sfruttato la laurea. A un certo punto le si è presentata l'occasione di lavorare in un'impresa di import-export e la sua vita è cambiata radicalmente. Tanto che mi ha ritenuto un ostacolo alla sua realizzazione personale. Il nostro rapporto ha cominciato a risentirne finché non è crollato. Non eravamo più felici insieme, tutto qui. È stata lei a chiedere la separazione, ma abbiamo deciso ogni cosa di comune accordo, senza problemi. I ragazzi vengono a trovarmi il fine settimana, anche se Federico, da quando è cresciuto, preferisce fare altre cose. È comprensibile. Olga, tre anni dopo, ha sposato il suo capo. Fine della storia.

– Manca l'altra.

– Ma questo è un interrogatorio in piena regola!

– Senza pressioni, però. Se non vuoi rispondere…

– Ma si immagini, ispettore! Non vorrei essere sospettato di qualche crimine. Diciamo che la seconda volta… be', ero un uomo divorziato e me la cavavo piuttosto bene da solo. Lavoravo, vedevo i bambini, facevo sport, non avevo problemi economici… A un certo punto mi è stato commissionato un progetto dalla società presso la quale lavorava Laura. Lei era giovane, bella come hai visto, brillante, avviata a una carriera eccezionale, figlia minore di una famiglia agiata… Insomma, ci innamorammo. Io, come un pazzo, questo è sicuro. Mi sembrava di aver vinto la lotteria di Capodanno.

Giunto a questo punto, tacque. Per la prima volta ebbi l'impressione che il racconto delle sue delusioni amorose lo facesse soffrire. Ma se era così, si riprese subito.

– Certo, vinto, ma non ho saputo investire il denaro e ho perso tutto. Dopo la nascita di Marina, Laura ha cominciato a criticarmi per tutto quello che facevo, dicevo, decidevo… Credo che per la prima volta mi vedesse così com'ero: un uomo più vecchio di lei, carico di responsabilità, con un fallimento sentimentale alle spalle e poche ambizioni. E così…

– E così è finita?

– Sai, il fatto è che mi ero sbagliato. Credevo che una ragazza senza un passato, con tutta la vita davanti e un mucchio di cose da fare, mi avrebbe garantito una vita serena, senza sussulti… Solo che lei è cambiata. Non avevo capito che non bisogna mai dare niente per scontato, nessun rapporto. Una relazione bisogna coltivarla, curarla, innaffiarla, come una pianticella. Eppure, anche facendo tutto il possibile, innaffiando, concimando, potando, a volte capita che la pianta appassisca.

– Non sai quanto questo mi fa piacere.

Mi guardò, sconcertato.

– Che cosa ti fa piacere?

– Che tu riconosca di esserti sbagliato. Cominciava a darmi sui nervi sentirti raccontare la tua vita come se ogni volta un destino crudele si fosse abbattuto su di te. Questo non è vero, come ben sai. Purtroppo sbagliamo sempre, continuamente, a ogni passo e in ogni campo, nel lavoro come nell'amore, nelle valutazioni degli altri come in quelle di noi stessi… sbagliamo fino alla nausea, fino all'ultimo dei nostri giorni. Sbagliamo anche quando non possiamo più decidere.

– Niente di più vero, Petra. Hai ragione.

– E sai una cosa? Non importa, va bene così. Sbagliamo perché viviamo, perché cerchiamo di essere felici, perché giochiamo le carte che il destino ci mette in mano. È questo che conta, molto più che rimanersene tranquilli nel proprio guscio come molluschi.

Quel mio discorso lo sorprese. Gli si illuminarono gli occhi. Mi prese la faccia fra le mani e mi baciò sulla bocca con affetto, più che con sensualità. Sorrideva, come se avesse nel petto tutta la felicità del mondo.

– Sei magnifica, Petra. Intelligente, dura ma sensibile. Bella. Mi piaci molto, mi sei piaciuta fin dal primo momento, da quando ti ho vista. Perché non ci sposiamo subito?

Risi, in modo un po' scomposto. Non era poi un uomo così serio, lo avevo valutato male. Cercai di essere sarcastica:

– Caro Marcos, una cosa è non aver paura di sbagliare, un'altra, ben diversa, è entrare in un nido di vipere.

– Io qui non vedo vipere da nessuna parte. Siamo coetanei, abbiamo fatto le nostre esperienze, abbiamo ciascuno il proprio mondo... A me sembra un'idea fantastica.

– Senti, Marcos, come idea è divertente, ma...

– E va bene, va bene, vedo che non è il momento di parlarne.

E pensare che mi era parso un uomo dall'umorismo un po' convenzionale…! Lo attirai verso di me, lo baciai.

– Non credi che dovremmo cominciare da una prova generale della prima notte di nozze?

– Anche questa non è una cattiva idea.

Mi prese in braccio e mi portò su per le scale, fino al letto, anche se cercai di impedirglielo fra le risate. Ancora prima di entrare avevo già dimenticato tutto dei bambini maltrattati, degli omicidi, di Ricard… Certi sistemi non falliscono mai, sono dei classici, e i classici sono sempre solidi appigli.

Quella mattina Garzón era irritatissimo, brontolava, imprecava, niente sembrava andargli bene. L'intero corpo di polizia era un disastro, la squadra omicidi un circolo di investigatori della domenica. Ma il peggio per lui erano i capi, un vero compendio di tutti i difetti dell'umanità. Conoscevo quelle sue esplosioni di malumore, e sapevo che la miglior cosa da fare era chiedergli che cosa gli stesse capitando, per dargli modo di parlare e sfogarsi. Lo feci, preparandomi all'acquazzone.

– Cosa mi sta capitando? Che qui non c'è niente che si muova, ispettore! Non facciamo che scontrarci con misure di tutela assurde. Sto rivedendo punto per punto tutto il dossier delle indagini. Voglio parlare con l'Istituto per la Protezione della Donna per vedere se si sa qualcosa sulla madre di Delia. È o non è una cosa giusta?

– Giustissima, mi pare.

– Certo, ma loro mi chiedono un'autorizzazione del

centro di accoglienza El Roure. Da non crederci. Sempre la stessa storia.

– Cerchi di capire che il centro agisce esattamente come se fosse la famiglia del minore.

– Sì, va bene, fantastico, e così io mi ritrovo alle prese con quella zitella che ci tratta come se volessimo portare i suoi bambini sulla via della perdizione.

– Non sarà che sta capitando qualcosa a lei, Fermín?

– A me? A me non capita proprio niente, io sono come quei santoni indiani che non sentono e non patiscono. E se anche sentissi qualcosa, non mi lascerei certo influenzare dai miei problemi personali.

– Ne sono più che sicura, non ho mai pensato una cosa del genere.

Possibile che il mio sottoposto fosse ancora turbato dai suoi contrasti prematrimoniali? Strano. Io, che avevo appena ricevuto una proposta di matrimonio, l'avevo trovata così divertente. Eppure per molti il matrimonio è una faccenda tremendamente seria, definitiva e minacciosa. Perché un patto fra due persone dovrebbe tingersi di una così tenebrosa gravità?

– Sa cosa faremo, Fermín? Andrò io al centro El Roure, a parlare con Pepita Loredano, che lei definisce una zitella anche se non sa niente della sua vita. Credo di trovarmi in uno stato d'animo migliore del suo, e glielo dico con il massimo rispetto. Può anche darsi che non la trovi e che riesca a parlare con Inés Buendía.

– E cosa spera di ricavarne?

– Quello che lei vorrebbe sapere dai vigili urbani. Bisogna insistere, con santa pazienza. Sa bene che anche un dettaglio insignificante può portarci alla soluzione.

– Bah, sono sempre più pessimista riguardo a queste indagini. Non credo che lei possa venire a sapere molto da quella ragazza. Lo sa quale mestiere non sceglierei mai, se dovessi nascere un'altra volta?

– Non lo so. Quello del poliziotto, forse?

– Esatto, meglio prete, piuttosto. Ogni giorno, dopo la doccia, mi metterei il solino, e me ne starei tranquillo, senza problemi economici, senza obblighi familiari. Dovrei risolvere solo questioni spirituali, che non si sa dove stiano né come siano fatte.

Sì, senza dubbio era ancora alle prese con i suoi dubbi. Quando Garzón diceva di voler fare il monaco o il prete, di sicuro non gli stava andando troppo bene in campo amoroso. In ogni caso l'amore è uno stato da cui è difficile uscire. E proprio quando credi di essere al riparo da ogni contagio... finisci per beccarti un'altra volta il virus letale. È una condanna che ci perseguiterà perfino all'ospizio. Quando ormai saremo ridotti a mangiare solo minestrine, e saremo pronti a rendere l'anima a Dio, incontreremo il vecchietto o la vecchietta capaci di farci perdere la testa. Sarà che l'amore è un rifugio, come la religione, ed esposti come siamo alle inclemenze della vita, non rinunciamo mai a un po' di protezione.

Insomma, nemmeno io ero sicura che parlare con la direttrice di El Roure potesse servire a qualcosa, ma quando ci si ritrova impantanati bisogna pur muoversi, in una direzione o nell'altra, almeno se ne ricava una sensazione di normalità.

Grazie al cielo, Pepita Loredano non era in ufficio. Ma non c'era nemmeno Inés Buendía. Mi ricevette una segretaria che mi promise di far pervenire la mia richiesta al suo capo. Non poteva fare altro. All'uscita, mi sedetti nei magnifici giardini che circondavano l'edificio. Mi lasciai accarezzare dal sole quasi primaverile. Chiusi gli occhi. Si stava bene. L'ultima risorsa dell'uomo, anche nei momenti più difficili, è lasciarsi cullare dal sole, dall'aria fresca, ascoltare il canto degli uccelli, vederli scendere a terra per raccogliere una pagliuzza e riprendere il volo. Non sarei mai morta suicida, conclusi. Quando aprii gli occhi, una signora molto anziana appoggiata a un bastone stava venendo a sedersi accanto a me. Mi salutò. Tirò fuori un pezzo di pane avvolto in un fazzoletto, lo sminuzzò e sparse le briciole davanti alla panchina. Un gran numero di passerotti si precipitò sul cibo. Rimanemmo a guardarli banchettare in silenzio. Poi la signora mi disse:

– Molta gente non sa che si può entrare in questi giardini. Per questo io ci vengo sempre. Si sta molto tranquilli. Ha visto che bei tulipani azzurri?

– Sì, sono una meraviglia.

– Prima c'era un giardiniere bravissimo. Avesse visto che bell'uomo. Mi piaceva vederlo lavorare, così alto, forte, sempre attivo. Io sono vecchia, ma non è mai troppo tardi per lustrarsi gli occhi, le pare?

Mi misi a ridere.

– Lei ha proprio una bella risata – disse la donna. – Si vede che è contenta. Lo sa? Dietro la casa c'è un altro giardino. Lì vanno a giocare i bambini dell'istituto. A volte li sento, ma non fanno tanto chiasso. Nel cortile di una scuola c'è un rumore diverso, grida, risate... qui no, si sentono solo voci un po' spente.

– Dev'essere difficile vivere un'infanzia senza genitori, non crede?

– Io sono stata accolta qui, da piccola.

– Lei?

– Sì. Dopo la guerra. El Roure esisteva già, solo che allora c'erano le suore. Io sono orfana di guerra.

Guardai il suo volto incavato. Non pareva una vecchia psicopatica che parlava da sola. No, era una signora che chiacchierava tranquillamente, avvolta da un alone di tranquillità.

– È stata un'esperienza dura?

– Be', sì. Non c'era altro da mangiare che patate bollite e lenticchie. Avevamo freddo, in quei dormitori: ci davano una coperta militare, che pungeva e non scaldava. Ma noi non eravamo tristi. In fin dei conti i nostri genitori erano morti. C'era stata una guerra, tutti ne avevano sofferto. Ma lei se li immagina i bambini che sono qui oggi? Molti sono stati abbandonati, altri sono stati tolti a genitori che li maltrattavano. Loro stanno peggio, perché sono soli. Capisce quel che voglio dire?

– Lo capisco molto bene.

– Cosa vuol farci, miserie del mondo – sospirò.

Temevo che la signora si perdesse in un'interminabile rievocazione, ma non fu così.

– E la sua vita è stata felice, dopo di allora?

– Molto, molto felice! Ho fatto la segretaria, perché ero dattilografa, sa? Ho sposato un brav'uomo... Non abbiamo avuto figli, ma abbiamo avuto una vita tranquilla tutti e due, una casa nostra, le vacanze d'estate... Che altro si può chiedere? Mio marito è morto quattro anni fa, e adesso sono sola, ma me la cavo. La vita è così, deve passare e passa. Una volta alla settimana vado al ristorante, vedo qualche film in televisione e... vengo qui a dar da mangiare agli uccellini.

– E a guardare i bei giardinieri.

Ora fu lei a mettersi a ridere. Mi alzai e le diedi la mano.

– Signora, mi ha fatto molto piacere conoscerla.

– Tornerà, qualche volta?

– Ma certo.

Quando ormai mi ero allontanata di qualche passo, udii la sua voce rotta, ma ancora squillante:

– Senta! Posso chiederle che lavoro fa?

– L'insegnante – mentii. Mi pareva che se avessi detto la verità quel bel quadro di tulipani e uccellini si sarebbe rovinato. È terribile fare un mestiere il cui solo nome ha il potere di trasformare lo stato d'animo di chiunque. E non avrei mai voluto turbare quella brava donna, che era stata capace di vivere felice con le cose più semplici. Oggi tutto è così complicato. Siamo troppo esigenti, troppo sofisticati, troppo ricchi, e troppo stupidi. E poi corriamo troppo in fretta. E mentre ci affanniamo nella sarabanda quotidiana, qualche saggia vecchietta dà da mangiare agli uccellini senza concedersi un minimo di autocommiserazione. Ah, avevo quasi un nodo alla gola! Quella signora avrebbe fatto meglio a starsene zitta. Con quale diritto assestava una mazzata simile al primo che le capitava a tiro? Ecco, ero di nuovo malinconica. In quel momento vidi Inés Buendía scendere da un taxi e la fermai.

– Ho lasciato alla segretaria una richiesta di autorizzazione. Abbiamo bisogno di indagare presso un organismo ufficiale. Spero possiate inviarcela via fax, è urgente.

– Dovrà farlo la direttrice.

– Glielo ricordi.

– Stia tranquilla.

– Mi scusi, la direttrice è nubile?

Mi guardò incredula e un po' infastidita.

– Glielo domando per pura curiosità.

– È vedova. Suo marito è morto quando lei era ancora molto giovane.

Bene, almeno avrei potuto far rimangiare a Garzón i suoi pregiudizi maschilisti. Appena rientrai in commissariato andai a cercarlo nel suo ufficetto. Era lì, immerso fra le carte, e il suo umore non era cambiato di una virgola. Mi salutò con un grugnito.

– Pepita Loredano non è una zitella, è vedova. E non mi piace che lei appiccichi certe etichette alle donne.

Lui socchiuse gli occhi.

– Le vedove amareggiate sono le peggiori.

– Etichette, mio caro viceispettore, nient'altro che etichette. Magari è proprio per sfuggire a certe discriminazioni che Beatriz vuole sposarsi a tutti i costi.

Lo vidi balzare in piedi, fuori di sé, e scappai richiudendo la porta. Era così infuriato che rischiavo un'aggressione. Come mi piaceva farlo arrabbiare!

Magdalena González, la direttrice dell'archivio, si mostrò molto prudente. Mi fece accomodare e mi offrì un caffè, poi mi mise sotto gli occhi una lista piuttosto esigua.

– Questo è l'elenco dei rumeni morti di morte violenta negli ultimi due anni. Dei maschi, solo uno ti può interessare. Ma escluderei che fosse il padre della bambina. Era un uomo anziano, arrestato per spaccio. Assolto per mancanza di prove, è stato ucciso in una sparatoria a Valenza. Di donne ce ne sono solo due: una zingara di quarant'anni, morta per una coltellata in una rissa. Caso risolto. La sola che potrebbe eventualmente essere la madre della bambina è una donna non identificata, che si presume fosse rumena per le caratteristiche fisiche e per gli abiti che aveva indosso. È probabile che fosse una prostituta, poi liquidata con due colpi di pistola alla testa.

– Terribile.

– Lo sai com'è quella gente: non hanno pietà. Chi si ribella è perduto. Qui ci sono le foto. Doveva essere sulla trentina. I lineamenti non si distinguono bene perché i colpi l'hanno sfigurata. Caso non risolto.

Osservai inorridita il volto di quella giovane donna, gonfio, macchiato di viola, con la bocca storta. Chi avrebbe potuto dire se avesse qualcosa a che fare con Delia? Ma la sua storia poteva collimare con la mia ipotesi: costretta a prostituirsi, si era ribellata e l'avevano uccisa. Delia era scappata, ma conosceva il colpevole e aveva deciso di vendicarsi. Aveva aspettato, era riuscita a rubarmi la pistola ed era andata a cercare l'assassino di sua madre. Quanto a Marta Popescu, cosa c'entrava? Faceva parte della banda, o aveva fatto la spia? Di sicuro la bambina si era vendicata anche su di lei.

Esposi a Magdalena i miei pensieri. Lei ci pensò su. Poi mi guardò con i suoi occhi intelligenti:

– È difficile credere che un bambino, da solo, possa fare una cosa simile.

– Lo so. Questo è lo scoglio contro cui mi areno ogni volta che ne parlo con Garzón. Ma dobbiamo piegarci all'evidenza, per ora, e la sola cosa che sappiamo è che quella bambina ha rubato la mia pistola. Poi sono comparsi due morti, entrambi colpiti a bruciapelo, a novanta centimetri da terra, l'altezza da cui può sparare un bambino. Insomma, prima vengono i fatti, e i fatti sono incontestabili.

– Ma questa, secondo te, è la madre?

– Mi ci giocherei la testa. Dove l'hanno trovata?

– Lungo la provinciale per Manresa. Ma è stata uccisa altrove e il cadavere è stato abbandonato lì. L'arma con cui le hanno sparato si trova facilmente sul mercato nero.

– E nessuno l'ha identificata.

– Quelle donne arrivano fin qui chissà come. Sono costrette a vivere nascoste, non hanno documenti, non hanno famiglia… C'è da aver paura solo a pensarci.

– Quello che mi dicevi: eserciti di fantasmi che entrano nel paese. Non risultano, non esistono, non contano per nessuno.

– Mi sa che il mio aiuto ti è servito a ben poco.

– Non credere. Certo che una donna identificata o un caso risolto mi avrebbero dato qualche elemento in più. Ma questa povera ragazza rafforza la mia teoria della vendetta.

– La vendetta di una bambina.

– Non è facile crederlo, vero?

– No.

– Ma le cose stanno così. Non me le sono inventate io.

– Non hai molta fiducia nel genere umano, Petra.

– L'essere umano è il solo animale capace di vendicarsi.

– Sì, ma la vendetta non è scritta nei geni.

– La crudeltà sì, però.

Quello era un argomento tabù, e non solo per il viceispettore. Nessuno sembrava disposto ad accettare che una bambina fosse capace di agire come un assassino che premedita freddamente il crimine. Ma quello non era un problema etico. Come aveva detto molto chiaramente la direttrice di El Roure, in un discorso odioso ma realistico, quelle bambine avevano subito tanti soprusi che potevano diventare piccoli mostri. Non avevo nessuna intenzione di difendere la cinica teoria secondo cui l'uomo nasce perverso. Non era quello il mio scopo. Ma ero sicura che una personalità si forma fin dall'infanzia, nel bene come nel male. Il punto era, come mi aveva rivelato l'anziana signora di quella mattina, che una disgrazia collettiva non arreca danni irreversibili, mentre il male che ci è stato inflitto individualmente, quello che riconosciamo come ingiusto, privato, vergognoso, quello può cancellare il sorriso per tutta una vita.

Insomma, se anche non fossimo riusciti a ritrovare la bambina e a far luce sui due crimini, ne avevo tratto insegnamenti sufficienti per scrivere un trattato di morale.

Tornai da Garzón.

– Viceispettore, la invito a pranzo alla Jarra de Oro.

– Sono molto arrabbiato con lei, Petra.

– Appunto per questo la invito a pranzo.

– Accetto, ma la avverto fin d'ora che le toccherà sentirsi dire un paio di cosette.

– Non sia rancoroso, Fermín.

– Rancoroso? Rancoroso io?

Scosse la testa, come se ormai mi ritenesse irrecuperabile e la sua pazienza fosse arrivata al limite. Ma non era vero, di pazienza ne aveva ancora parecchia, e la usò per spiegarmi una volta di più perché considerava del tutto inutile l'istituto del matrimonio.

9

L'agente Domínguez mi aspettava sulla porta del mio ufficio. Con le sue solite cautele mi informò che desiderava consultarmi a proposito di una questione personale, che però secondo lui poteva riguardare da vicino l'adempimento dei suoi obblighi di servizio. Naturalmente non ci capii nulla, come sempre mi capita con i preamboli in stile regolamentare. Visto che conoscevo bene la sua prolissità, tagliai corto:

– Si accomodi, Domínguez, e diciamo pane al pane, per favore.

– Sì, ispettore, solo che non saprei da dove cominciare.

– Cominci dal centro del problema, senza introduzioni, senza premesse.

Mi guardò, domandandosi se quella fosse una dimostrazione di fiducia o di impazienza da parte mia, e probabilmente sbagliò, perché sorrise.

– L'agente Yolanda ed io vogliamo sposarci, ispettore Delicado.

– Congratulazioni, ragazzo! Questa è una bellissima notizia.

– Sì, ma c'è un problema. Yolanda ha giurato che

finché non risolverete il caso non potremo fissare la data.

– Questo fa onore alla sua professionalità. Non vedo quale sia il problema.

– Tutti in commissariato dicono che queste indagini non promettono niente di buono, che non state facendo un solo passo avanti. Anzi, a quanto pare le cose si complicano ogni giorno di più.

– Dicono così, quegli stronzi?

– La prego, ispettore Delicado, io non sono venuto a fare la spia! Ma non posso fare a meno di sentire quello che sento. E ho paura che al matrimonio non ci arriveremo mai.

– Ma, scusi, lei quando pensava di sposarsi, domani pomeriggio?

– No, però ho paura. Quel dottore che viveva con lei continua a starle dietro, e Yolanda è così meravigliosa che forse è troppo per uno come me, e a lungo andare rischio di perderla.

– Insomma, Domínguez, non sia così timoroso! Non può affrontare un matrimonio in uno stato d'animo simile. Lei è un ragazzo fantastico! E poi posso assicurarle che quel che si dice in giro sulle nostre indagini sono solo pettegolezzi. In realtà siamo sulla buona strada. Ancora un paio di colpetti e si risolverà tutto. Magari i colpetti saranno tre, ma non ci vorrà molto, vedrà.

– Grazie, ispettore Delicado. È proprio quel che volevo sentirmi dire. Sono sicuro che sarà così.

– Senta, Domínguez, non mi chiami continuamente ispettore Delicado. Mi chiami ispettore e basta. Mi chiami pure «isp» se le piace, a lei posso permetterlo. Ma non si perda in lungaggini...

Sorrise, e mi guardò con aria furba:

– La innervosisco, vero? Sono un gagliego con la testa quadra, io...

Mi andò la saliva di traverso e dovetti fare uno sforzo per non tossire.

– Ma cosa dice? Io adoro tutto quel che è gagliego: le montagne, le mucche, il polpo... Tutto, sa?

Uscì ringraziandomi una ventina di volte. Dentro di me, bollivo. Ancora problemi matrimoniali? Avrei dovuto mettere su un consultorio per futuri sposi, invece di inseguire assassini e bambine perdute. Il fatto è che non avevo più un minimo di pazienza. Tutti gli anni che avevo passato vivendo da sola me l'avevano azzerata. Chi è abituato a stare con se stesso finisce per non sopportare più nessuno, è la verità. Capisco che questo ci faccia apparire egoisti e ci renda odiosi. Chissà come parlavano di me in commissariato! Per questo ogni volta che mi trovavo alle prese con qualche complicazione tutti erano più che felici di mettere in giro maldicenze. Tanto più che questa volta i casini erano cominciati con il furto della mia pistola! E va bene, ma cosa potevo farci, io? Dovevo lanciarmi in una campagna di *captatio benevolentiae* e interessarmi alla vita dei miei colleghi, informarmi sulla salute delle loro mogli e dei loro figli, raccogliere le loro confidenze sentimentali? No di certo. Preferivo assumermi la piena responsabilità della mia fama di orchessa. Meno male che ero stata sposata un paio di volte, altrimenti anch'io mi sarei beccata l'infamante etichetta di zitella, che pare essere il peggiore degli affronti per una donna. Calma, mi dissi, non lasciamoci influenzare da considerazioni private in ambito lavorativo. Presi l'agenda e scrissi: «Avere pazienza con Domínguez». Quella sarebbe stata la mia opera buona della giornata, e da quel momento in poi avrei potuto ricominciare a rompere le scatole al prossimo.

Entrò Garzón. Aveva in mano la fotografia della presunta madre di Delia. Era pensieroso, cupo.

– Mi sa di sì, ispettore.

– Sì, cosa?

– Che è così, non ci sono dubbi, ha ragione lei.

Avevo ancora l'agenda aperta, e annotai: «Avere pazienza anche con Garzón». Sorrisi, e lui continuò:

– Questa doveva proprio essere la madre di Delia. Le date quadrano, e anche l'età, e l'aspetto fisico. Se è vero, l'ipotesi della vendetta diventa credibile.

– Lei come la articolerebbe?

– Semplice: una di quelle organizzazioni mafiose che portano le donne in Spagna per avviarle alla prostituzione fa arrivare qui questa donna, insieme alla figlia. Solo che lei dopo un po' cerca di uscire dal giro, o forse le viene proposto di usare la figlia per foto pornografiche, cosa che lei rifiuta. Allora la eliminano, in modo esemplare, per dare una lezione a tutte le altre ragazze come lei.

Era esattamente la storia che avevo pensato io. Senza smettere di guardarlo e di annuire, per non offenderlo, cominciai ad aprire la corrispondenza che Domínguez

273

mi aveva lasciato sulla scrivania. Il viceispettore, con voce monotona, continuava ad allineare i fatti:

– Però, alla morte della madre, Delia scappa. Impara a vivere in strada, rifugiandosi dove può, con l'aiuto di altri ragazzini. A un certo punto le capita di gironzolare qui intorno. La vede e intuisce che lavora qui, che è un poliziotto. Pensa che possa avere una pistola e comincia a tenerla d'occhio. Finché un giorno la segue fino al centro commerciale e approfitta della sua sosta alle toilette per rubarle la borsetta. Come sappiamo, ha la fortuna dalla sua parte, perché lei...

Avevo smesso di ascoltarlo. Ero rimasta senza fiato, con la mente paralizzata. Stringendo la lettera che avevo appena aperto, mi alzai e feci qualche passo verso la finestra, dove mi fermai a guardare fuori senza vedere nulla. Garzón, stupito, mi chiese che cos'avessi. Non riuscii a rispondere. Si alzò anche lui e, cercando una spiegazione del mio strano comportamento, gettò un'occhiata sulla scrivania, dove vide la mia agenda.

– Perché deve avere pazienza con me, ispettore? – mi chiese.

Per tutta risposta gli tesi la lettera.

– Legga qui.

Era un messaggio anonimo, costruito con il classico sistema delle lettere ritagliate dai giornali.

LA MADRE DI DELIA ERA UNA CLANDESTINA. FACEVA LA PROSTITUTA ED È STATA UCCISA QUANDO HA CERCATO DI SCAPPARE. SI CHIAMAVA GEORGINA COSSU.

UN AMICO

Mi precipitai sulla busta. Scritti in stampatello, con una grafia chiaramente contraffatta, c'erano il mio nome, il mio grado e l'indirizzo esatto del commissariato.

Il viceispettore lesse tutto quanto, impassibile.

– Chi può essere stato?

– Qualcuno che sapeva che stavamo investigando sulla madre di Delia.

– Nessuno, fuori del commissariato. All'archivio e... be', al centro di accoglienza.

– Ma io non ho detto che l'autorizzazione ci serviva per indagare sulla madre della bambina

– E allora l'informazione non è mai uscita di qui.

– C'è forse una talpa fra noi?

– Non credo proprio. Ma può essere sfuggita qualche indiscrezione.

– Forse si è trattato di un caso. Ad ogni modo, chi può avere interesse a rivelarci l'identità di quella donna? E perché si nasconde?

– Forse Abel Sánchez.

– Mi stupirei... Comunque bisognerà richiedere una perizia grafologica. I caratteri sulla busta non diranno molto, ma può venirne fuori qualcosa.

– Miseria, ispettore, io non ci capisco più niente!

– Siamo in due, allora. Secondo lei, l'autore del messaggio potrebbe essere l'assassino?

– O la figlia di Marta Popescu?

– Non abbiamo ancora pensato alla possibilità che sia morta, insieme all'altra bambina.

– Tutto questo è assurdo.

– Di sicuro dietro questa storia c'è una rete ancora attiva.

– Ma l'ispettore Machado sostiene che non c'è più niente.

– Allora ci ha messo lo zampino il diavolo in persona.

– D'accordo, ispettore, però non perdiamo il buon senso. Dimentichiamo per un attimo l'autore del biglietto e il motivo per cui ce l'ha mandato. In realtà, potrebbe essere chiunque, una delle donne del primo laboratorio, oppure del secondo, o una prostituta amica della madre che ha deciso di parlare, perfino qualcuno che sta aiutando la piccola Delia nelle sue malefatte!

– Questa possibilità mi spaventa.

– D'accordo, la spaventa, ma esiste. Non pensiamoci, pensiamo piuttosto a quel che dice il messaggio. Se è vero, i nostri sospetti sono confermati. O mi sbaglio?

– Chiami subito l'ispettore Machado, Garzón. Lo preghi di venire qui.

Machado arrivò e guardò a lungo la lettera. Dalla sua espressione non riuscivo a capire cosa pensasse. Alla fine mi spazientii:

– Machado, per l'amor del cielo, di' qualcosa.

– Potrebbe essere un'organizzazione che non vuole accollarsi la responsabilità di quei due omicidi e ci sta indirizzando su altri colpevoli.

– E perché non ce li indica direttamente?

– Non lo so. Ci conviene parlare con Pedro Móstoles.

L'ispettore Móstoles si occupava delle reti di prostituzione. Era un esperto. Doveva avere un paio d'anni meno di me e ci ricevette molto cordialmente. Fornì subito una rapida diagnosi:

– Sì, è possibile che sia così. Vi fanno il nome della donna perché seguiate la vostra pista e lasciate in pace loro.

– E perché non ci danno il nome del colpevole, invece?

– Non lo so. Forse rischiano qualcosa. Magari è un pentito a scrivervi, o qualcuno all'interno dell'organizzazione, che si fa degli scrupoli morali... Chissà. Ma è chiaro che il nome della donna deve figurare nei nostri archivi, altrimenti il messaggio sarebbe inutile. Vediamo.

Mi girava la testa. Non stavamo perdendo di vista tutti gli indizi e le ipotesi faticosamente accumulati per settimane? Fino a che punto dovevamo dar credito a un messaggio di quel genere? Garzón si accorse che qualcosa non andava.

– Non si sente bene, ispettore?

Pedro Móstoles ebbe pietà di me. Dovevo avere una faccia davvero preoccupante.

– Perché non andate a prendere qualcosa? Fra un'oretta saprò dirvi di più su questa povera ragazza.

Uscii con Machado e Garzón. Stavo malissimo. Andammo alla Jarra de Oro e prendemmo tre birre. Il bar era pienissimo, la gente parlava, rideva... Sembrava che per tutti gli altri la vita fosse un succedersi di fatti semplici e logici.

– Ti senti meglio, Petra? – mi chiese Machado.

– Queste indagini mi porteranno alla rovina psicologica, se non riesco a venirne a capo. Non faccio che

277

vagliare ipotesi, cerco di dare un senso a tutto quel che non torna... e di colpo la testa mi scoppia, non ce la faccio più.

– Certo, perché pensi troppo, e ti mancano dati sicuri. I neuroni si ribellano.

– I miei, invece, è come se fossero in vacanza – disse il viceispettore.

– Bisogna dire che il nostro mestiere è un vero schifo – sentenziò Machado. Io tornai alla carica:

– Cerchiamo di capirci qualcosa, piuttosto: se un magnaccia ci sta facendo segnali di fumo, come mai si è deciso proprio adesso?

– È uscito qualcosa sui giornali?

– Cosette. Ma nulla sull'ipotesi della bambina assassina.

– Lo spero bene! Immaginatevi cosa potrebbero farne i cronisti di nera!

– Sarebbe una miniera inesauribile.

– Darebbe da scrivere a psicologi e penne fini.

– E che titoli! A caratteri cubitali!

Mentre ascoltavo quei commenti fui invasa da un terribile senso di vuoto. La storia della bambina assassina, trasformata in chiacchiera da bar, suonava tremendamente falsa, come un'invenzione insensata, come una mostruosità partorita in una notte d'insonnia. E se mi fossi completamente sbagliata, lasciandomi fuorviare da fantasie e dettagli irrilevanti? Quell'ipotesi era un'aberrazione? Cominciavo a non essere più sicura di niente. Forse avremmo fatto bene a ricominciare da zero. Ma come? C'era da sperare che le nuove informazioni ottenute da Pedro Móstoles sulla donna misteriosa ci proiettassero in una cornice del tutto diversa. Quel che avevamo creduto di scoprire finora sarebbe servito a qualcosa? Era vero che mi avevano rubato la pistola o l'avevo sognato? Se non fosse stato per Marina, la mia piccola testimone, avrei dubitato perfino di me stessa, come capita solo ai matti.

Dopo tre quarti d'ora tornammo in commissariato. Ma il collega ci accolse con aria delusa.

– Non ci capisco niente, ragazzi, giuro. In archivio non risulta nessuna Georgina Cossu. Non è mai finita in una retata. Non è mai stata sentita da nessuno di noi. Semplicemente, non esiste. Non capisco perché diavolo vi abbiano dato questo nome se a noi non dice niente.

– L'autore del messaggio doveva essere convinto del contrario.

– Allora non la conosceva troppo bene. Ma non scoraggiamoci, la cercheremo ancora. Posso darvi gli indirizzi dei locali dove potreste trovare qualcuno che la conosceva. Quante persone hai a disposizione, Petra?

– Due giovani agenti, oltre a me e Garzón.

– Chiederò al commissario l'autorizzazione a darvi una mano. Solo per un paio di giorni, in modo che vi facciate un'idea dell'organizzazione del lupanare.

Lui rideva, ma a me la cosa non sembrava affatto divertente. La fine era ancora lontana, più lontana di quanto non prevedessi. In ogni caso, c'era da essere grati del suo buonumore, ne avremmo avuto bisogno anche noi. Garzón disse, strofinandosi i baffi:

– Vado al consolato rumeno, chissà che Georgina Cossu non sia passata di là.

– Bene, Fermín, bravo – mormorai senza entusiasmo. A quanto pare soltanto io ero del tutto scoraggiata.

In realtà l'«organizzazione del lupanare» era una questione semplicissima, e i consigli di Móstoles non potevano essere più ovvi:

– L'ottanta per cento delle ragazze del mestiere sono straniere. Per lo più vengono dall'Est europeo, quando non sono africane o sudamericane. E potete ben immaginare quanta voglia abbiano di rispondere alle domande della polizia. Ma non è difficile fare pressioni. Sono quasi tutte clandestine, e possono essere rispedite al loro paese in qualsiasi momento. Solo questa minaccia funziona. Non sperate nello spirito di solidarietà: sono donne che conoscono le durezze della vita e hanno le idee ben chiare. Il solo fatto che non siamo riusciti a far luce sull'uccisione di quella donna vi dimostra fino a che punto si rifiutino di collaborare.

– Forse in questi casi non si fanno neppure grandi sforzi nelle indagini – obiettai. Il mio collega non fu per niente contento di quell'insinuazione.

– Ti sbagli, Petra, ti sbagli. Se credi che non ci impegnamo a fondo perché quelle sono solo puttane, hai davvero una povera opinione di noi. Può capitare che ci lasciamo prendere dallo scoraggiamento per il gran numero di fallimenti che abbiamo collezionato, ma facciamo sempre tutto il possibile, te lo assicuro.

– D'accordo, su, non prendertela. Era solo un'ipotesi.

– Mi sa che stai esagerando con le ipotesi.

Mi conveniva andare con i piedi di piombo, la mia fama di donna difficile e bisbetica era già parecchio diffusa fra i colleghi e, sebbene non mi impedisse di dormire la notte, preferivo non vederla crescere ancora. Tentai di rimediare con un abbozzo di sorriso:

– Non si potrebbe cancellare quello che ho detto?

Móstoles accettò le mie scuse e mi lanciò uno sguardo molto serio:

– Le accuse di maschilismo all'interno del corpo di polizia non hanno fondamento.

– Be', se io devo cancellare le mie insinuazioni, tu puoi cancellare questa bella dichiarazione. Ho paura, prima o poi, di dovertela ricordare.

– Sei dura, eh, Petra?

– Più della pietra.

– Bene, come ti stavo dicendo, anche le ragazze dell'Est sono dure. L'unico modo per ottenere qualcosa da loro è minacciarle di espulsione. Le ragazze dell'America Latina qualche debolezza umana ce l'hanno, se così vogliamo definirla. Ma questo non ci interessa, perché la separazione per zone di provenienza è ermetica, e a noi servono informazioni su una rumena. Qui avete una lista di bar e night-club. Tenete conto, però, che le ragazze dei night raramente sono «schiave» di un'organizzazione. In genere si sono liberate pagando un riscatto, o sono arrivate qui per conto loro.

– Riuscite ogni tanto a smembrare un'organizzazione di questo tipo?

– Otteniamo qualche buon risultato, ma rimarresti

sbalordita se sapessi quante reti di prostituzione agiscono nel paese.

– Avete il vostro bel daffare.

– Oh, il lavoro non ci manca! Dubito molto che in Spagna possa crescere la disoccupazione nel nostro settore. Se qui il clima non fosse così buono, forse; ma ultimamente sembra che attiriamo più malfattori che turisti – concluse, con una nuova risata. E poi, cercando di essere gentile, mi chiese: – Hai bisogno che ti accompagni nelle visite alle case di piacere?

– Forse è meglio che ti dedichi a Yolanda e Sonia. Non so come se la siano cavata al corso «lupanari» della scuola di polizia. Io mi farò accompagnare da Garzón.

Così facemmo. Il primo giorno visitammo dieci locali diversi, dieci. Mi stupì prima di tutto l'estensione degli orari. Alle due del pomeriggio erano già aperti, e ricevevano clienti fino all'alba. Il nostro lavoro non era complicato: entravamo, chiedevamo del responsabile, ci identificavamo e interrogavamo le ragazze. Una per volta, in modo da poterne osservare bene le reazioni quando vedevano la foto della donna morta o udivano il nome di Georgina Cossu. Non si può certo dire che quella trafila mi tirasse su di morale. No, oltre che deprimente, una simile indagine mi pareva del tutto priva di senso. Non vedevo come potesse condurci da qualche parte. Eppure non avevamo alternative, questa era la triste realtà. Non era servito a nulla insistere mille volte sulle strade già percorse. Quindi, stancamente, ci facevamo coraggio e spingevamo la porta di un nuovo locale, dove, un po' frastornati dalla musica, attendevamo per un attimo il dilatarsi delle pupille nel buio e cominciavamo con le domande. Le risposte si riassumevano in un unico monosillabico e categorico «No». Ragazze giovani come collegiali fissavano il volto della morta con una maschera impassibile e dicevano: «No». Donne più adulte ed esperte della vita, con accenti diversi, ripetevano: «No». Alcune non riuscivano a reprimere un brivido, ma soltanto di paura. Non una sola volta, né a me né al mio collega, fu dato cogliere un accenno di comprensione, di riconoscimento o di emozione che celasse qualcosa di più.

Dopo sei ore gettammo la spugna.

– Per oggi basta – dissi. Garzón, con evidente sollievo, si strofinò gli occhi arrossati.

– Qualche conclusione, ispettore?

– Sì, le puttane hanno un gusto tremendo nel vestire.

– Vedo che andiamo bene.

– Ma non basta. Sa cosa le dico? Il mondo è un porcaio.

– Non abbiamo altro posto in cui vivere, quindi mi spieghi lei cosa possiamo fare.

– Non abbiamo nemmeno pranzato, Fermín. Dove lo troviamo un panino?

– In Rambla Cataluña. Salga in macchina, la porto.

Non avevo fame, ma mangiai, forse incoraggiata alla vista di Garzón che addentava un sandwich a tre piani senza scomporsi. Cosa avrei fatto senza il mio vice?

Da anni lavoravamo insieme, condividendo ogni giorno la tavola, le ore di attesa, le delusioni, i passi avanti così come i passi indietro, l'esplorazione del lato oscuro della vita. La sua compagnia mi aveva sempre confortata. Lui smorzava la mia tendenza a drammatizzare, a prendere le cose di petto, ad attribuire eccessiva importanza a incidenti passeggeri. A turno ci facevamo coraggio, senza proporcelo, in modo spontaneo e naturale. Era senz'altro un uomo profondamente vivo, che aveva imparato ad accettare gli aspetti negativi dell'esistenza senza amareggiarsi. Un buon compagno, solitario quanto me, questo era Garzón.

– Mi sa tanto che avrebbe voglia di ordinarsi un altro panino, viceispettore.

– E anche un'altra birra. Devo approfittarne finché posso.

– Ha deciso di mettersi a dieta?

– Molto peggio.

– Conoscendola, non capisco il problema.

– Ci pensi un po' e ci arriverà.

– Nebbia assoluta.

Mi guardò negli occhi in silenzio. Poi disse, con la massima serietà:

– Mi sposo, Petra. Alla fine mi sposo.

– Fermín! Mi congratulo con lei! Ma perché ha aspettato tanto a dirmelo?

– Mi pareva una notizia poco indicata, mentre andavamo di postribolo in postribolo. Comunque lei è la prima a saperlo. L'ho deciso ieri.

– È magnifico!

– Be', proprio magnifico... Io, a dir la verità, andrei avanti benissimo così. L'idea di tornare a essere un uomo sposato mi fa uno strano effetto. Mi blocca, non so come dire. L'ho già provato una volta, il matrimonio, e non è stata un'esperienza da raccomandare agli amici. Ma cos'altro posso fare? Beatriz lo desidera tanto, forse perché è ancora signorina. E io... be', io la amo, ispettore, una come lei non la trovo più.

– È una donna straordinaria.

– Certo. E poi ha ragione: stiamo diventando vecchi e un po' di compagnia ci farà bene. Gli anni che ci restano potremo passarli insieme, facendo una vita piacevole e tranquilla.

– È giusto.

– Certo che prima di tutto dovremmo scrivere un trattato.

– Un trattato?

– Sì, una lista di patti e condizioni. Io, per esempio, finché sarò in buona salute, come lo sono ora, e finché non mi costringeranno ad andare in pensione, non intendo lasciare il lavoro. Questo prima di tutto.

– Mi tranquillizza sentirglielo dire.

– Così come non intendo lasciare gli ambienti e le distrazioni a cui sono abituato. Questo significa che se una sera mi viene voglia di cenare con lei, o di mangiarmi un panino, chiamo mia moglie, glielo dico, e tanti saluti.

– Non vorrei figurare nel suo trattato matrimoniale come un ostacolo fra voi due.

– Ma figuriamoci! Lei ha accettato subito. Del resto la stessa cosa vale per lei se vuole uscire con le sue amiche o con sua sorella. Mi avvertirà e io cenerò per conto mio. Siamo adulti.

– Certo. E Beatriz, le ha posto molte condizioni?

– Vuole che la accompagni ogni tanto all'opera, che accetti di vivere in un appartamento di sua proprietà, che le permetta di arredarlo secondo il suo gusto e che non mi arrabbi se ogni tanto mi regala qualche abito come si deve. Cose del genere.

– Non mi pare niente di terribile.

– No. Certo che no. Lei è di buona famiglia e questo si vede. Non posso negare questa realtà.

– Lodevole, da parte sua.

– Il punto su cui non riusciamo a metterci d'accordo è la dieta. Beatriz vorrebbe farmi perdere peso, ma io le ho già detto che non posso prometterle niente. Su questo punto sarò inflessibile. Solo che lei insiste, e così quando vivremo insieme e potrà tenermi sotto controllo, ho paura che sarò fregato.

– Be', tutto è relativo. Non pranzerete quasi mai insieme, e a cena mangerà qualcosa di leggero. In fondo è salutare.

– Sì, visto così...

– Lei è molto fortunato, Fermín, e fa bene a sposare Beatriz. Anch'io mi sentirò molto più tranquilla.

– Lei? E perché diavolo dovrebbe sentirsi più tranquilla?

– Perché siamo amici, no? E finalmente potrò essere certa che qualcuno si prende cura di lei.

– Questo sì, ma non ne approfitti facendomi sgobbare come un mulo dal mattino alla sera, eh?

– Garzón! Come le viene in mente una cosa simile? Quel che non capisco, piuttosto, è cosa ci ricavi Beatriz sposando lei.

Quello era il tono attaccabrighe che gli andava a genio, perché lo liberava dal disagio del sentimentalismo. Rise sotto i baffi, mi guardò con gli occhi lucidi e mi disse:

– Fra noi rimarrà tutto come sempre, vero, Petra?

– Ci può scommettere le palle, Fermín.

Si sciolse in una risata liberatoria. Mi diede una pacca sulla spalla con calcolata violenza.

– Le palle, sissignore! Basta con i formalismi.

– Perché non ce ne andiamo di qui? Non ne posso più delle sue confidenze matrimoniali.

Il viale ci accolse con la sua fresca umidità, con i fari delle auto che passavano nel buio senza fermarsi.

– Avete già deciso quando?

– Sarà in settembre. Ma ho detto alla mia fidanzata che se il caso non sarà ancora risolto, si può scordare il viaggio di nozze.

– Crede che passeremo tutta l'estate in questo schifo?

– No, ma non si sa mai.

– Il solo pensiero mi spaventa.

– Non ci pensi, allora.

– Ci proverò.

Ci salutammo e ci allontanammo ciascuno verso casa. Non abitando troppo lontano, decisi di andare a piedi. Mi avvolsi bene nell'impermeabile e rialzai il colletto. Garzón si sposava, da non crederci! Di sicuro sarebbe stato un matrimonio tradizionalissimo, in chiesa e in pompa magna, con una quantità di invitati. Magari era già previsto un arrivo in limousine o in carrozza. Quell'idea mi fece ridere, ma subito il mio sorriso si spense. Com'è strana la vita. Un uomo e una donna, che in teoria non hanno nulla a che fare l'uno con l'altra, di colpo decidono di unire le loro vite. A loro, di sicuro, sarebbe andata bene. Perché no? In fondo la solitudine non fa altro che rafforzare piccoli egoismi e manie. Protegge dai pericoli della vita di coppia, ma impone la rinuncia a molte dolcezze condivise. Non me la sentivo di criticare Garzón. Era coraggioso, affrontava una scelta difficile, ma vivere è proprio questo: assumersi i rischi e saper cambiare, non dare per scontato e inamovibile tutto quel che si possiede. Eppure dovevo ammettere che la cosa mi preoccupava un po'. E se Beatriz si fosse rivelata una moglie autoritaria e avesse impedito a Garzón di vivere la propria vita? O se fosse stato lui ad assumere il ruolo di marito tradizionale mettendo le briglie a una donna non abituata alla vita a due? In ogni caso, e comunque andasse, ora potevo solo rallegrarmene, se non volevo fare la guastafeste. E me ne rallegravo, sebbene sentissi in fondo al cuore un certo senso di orfanilità, come se il nostro club dei solitari fosse stato tradito. Garzón mi abbandonava. D'ora in avanti, quando ci fossimo trovati immersi in un caso difficile, forse addirittura sordido come questo, e ci fossimo salutati la sera, lui sarebbe rientrato in una casa accogliente, dove avrebbe trovato un piatto caldo e una presenza amorevole, mentre io... io avrei trovato il solito pezzo di carne lasciato nel frigo dalla donna di servizio. Questo avrei avuto, un pezzo di carne, come quei gatti di città rimasti soli in un appartamento che vengono nutriti dal vicino.

Eccomi davanti alla porta di casa. Ero arrivata? Che cosa mi restava da fare adesso? Passare ancora una volta in rassegna le puttane tristi con cui avevo parlato per tutta la giornata? Andarmene di nuovo al bar dietro l'angolo, dove presto sarei stata riconosciuta come «la signora che beve whisky all'ora di cena»? No, il mio compito era rientrare a casa e affrontare con coraggio la mia sanguinolenta ricompensa: il pezzo di carne incellofanato. Aprii la porta, mi sbarazzai dell'impermeabile gettandolo sul divano, andai in cucina, afferrai a due mani la maniglia del frigo, e mi ritrovai davanti la mia bistecca ben chiusa nel suo involucro, al riparo da ogni possibile contaminazione, affiancata da un piatto di peperoni alla piastra. Maledetta arpia, ringhiai in silenzio. Forse i supermercati spagnoli, così ricchi, così assortiti, non avevano niente di meglio da offrire? Non poteva, quella disgraziata, sforzarsi ogni tanto di mostrare un minimo di cura e di interesse per la mia nutrizione? Certo, ero stata io, fin dall'inizio, a pregarla di non riempirmi il frigo di cibi pesanti e troppo conditi. «Per cena andrà benissimo una semplice bistecca con un po' di verdura». Ma una cosa era una semplice bistecca di tanto in tanto, e un'altra divorare sistematicamente tutti i vitelli della Galizia uno per uno. Ah, no! Quella sera mi sarei preparata una buona e gustosa minestra. Aprii la mia piccola dispensa, dove riposavano da tempo immemorabile diverse buste di minestra pronta. Lessi le poche righe che promettevano: «Zuppa casalinga con ingredienti naturali, proprio come una volta». Perfetto. Ora dovevo solo immaginare che quella polvere giallastra avesse il potere di tramutarsi in un buon piatto cucinato espressamente per me. Misi a scaldare mezzo litro d'acqua e feci un giro nel soggiorno. La spia della segreteria telefonica mandava bagliori intermittenti. Non me ne ero neanche accorta. C'era un messaggio di Marcos: «Petra, se rientri a casa presto, chiamami, per favore». Cercai affannosamente il suo numero e lo chiamai.

– Sai, non volevo disturbarti sul cellulare. Ti andrebbe di andare a cena da qualche parte?

– No – risposi, con inutile fermezza. – Voglio che tu venga a cena qui. Sto preparando una minestra per due, una vera minestra casalinga, con ingredienti naturali, una di quelle minestre che lasciavano esauste le nostre nonne. Non ti fa gola?

– Non dirmelo due volte! Sono subito da te.

Non sapevo cosa mi stesse capitando, ma ero contenta, addirittura felice. Corsi in cucina e versai l'intera busta di minestra pronta nell'acqua bollente. Poi tagliai l'odiosa bistecca in quadratini minuscoli e li feci saltare in padella, feci altrettanto con i peperoni, e buttai tutto in pentola. Frugai di nuovo negli armadietti: funghi secchi. Benissimo, un ingrediente in più. Aggiunsi un po' di riso e piselli surgelati. Osservai il risultato: aveva un aspetto denso e gradevole, come le buone minestre di una volta, e l'odore era molto appetitoso. Il sapore non riuscivo a immaginarlo, ma ero sicura che perfino Babette avrebbe sottoscritto quella ricetta senza il minimo imbarazzo.

– Non avevo mai assaggiato niente di simile – esclamò Marcos dopo averla assaggiata, ma io rimasi col fiato sospeso finché non concluse: – È deliziosa, sul serio. Non sapevo che fossi anche un'ottima cuoca.

Nemmeno io. Diciamo che mi ero affidata all'improvvisazione.

– Di sicuro ci sono molte cose che non sappiamo l'uno dell'altra. Tutto, in realtà.

– Meglio così.

– Credi che ti nasconda qualcosa di brutto?

– No, al contrario. Il fatto è che mi sembri perfetto, e questo non è possibile.

– Io ho la stessa impressione di te. Mi sembri perfetta.

– Eppure entrambi abbiamo un curriculum che lascia molto a desiderare.

– Non ti capisco.

– Mi capisci perfettamente. Chi ha due matrimoni alle spalle non può certo essere un modello di virtù.

– Quelle che per qualcuno sono virtù possono essere difetti per qualcun altro.

– Sì, l'ho già sentito dire. Ma quali virtù riesci a vedere, in me?

– Sei bella, intelligente, sai ridere delle cose... sei determinata e coraggiosa, hai senso della realtà. Sai essere tenera e voler bene.

– Be', qualcun altro mi vede come una quarantenne piuttosto sciatta che cambia umore ogni tre minuti e se la prende con tutti. Sono pessimista, e per di più detesto i sentimentalismi, quindi nelle situazioni tenere divento insopportabile, per difendermi.

Mi guardò sorridendo:

– Bene, adesso ci conosciamo un po' meglio.

– Tu a me sembri sereno, intelligente, di bell'aspetto, equanime. E poi ho l'impressione che tu sappia sempre quello che vuoi.

– Quest'ultima cosa è vera, so quello che voglio.

I suoi occhi si conficcarono nei miei come stiletti. Distolsi lo sguardo.

– E difetti, non ne hai?

– Pochi. Non parlo molto e non amo il chiasso e la mondanità. Sono sempre convinto di aver ragione, almeno in parte. Mi è difficile aprirmi agli altri e chiedere consiglio. Sono molto introspettivo.

– E posapiano – aggiunsi.

Lui scoppiò a ridere per la sorpresa.

– Posapiano?

– Forse dovrei dire troppo prudente. Era abbastanza chiaro che fra noi ci fosse attrazione, ma non mi chiamavi mai, e continui a non cercarmi sul telefonino per non disturbare. Sei strano, poco passionale.

– Non voglio forzarti la mano. Ad ogni modo… – esitò a concludere la frase, – ad ogni modo non penserai che ti abbia incontrata per caso all'uscita di quella discoteca? Né che tutte le volte che ti ho telefonato all'inizio volessi solo informarmi sull'andamento delle indagini? Mi spiace ammetterlo, ma non è così. Mi sei piaciuta molto, Petra, subito, da quando ti ho vista. E mi piaci sempre di più.

Cominciammo a baciarci come matti, con una fame calda che la cena non aveva saziato. Salimmo le scale incespicando, accarezzandoci, con piccoli gemiti di desiderio. Poi i nostri abiti caddero alla rinfusa sul pavimento, come se quell'incontro non fosse l'inizio, ma la fine di una battaglia senza quartiere, dalla quale uscivamo tutti e due vittoriosi.

– Credo che la tua minestra fosse afrodisiaca – mi disse Marcos quando riuscì a riaprire gli occhi.

– Non me ne stupirei. Sai cosa ti dico? Ho una bottiglia di champagne in frigo. Vado a prenderla.

– Credi che questo evento meriti di essere festeggiato?

– Be', non è stato male.

Quando tornai con la bottiglia e due calici, non fui sorpresa di vedere Marcos nel mio letto. No, lui nel mio letto ci stava bene. Uomini anche molto decorativi vi avevano trovato posto, ma nessuno vi si era adattato quanto lui.

Bevemmo appoggiati alla testiera. Lo champagne era delizioso. Una degna conclusione per la cena improvvisata che avevo messo insieme. Mi venne voglia di sapere più cose di lui.

– Perché non continui a spiegarmi come sei?

– Be', avrai tempo per scoprirlo da te.

– Magari decido di scoprirlo dopo averti ascoltato.

– Non c'è molto da dire. Sono tranquillo, cerebrale, amo la musica classica e la lettura. Pratico qualche sport ma senza esagerare. Credo nell'amore, nell'amicizia. La vita non mi ha trattato male, ma devo lavorare parecchio per andare avanti... Sono quel che si può definire un individuo comunissimo.

– A me non sembra che un uomo equilibrato come te sia così comune. Posso assicurarti che ne ho conosciuti pochi. Ho avuto mariti, amanti e amici... e non li ricordo come tipi tranquilli e cerebrali.

– Questo vuol dire che sceglievi male. Forse con me hai aggiustato il tiro. Mi domando in quale delle tre categorie finirai per collocarmi. Se in quella di marito, di amante o di amico.

– Non credo che questa domanda ti toglierà il sonno.

– Forse ti sbagli.

Lo guardai seriamente. Proprio perché tutto andava così bene, non era il caso di dimenticare i limiti.

– Marcos, ti rendi conto delle ragioni per cui siamo insieme?

– Le ragioni cominciano a manifestarsi ora, e mi sembrano sempre più valide.

– No, pensaci bene, visto che sei tanto cerebrale. Non idealizziamo la situazione. Tu sei appena uscito dal tuo secondo matrimonio. Non è un segreto per nessuno che questo dia una certa... be', una certa disponibilità al nuovo, una propensione alla ricerca di consolazioni. Quanto a me, devo dire che anch'io mi trovo in un momento delicato. Sto conducendo una delle indagini più spiacevoli della mia vita professionale, per di più intorno a crimini commessi con la mia pistola, e i risultati, per ora, non sono precisamente brillanti.

– Detto in altri termini, io soffrirei della sindrome del separato e tu di frustrazione professionale. Ti pare corretta questa interpretazione?

– No, è troppo semplicistica.

– E che cosa aggiungeresti?

– Che ci piacciamo. Che stiamo bene insieme, che ci regaliamo tranquillità e... piacere. Ma di lì a pensare che...

– D'accordo – mi interruppe. – Non pensiamo niente, allora, ma evitiamo almeno di pensare il peggio: che questa è una semplice relazione di circostanza destinata inevitabilmente a rompersi. Lasciamo fluire le cose.

– Sì, però si presenteranno inevitabilmente degli scogli.

– Per esempio?

– Per esempio se questa notte rimarrai a dormire oppure no.

– Accidenti, lo scoglio era proprio dietro l'angolo, anzi, in questa stessa stanza.

– E cosa ne dici?

– Quello che ti ho già detto: lasciamo fluire le cose.

Quella notte rimase a dormire con me. Le cose fluirono come dovevano: lente e rilassate in alcuni momenti, appassionatamente turbinose in altri. Il sonno fu riparatore. Al mattino, quando mi svegliai, non desiderai che lui sparisse. La corrente scorreva tranquilla.

10

Garzón ed io continuammo tenacemente il nostro giro dei postriboli. Pedro Móstoles ci aveva dato una lista che sembrava non finire mai. Eppure, secondo lui, in quei locali accuratamente selezionati qualcuno doveva sapere qualcosa di un'immigrata clandestina uccisa dalla banda che la sfruttava. Che tante donne fossero costrette dalla miseria a emigrare e a prostituirsi mi pareva atroce, ma ancora comprensibile. Quel che non riuscivo a concepire era che quell'esercito femminile trovasse tanti clienti. Erano davvero così numerosi gli uomini che ricorrevano alle loro prestazioni? Un fenomeno del genere non era degno di un paese del terzo mondo? Móstoles si premurava di dissipare i miei dubbi con dati e statistiche: «Niente affatto. Pensa che il Lussemburgo è il paese con il più alto tasso di importazione di prostitute. E sai benissimo che cosa si trova lì: organismi della Comunità Europea e banche. Vale a dire funzionari di alto livello e gente piena di soldi. Non si tratta di arretratezza, cara Petra, si tratta di concupiscenza bella e buona». Pareva che la cosa lo divertisse. Ma io continuavo a non capire come potesse essere tanto ricercato l'amore a pagamento. E alle quattro del pomeriggio, per di più. «Quelli sono gli uomini sposati...» mi istruiva il collega. «Trovano una scusa per uscire un po' prima dal lavoro e si prendono le loro libertà. Come dicono le *maîtresses*, spesso si limitano a bere un bicchiere con le ragazze. In fondo hanno solo voglia di fare conversazione». Conversazioni filosofiche, evidentemente. Garzón mi prendeva in giro perché mi credeva scandalizzata, oltre che sorpresa.

– Lei mi sta diventando puritana, Petra.

– Non trovo molto divertente la prostituzione. E dubito che esistano molte prostitute ricche.

Naturalmente il mio collega non cercava di convincermi dell'alto valore umano del commercio della carne, si divertiva soltanto a punzecchiarmi. Ben presto non ne potei più e decisi che era venuto il momento di ripagarlo della stessa moneta. Quale poteva essere il suo punto debole, a parte i soliti che conoscevo bene? Avevo qualche scrupolo, lo ammetto, ma alla fine mi lanciai. Un giorno mi disse che aveva bisogno di un pomeriggio di permesso per risolvere una questione personale:

– Va a scegliere le tendine per la casa nuova?

Dio! Se avessi previsto la sua reazione mi sarei volentieri risparmiata quell'uscita. Mi trafisse con un'occhiata feroce e sdegnosa, per poi dirmi, soffocando a stento la collera:

– Mi pareva, che prima o poi sarebbe arrivata la mazzata. Ma sappia che devo andare dall'oculista. Ho bisogno di un nuovo paio di occhiali. Questo è tutto, ispettore.

– Non vedo cosa ci sia di così grave, manco le avessero diagnosticato un glaucoma. E poi, tutti i futuri sposi vengono presi un po' in giro, la regola vale anche per lei.

– La saluto, ispettore.

Se ne andò con il passo orgoglioso dell'ultimo califfo di Granada costretto all'esilio. A me non importava. Non avevo la minima intenzione di considerare il matrimonio come una malattia mortale a cui è indelicato fare allusioni. Lo ritenevo un evento gioioso, e trasformarlo in un funerale mi sembrava la cosa più sbagliata che si potesse fare. E poi, gli scherzi agli sposi sono un'antica tradizione spagnola, una delle poche di mio gradimento, per di più.

Negli ultimi giorni il mio umore era molto migliorato, quindi la prospettiva di far visita da sola a un paio di bordelli non mi pareva così drammatica. Il primo della lista, che si fregiava del titolo di «whiskeria», era chiamato Le Due Lune Piene. Non volli prendere in considerazione i significati riposti di quel nome. Cominciai, come sempre, dalla titolare, che in quel caso era una bella donna sulla cinquantina ancora in forma invidiabile. Lei non si stupì del fatto che fossi un poliziotto, ma trovò strano che fossi una donna.

– Una volta mandavano solo uomini qui.

– I tempi sono cambiati.

– E meno male. Me le consumavano, le ragazze, a forza di guardarle. Che cosa vuole sapere?

– Cerco qualcuno che abbia conosciuto questa donna, oppure una ragazza di nome Georgina Cossu.

Mi parve che guardasse la fotografia un po' più a lungo del solito e alzai le antenne.

– È morta? – mi chiese.

– Sì. Era rumena. Riteniamo fosse schiava di qualche organizzazione.

– Bastardi! – mormorò.

– Si chiamava Georgina Cossu?

– Mettiamo bene in chiaro le cose, tanto per cominciare. Qui dentro non ci sono ragazze sfruttate. Io con quella gente non ci lavoro. Mi rifiuto.

– D'accordo, però la conosceva.

– Tutte le ragazze che lavorano qui hanno i documenti in regola e il permesso di soggiorno. Le assumo come cameriere.

– Mi dica se la conosceva oppure no. Cerchi di capire che questo non ha nulla a che vedere con lei né con il suo locale.

– Dire che la conoscevo sarebbe esagerato. L'ho vista, ma solo una volta. Il nome non me l'ha detto, ma mi pare che il tipo che era con lei la chiamasse Georgina.

– In quali circostanze l'ha conosciuta?

– È stato un po' strano. È venuta con quel tipo e con una bambina. Lui mi ha chiesto di prenderla a lavorare. Mi ha raccontato una strana storia, che lui gestiva una casa di appuntamenti o qualcosa del genere ma aveva troppo personale. Ha detto che sarebbe venuto a portarla e a riprenderla personalmente. Avevo l'impressione che lei non ne volesse sapere. Sembrava molto nervosa. E poi non parlava una parola di spagnolo ed era senza documenti. Non potevo certo mettermi nei guai con una così! Ho detto al suo tipo di andarsene e di non rimettere piede qui dentro.

– E lui come l'ha presa?

– Ha insistito un po', ha tirato fuori il nome di un amico che a sentir lui gli aveva dato il mio indirizzo. Ma non mi ha minacciata, non ci ha neanche provato. Loro lo sanno quando non è il caso. Ha capito che con me non c'era niente da fare. In un'attività come la mia bisogna avere le idee chiare, ispettore. Perché al minimo errore finisci nei casini seri. Una cosa è dar lavoro alle ragazze, un'altra è sfruttarle.

– Avrebbe potuto denunciare il fatto alla polizia.

Mi guardò con sarcasmo, lievemente irritata:

– Pensi un po', non ci ho nemmeno pensato.

– Già. E la bambina, com'era?

– Non l'ho guardata molto. Brunetta, sui sei o sette anni. La ragazza doveva essere sua madre, ma chissà. Che lo fosse o no, bisogna avere un bel coraggio a cercarsi un lavoro del genere portandosi dietro una bambina.

– E l'uomo, me lo saprebbe descrivere?

– Era molto alto, sulla trentina, un bel biondo. Uno di quelli che un servizietto glielo puoi sempre fare senza turarti il naso.

Rise. Io frugai fra le foto che avevo con me.

– Era questo?

La sua espressione divertita si trasformò in una smorfia di orrore:

– Cazzo! È morto anche lui? Senta, ispettore, non è che mi metto nei casini parlando con lei?

– Non ha niente da temere, glielo assicuro. Allora, era lui o no?

– Sì, era lui. Ma io non voglio finire nella merda, ha capito?

– Non si preoccupi.

– E chi li ha ammazzati?

– Ci stiamo lavorando. La ringrazio per quello che mi ha detto, signora. Naturalmente devo supporre che lei non abbia il numero di telefono o l'indirizzo di quell'uomo.

– No, no, figuriamoci, se ne è andato e non l'ho più visto. Non gli ho dato proprio nessuna speranza.

All'uscita dal locale, il sole mi abbagliò. I bambini uscivano da scuola. Un edicolante vendeva una rivista femminile a una signora anziana. Fuori, la vita continuava, ignorando il buio e la musica di quell'antro. Bene, la pesca era stata buona. La donna della foto si chiamava effettivamente Georgina ed era, con ogni probabilità, la madre di Delia. Fra il rumeno morto e la madre di Delia c'era un nesso. I pezzi cominciavano a incastrarsi. L'uomo lavorava per Expósito, quindi la madre di Delia era stata sfruttata dalla sua organizzazione. Se la nostra ipotesi era corretta, la donna doveva aver tentato qualche manovra per liberarsi, Expósito l'aveva fatta uccidere e il rumeno aveva eseguito la condanna. Delia, però, era scappata, e dopo avermi rubato la pistola era riuscita a ritrovare l'assassino di sua madre e a vendicarsi. Ma cosa c'entrava in questa storia Marta Popescu? Impossibile dirlo, per ora. Forse aveva solo un ruolo secondario, stava con il rumeno, ma la bambina la conosceva e aveva deciso di uccidere anche lei. E Rosa, la figlia della Popescu? Come potevano due bambine sparire così? Si trovavano ancora a Barcellona? La testa mi scoppiava. Cercai di fermarmi e di pensare al passo successivo. Il giudice. Dovevo parlare subito con il giudice Flora Mínguez e comunicarle la mia scoperta. Expósito era stato condannato per sfruttamento della prostituzione e pornografia minorile, ma non per omicidio. Ora c'erano indizi sufficienti per accusarlo. Expósito doveva parlare, e se non parlava era necessario interrogare tutti i suoi complici. Volai in tribunale, e Flora Mínguez mi ricevette senza problemi.

– Petra! Proprio stamattina ho ricevuto un verbale sul suo caso. Preciso e ben fatto. Molto bene.

– Mi piacerebbe poterle dire che è opera mia, ma non è così. Sono stata molto occupata, eccellenza. Però sono venuta a informarla delle ultime novità.

Le raccontai tutto. Lei mi ascoltò in silenzio. Alla fine rimase pensierosa.

– Quella donna, la proprietaria del locale, sarebbe disposta a testimoniare?

– Immagino di sì.

– Lei immagina, immagina soltanto. Ma non sarà facile. E poi si tratterebbe solo di una prova testimoniale. E visto che il presunto assassino è morto...

– Ma il presunto assassino era agli ordini di Expósito.

– Sarà difficile provarlo.

– Crede si possano riaprire le indagini?

– Vedremo, consulterò il collega che a suo tempo se ne è occupato, sarà lui ad avere l'ultima parola. Prepari una richiesta, ma non le prometto niente.

– Vorrei interrogare ancora una volta Expósito, per farmi dire che cosa sa dell'uccisione di quella donna, e anche della morte del presunto assassino.

– Farò il possibile, Petra, glielo assicuro, ma le formalità richiederanno un minimo di attesa.

– Quando si tratta della giustizia, «un minimo di attesa» può essere eterno.

– A quanto risulta dai verbali, lei ha già interrogato il detenuto, e con esiti positivi.

– Relativi, direi.

– Vuole riprovarci con il resto della banda?

– Sarebbe inutile, sono tutti sotto il suo controllo. Sarebbe diverso se riuscissimo ad accusarli di complicità in un omicidio. Devo riprovare con Expósito.

– Stia attenta, ispettore. Quell'uomo è pericoloso.

– Non si preoccupi.

Le stesse parole di avvertimento mi vennero ripetute da Garzón quando lo misi al corrente dei miei progressi. Protestai:

– Su, viceispettore, può anche darsi che Expósito eserciti un certo potere anche dal carcere, ma non è Al Capone, e Barcellona non è la Chicago degli anni Trenta.

– Sì, ma non si fidi. Non c'è bisogno di essere Al Capone per far rifilare una coltellata a qualcuno. E non sottovaluti la nostra bella città.

– D'accordo, d'accordo, e allora, cosa vuole che faccia?

– Non interroghi più quel tizio, aspetti la riapertura delle indagini. Basterà mettersi in contatto con l'ispettore a cui saranno affidate e avremo tutte le informazioni che ci servono. Comunque dubito che Expósito le direbbe qualcosa.

– Vedremo.

– Almeno, non vada da sola. Vengo anch'io.

– Cosa vuole? Dargli più scelta al momento di decidere chi verrà accoltellato? No, l'ho già incontrato una volta e devo essere io a farlo.

– Che cosa pensa di chiedergli?

– Certo non mi dirà se è stato lui a far uccidere la madre di Delia, ma voglio cavargli fuori tutto quello che sa sulla bambina e su quella donna. Non è così impensabile che mi risponda.

– Se lo dice lei... Io l'ho già avvertita.

– Sì, ha fatto il suo dovere, adesso possono anche accoltellarmi. Pensi piuttosto a scrivere la richiesta per la riapertura delle indagini, e a presentarla al commissario. Vedremo che faccia fa.

Garzón non era affatto contento. Pensava che corressi troppi rischi per quel che potevo ottenere. E molto probabilmente aveva ragione. Quel figlio di puttana non avrebbe aperto bocca. Eppure doveva essere stato lui a condannare a morte la madre di Delia. Se fossimo riusciti a far riaprire le indagini, di sicuro qualcuno dei suoi uomini avrebbe parlato. Bisognava che lo spaventassi, che tentassi di farmi dire dove poteva trovarsi la bambina, il nome del rumeno, qualunque cosa.

Tornai in carcere con il mandato per interrogare Expósito. Appena mi vide, lui mi sorrise con la sua bocca da bestiaccia.

– Salve, maestrina, sono contento che tu sia venuta a trovarmi.

– Si ritiene mio amico, Expósito?

– Mica tanto.

– E allora mi tratti con rispetto, e mi dia del lei.

– Ah, mi scusi, Madame. In cosa posso servirla?

– Sono venuta a farle qualche domanda.

– Ma bene! Di aritmetica o di libri?

– Sulla morte di una donna che si chiamava Georgina Cossu. Ho qui la sua fotografia. La guardi bene.

– Cerchiamo di capirci. Il mio avvocato mi ha detto di non parlare più con nessuno senza avvertirlo. Ieri, quando ho saputo che sarebbe venuta, l'avrei anche chiamato, ma poi ho capito che non valeva la pena. Lei mi sta simpatica, maestrina, ed è pur sempre una bella donna. Qui di donne non se ne vedono tante. Ma se mi rompe i coglioni dico al tipo lì sulla porta che non voglio parlarle se non in presenza del mio avvocato. Ne ho il diritto, lo sa?

– Lei ha incaricato il rumeno di uccidere questa donna e poi ha fatto liquidare anche lui perché non rimanessero tracce, non è vero?

– Io questa donna non l'ho mai vista. E non so di che rumeno lei parli.

– L'altro giorno lo sapeva perfettamente.

– Si vede che mi sono sbagliato. Succede, uno crede di conoscere qualcuno e poi capisce che invece era un altro.

– Le indagini verranno riaperte, Expósito, e stavolta non si tratterà di pornografia, ma di due omicidi.

– Ah, sì? Ma che bella notizia! Vuol dire che uscirà di nuovo la mia foto sui giornali.

– Però, se parlasse con me adesso, e mi dicesse un paio di cosette, magari potrei evitarle qualche problema.

Si mise a ridere, scoprendo denti irregolari e nerastri.

– Su, maestrina, non dica cazzate. L'altro giorno non è riuscita nemmeno a offrirmi uno sconto di pena e adesso mi tira fuori queste cose. Ma chi crede di essere, il ministro degli interni? Non può mica prendermi per fesso. Sarò ignorante, ma non fesso. Altrimenti sarei già morto.

– Non che le sia andata tanto bene.

– Vedrà che io qui dentro non ci rimango per molto. Ho un bravo avvocato.

– Con due omicidi, non so cosa potrà fare per lei.

– Non perda tempo, non me ne importa un cazzo dei suoi discorsi.

– Senta, Expósito, forse lei non è poi così cattivo. Mi dica dove può essere finita quella bambina, la figlia di Georgina Cossu. È importante. Se la trovassimo grazie a lei, gliene verrebbe di sicuro qualche vantaggio, qualunque cosa succeda.

– Senti, poliziotta, io non dico niente, capito? Niente. Non so di cosa mi stai parlando. E mi sono già rotto le palle di stare a chiacchierare con te. Credevo fosse più divertente, ma oggi sei noiosa, meglio che te ne vai e mi lasci tranquillo. Qui dentro si sta da Dio, mi guardo la televisione, mi faccio i miei lavoretti... non ho tempo da perdere.

L'avrei volentieri preso a pugni, ma non sarebbe servito a niente. Mi trattenni e cercai di apparire calma e cinica, per dirgli:

– Non finisce qui. Farò il possibile perché non sia così, ce la metterò tutta, Expósito, tutta.

Lui guardò verso la porta, spazientito, come se davvero in quel buco lo aspettasse un'irresistibile vita sociale. Me ne andai, morta di delusione e impotenza.

Rintracciai per telefono il collega Machado e gli chiesi di vederlo il prima possibile. Lui venne da me. Gli parlai delle nuove accuse che potevano pendere sul capo dei condannati per il caso della Teixonera. Gli chiesi come fosse il giudice che si era occupato delle indagini.

– Si chiama Leonardo Coscuella. È in tribunale da molti anni. Lo conosci?

– Ho paura di no. Pensi che sia disposto a riaprire le indagini?

– Con gli indizi che hai, può farlo come no.

– Credi che potrei ottenere qualcosa se vado a trovarlo personalmente?

– Provaci. Se vuoi ti accompagno.

Ci andammo tutti e due. Il giudice Coscuella ci ricevette nel suo ufficio. Si ricordava molto bene dell'ispettore Machado e ci trattò con cordialità. Ma prima ancora che cominciassimo a esporgli la questione, suonò un cellulare. Lui alzò un dito accusatore e disse:

– Signori, niente cellulari qui! Lo so che siete poliziotti e che potete ricevere comunicazioni urgenti, ma sono sicuro che qualunque cosa può aspettare almeno mezz'ora. Altrimenti i discorsi si fanno eterni, e i maledetti telefoni ci impediscono di concentrarci. Quindi, cellulari spenti. Spero che capiate.

Niente da dire, l'autorità di un giudice è sacra, tanto più se si vuole ottenere qualcosa da lui. Machado ed io spegnemmo i telefonini. Spiegammo a Coscuella il motivo della nostra visita. Lui ci ascoltò, annuendo più volte.

– Sì, la collega Flora Mínguez mi ha già chiamato perché riguardassi i fascicoli. Ed è quello che farò, li studierò attentamente.

– È molto importante, eccellenza, ci sono due assassini impuniti e due bambine scomparse. Credo che se imputassimo i crimini agli uomini già in carcere questo servirebbe a esercitare una certa pressione su di loro...

– Quando ci sono bambini di mezzo tutto diventa più angoscioso e l'emotività rischia di prendere il sopravvento. Ma un giudice non deve lasciarsi influenzare, deve attenersi alla legge ed essere imparziale.

– Certo, eccellenza, però...

– Ispettore Delicado, – mi guardò negli occhi con molta gravità, ma anche con gentilezza, – capisco molto bene quello che intende dire e che cosa significa questo caso per lei. E le assicuro che lo prenderò in considerazione con il massimo interesse. Ma non posso prometterle di più.

Uscii di lì imprecando.

– Quanto mi dà sui nervi il delirio di onnipotenza dei giudici!

Machado, che ancora non mi conosceva bene, era interdetto.

– In realtà non poteva dire altro, e poi giurerei che è molto ben disposto.

– Ma perché dobbiamo interpretare il suo atteggiamento come se fosse l'oracolo di Delfi? Che vada al diavolo!

– La giustizia è fredda, Petra, e così dovrebbero essere le indagini.

– Lo so, lo so, ma quel tizio non è costretto a mangiarsi la merda che mangiamo noi.

Machado spalancò le braccia, in segno di rassegnazione.

– Me l'avevano detto che eri attaccabrighe, e ora vedo che non avevano torto. Ti va di prendere una birra al bar di fronte? È l'unica cosa che possiamo fare per tranquillizzarci.

Accettai. Il collega aveva ragione. Forse potevo aspettarmi che il viceispettore sopportasse i miei eccessi, ma lui... In ogni caso una birra fresca mi fece bene e mi aiutò a ritrovare la calma. Riparlammo del caso di cui lui si era occupato, e del mio... Solo dopo un po' ci ricordammo di avere ancora i telefonini spenti e li riaccendemmo. Sul mio c'erano almeno sei chiamate senza risposta, da parte di Garzón e di Coronas. Nei messaggi, entrambi mi dicevano essenzialmente la stessa cosa: «Petra, mi chiami al più presto». Caddi di nuovo in preda all'ansia, ma mi sforzai di decidere chi dovessi chiamare per primo. Certamente Garzón. La sua risposta non fece che agitarmi ancora di più:

– Petra! Finalmente dà segno di vita. Prenda la macchina e venga immediatamente al parco di Collserola, all'altezza del chilometro 30 della Rabassada. Ci vedrà lì.

– Vedrò cosa, Garzón? Cos'è successo?

– Non faccia domande, poi le spiego. Ma venga subito, per favore.

– Devo ancora chiamare il commissario e...

– Il commissario è qui, la stiamo aspettando.

Chiuse la comunicazione senza aggiungere altro. Dire che temevo il peggio era poco. Ma cosa poteva essere peggio di quel che avevamo visto fino ad allora? Il tono di Garzón, il suo modo di esprimersi, il suo rifiuto di accennare al motivo di quella convocazione, non potevano che farmi presagire cose orribili. Machado mi guardava allarmato.

– Cosa c'è, Petra? Sei diventata pallida.

– Non lo so, non ha voluto dirmelo. Niente di buono, di questo possiamo essere sicuri. Devo correre al parco di Collserola, adesso.

– Ti ci porto io. Non mi sembri in condizioni di guidare.

– Ti ringrazio, mi saresti d'aiuto.

Lungo la strada che saliva in collina, Machado si dimostrò molto sensibile. Non la smise un momento di dire sciocchezze, nel sano intento di distrarmi. Eppure la sua strategia non impedì che arrivassi a destinazione con i nervi a pezzi, e quel che trovammo al chilometro 30 non contribuì certo a distendermi. Dietro una curva ci accolse una scena ben nota: nastri segnaletici, auto, un'ambulanza... tutto quel che accompagna ogni volta il ritrovamento di un cadavere. Posai il piede a terra con il fiato mozzo. Sulla strada non c'era nessuno. Seguendo le voci, mi addentrai fra i pini. Poco lontano trovai i colleghi impegnati nel sopralluogo, un medico legale, il giudice... mi feci largo verso il fotografo che scattava con l'obiettivo rivolto a terra, ma una mano, da dietro, mi afferrò per il gomito. Era il commissario Coronas. Garzón era con lui. In mezzo a quella folla, non li avevo notati.

– Petra, aspetti un attimo.

– Cosa c'è, commissario? Chi hanno trovato?

– Non è uno spettacolo piacevole, Petra, si prepari. Prenda fiato e cerchi di calmarsi. Credo che...

Bruscamente, mi divincolai e corsi verso il centro dell'assembramento. Lì, su un letto di aghi di pino, giaceva un piccolo corpo addormentato, il corpo di una bambina. A pancia in giù, con la faccia girata di lato e in parte coperta dai capelli, sembrava essersi distesa lì per riposare. Ma gli arti erano rigidi, e gli abiti a colori vivaci, assurdi in quella scena, erano stazzonati. Aveva il faccino bianco, gli occhi socchiusi, la bocca spalancata come un pesce che cerchi di respirare fuori dall'acqua. Rimasi a guardarla in silenzio, senza muovermi. Riconobbi il volto che avevo visto nella foto del centro El Roure. Era Delia, la piccola ladra. Scoppiai a piangere. Garzón cercò di allontanarmi da lì.

– Non la guardi, Petra, venga con me.

Mi sottrassi scuotendo le spalle e cercai di riavermi, ma non riuscivo a smettere di piangere. Alla fine mi

premetti forte gli occhi e chiesi una sigaretta al mio collega. Mi tremavano le mani. Alla terza boccata, le lacrime mi si erano asciugate e riuscii a parlare.

– Cosa si sa?

Fu Coronas a rispondermi, serio e tranquillo:

– Le hanno sparato alla nuca. Non c'è stata violenza, né abuso sessuale. Dev'essere successo ieri sera, verso le dieci, a quanto dice il medico. Ci sono tracce di
sangue fin dalla strada. L'hanno portata in auto, già morta, e l'hanno trascinata fin qui.

– Testimoni?

– Nessuno. Devono averlo fatto a notte fonda.

– Indizi?

– Stiamo battendo il terreno palmo a palmo, lo vede.

– È Delia, vero?

– Così pare. Chi può identificarla con certezza?

– Chiameremo gli operatori del centro El Roure – disse Garzón.

– Bene. Ora, ispettore, se vuole può andare. Il giudice disporrà per la rimozione. Non c'è molto da fare
qui. Forse è meglio che vada a casa e si riposi un po'.

– No, grazie.

– E allora si sieda da qualche parte, sembra che la
morta sia lei.

Gli ubbidii. Mi sedetti su un sasso. Un vento freddo mi dava forti brividi alla schiena. Osservai l'attività
che ferveva tutt'intorno. Gli specialisti alla ricerca di
tracce, il giudice che parlava con Coronas, Garzón che
faceva domande al medico. Machado ripartì con la sua
auto. Non osò nemmeno venire a salutare, alzò la ma-

no in segno di commiato con un sorriso malinconico. Il piccolo cadavere era stato coperto. Poi vidi come veniva introdotto con cura nel sacco e veniva chiusa la cerniera. Avrei voluto guardarla meglio, la faccia di Delia, capire che cosa celasse la sua espressione, ma non riuscii ad avvicinarmi un'altra volta. L'avrei rivista all'Istituto di Medicina Legale, e lì la sensazione che ormai nessuno potesse riportarla in vita sarebbe stata più forte. Il suo corpo leggero aveva incavato appena il letto di aghi di pino. Fu esaminato il punto in cui giaceva. Vennero introdotti minuscoli campioni nelle bustine di plastica. Forse capelli, fili, mozziconi... Per Delia, il gioco era finito. Capii che non aveva mai giocato da sola. A un tratto, la voce di uno degli agenti mi riscosse da quello stato quasi ipnotico:

– Commissario! Può venire qui un momento per favore?

Balzai in piedi e mi diressi anch'io verso il punto da cui proveniva la voce. Tutti fecero come me. A una cinquantina di metri un giovane agente indicava il suolo. In un avvallamento, seminascosto tra le felci, qualcosa brillava.

– Guardi, commissario, mi pare che lì ci sia un'arma.

Era una pistola, che subito riconobbi come la mia Glock 22, probabilmente l'arma che aveva ucciso Delia, e che lei stessa, con tanta abilità, mi aveva rubato. Il gioco era proprio finito.

– Credo sia la mia – dissi con voce forte e chiara.

Coronas, temendo una nuova crisi di nervi, assunse nuovamente un tono terapeutico:

– Non precipitiamo, ispettore. Nessuno può dire se è sua, né tanto meno se è stata l'arma del delitto, finché non verrà fatta una perizia balistica. Agente, complimenti, lei ha occhio. Anch'io da giovane avevo una vista infallibile. E adesso andiamocene tutti quanti, lasciamo lavorare i ragazzi della scientifica. Su, forza, via tutti!

Non mi mossi di un millimetro. Allora, la voce del commissario si fece tonante:

– Cosa diavolo fa ancora qui, Petra Delicado? Si dia da fare! Non vuole andare all'Istituto di Medicina Legale, rompere le scatole per avere l'autopsia il prima possibile e smuovere mari e monti come fa di solito? Forza, si metta in marcia!

Mi accorsi che faceva cenno a Garzón di allontanarmi da lì. E il mio vice, sospingendomi per un braccio, mi condusse verso la macchina. Sentii Coronas che gli diceva, a bassa voce:

– Non ci voleva proprio, una bambina assassinata. I giornalisti, appena lo sapranno, ci metteranno in croce.

L'abitacolo dell'auto mi parve un posto piacevole, accogliente, pieno di aggeggi familiari che mi riportavano alla normalità: il volante, la leva del cambio, la radio... tutto era stato creato per una specifica funzione e la assolveva senza problemi. Niente pareva eludere l'ordine naturale delle cose. Perché il mondo non era tutto così? Perché avvenivano atrocità a cui dovevamo dare una spiegazione? E quale spiegazione avremmo potuto dare di un corpo addormentato per sempre a quell'età? Quel corpo era venuto al mondo per giocare, per correre, per crescere pieno di energia e di bellezza. Chi mai poteva aver rotto un meccanismo così delicato, allontanandolo per sempre dal mondo? Mi voltai verso Garzón:

– Chi?

Lui annuì, indovinando il senso della mia domanda. Si passò le mani sulla faccia, come per cancellare le tracce di un incubo.

– Andiamo al Mirablau. Ho bisogno di bere qualcosa.

Guidò in silenzio verso il bar. Era scosso quanto me, sebbene in fondo alla sua mente non si agitasse l'immagine della pistola rubata.

– È stato un gioco di morte – dissi.

– Troppe morti, ormai. Troppe.

– Alla fine la mia arma l'ho ritrovata – aggiunsi tristemente.

Al Mirablau ci sedemmo davanti alle ampie vetrate e ordinammo due whisky. Barcellona si stendeva ai nostri piedi, magnifica e ordinata. Eppure, per la prima volta, la città mi appariva come un luogo pieno di misteri indecifrabili. Laggiù, in quel mosaico di quartieri e di strade, popolato da gente normale, che si alzava al mattino per andare al lavoro, faceva l'amore, mangiava e dormiva, leggeva libri e andava a teatro e al cinema, si muovevano esseri dall'anima mostruosa, capaci di scatenare in qualunque momento la tragedia e l'orrore. Il viceispettore ruppe il silenzio, come se avesse seguito punto per punto lo svolgersi dei miei pensieri.

– Vede, Petra, forse il modo migliore per uscirne è smetterla di cercare troppe spiegazioni, umane o soprannaturali. Cerchiamo di ragionare da poliziotti, piuttosto. Abbiamo trovato un cadavere, il cadavere di una bambina. E, poco lontano, l'arma che quella bambina le aveva rubato. Punto e basta. Concentriamoci sulle indagini senza pensare ad altro. Capisce che cosa voglio dire?

– Capisco.

– La sola cosa che dobbiamo fare, la sola che ci è richiesta, è far luce sullo svolgimento dei fatti. Il mondo che si nasconde dietro ogni crimine non ci riguarda.

– Vero.

– E in ogni caso rimarrà sempre fuori della nostra portata. Noi siamo gente normale, non lo dimentichi. La sola differenza fra noi e i comuni cittadini è che noi, invece di scoprire i delitti leggendo il giornale, li viviamo in diretta. E per questo ci vogliono le palle.

– Preferirei che dicesse fegato.

– E va bene, fegato. Un fegato da un chilo.

Sorridemmo. Il rischio di scivolare lungo la china della depressione era stato ancora una volta scongiurato dal mio collega, grazie al rimedio universale dell'amicizia. Ma anch'io dovevo metterci qualcosa di mio, perché Garzón non era fatto di pietra. E così gli lanciai una delle mie frecciatine:

– Pensa che un chilo basti per contrarre matrimonio?

Lui colse la palla al balzo:

– Non so se ci ha mai pensato, ma il verbo «contrarre» si usa anche per le malattie contagiose. Sarà un caso?

– Secondo lei?

– Devo proprio essere rincretinito del tutto. So che sto per contrarre una malattia pericolosa e non faccio nulla per evitarlo. In fondo sono ancora in tempo per applicare la massima: «Meglio prevenire che curare».

– Sta forse pensando alla fuga?

– Posso benissimo rimanere dove sono. Ma sempre vedovo.

– E io come farò a mettere il cappello che mi sono comprata per il suo matrimonio?

– Si è comprata un cappello? Non ci posso credere! Ah, allora mi sposo di sicuro, pur di vederla con quella roba in testa... È bello grande il suo cappello?

– Come una *plaza de toros*!

– Benissimo! Vado a ordinare altri due whisky per festeggiare la decisione. In fondo, il matrimonio è una gran bella cosa. Compagnia, sostegno reciproco, collaborazione, conforto... certo, e anche litigi, diplomazia e spiegazioni da dare, e piccole manie da tollerare. Ma nell'insieme...

– Nell'insieme, cosa?

– Mi rifiuto di pensarci senza un altro whisky.

Scoppiammo a ridere tutti e due, e mentre lo guardavo allontanarsi verso il bancone mi accorsi di sentirmi già molto meglio.

Nel maglioncino rosa di Delia era rimasto impigliato un capello non suo. Purtroppo, i mozziconi di sigaretta e le fibre di tessuto raccolti sul posto non parevano aver nulla a che fare con il delitto. Trascinare un corpo dalla strada per abbandonarlo in un bosco è un'operazione che richiede rapidità. Nessuno si ferma a fumarsi una sigaretta mentre si dedica a un'incombenza del genere. E poi, Collserola è un parco che riceve visite anche a notte fonda, da parte di coppiette, cercatori di funghi e guardie forestali. Erano state queste ultime a trovare il piccolo cadavere. Di tutti i campioni raccolti durante il sopralluogo, solo quel capello impigliato nella lana avrebbe potuto aiutarci nelle indagini. Attendevamo con ansia i risultati delle analisi.

La mia Glock era priva di impronte, perfettamente pulita. Qualcuno doveva averla strofinata perfino con l'alcol prima di buttarla lì. Tutto faceva pensare che l'arma fosse stata scagliata con forza dal punto in cui era stato abbandonato il cadavere. Il calcio riportava una lieve ammaccatura per aver sbattuto contro un sasso.

Gli abiti della bambina erano di buona qualità: nuovi e attuali, secondo i dettami dell'ultima moda infantile: colori vivaci, piccoli motivi stampati, righe. Nulla sembrava indicare che Delia fosse vissuta chiedendo l'elemosina. Qualcuno si era occupato di lei.

Mancava l'elemento fondamentale: il referto dell'autopsia. Non fu necessario insistere per ottenerlo. Il solo fatto che si trattasse di una bambina accelerò le procedure. Ci toccò in sorte il dottor Miguel Argentós, un uomo di mezz'età molto risoluto che ci chiese perfino se volessimo presenziare all'operazione. Declinammo l'invito, ma rimanemmo ad aspettare fuori, ansiosi come cani famelici.

Conoscevamo bene i corridoi dell'Istituto di Medicina Legale, tante volte misurati metro a metro in frenetica attesa. Forse proprio questo ci aiutò a conservare un minimo di calma e a non varcare i confini della professionalità che ci eravamo imposti.

Erano già le sette di sera quando il medico ricomparve, stanco e scuro in volto:

– Venite nel mio ufficio, ne parliamo.

Ci sedemmo davanti alla sua scrivania. Lui si tolse gli occhiali con gesto brusco e si massaggiò a lungo gli occhi.

– Non è stato un piacere, ve lo assicuro. E dire che qui ne passano di bambini: quasi sempre per morte accidentale. Ma non mi era mai capitato di vederne uno ucciso con un colpo di pistola alla testa. È addirittura difficile crederlo. Avete idea di chi possa essere stato?

– Non ancora, ma ci arriveremo.

– Lo spero. L'uomo è la bestia più feroce che ci sia in natura.

Cominciai a spazientirmi.

– Dottore...

– Lo so, lo so, passo subito ai risultati, ma avevo bisogno di un po' di decompressione. Ora vi espongo il referto.

– In parole semplici – lo pregò Garzón.

– D'accordo. Le condizioni della bambina erano buone. Pulita, ben nutrita, ben curata. Non presenta segni di violenza e non ha subito abusi sessuali. Né al momento della morte né in precedenza. A una prima osservazione, che dovrà essere confermata dagli esami di laboratorio, non pare aver ingerito droghe, né farmaci, né alcol. La morte è avvenuta verso le dieci di sera, come risulta dal referto del mio collega, per un colpo d'arma da fuoco esploso a breve distanza. Il proiettile, rimasto all'interno del cranio, è stato estratto. Il cadavere presenta lievi graffi sul dorso di entrambe le mani. Sono escoriazioni che potrebbero essersi prodotte durante il trascinamento del corpo fino al luogo in cui è stato abbandonato. Le gambe e le braccia sono intatte, perché erano protette dagli abiti. Non c'è molto altro. Una volta analizzato il contenuto dello stomaco, forse si potrà sapere qualcosa di più, ma ne dubito. Domande?

– Crede che sia morta subito?

– Con una pallottola nel cervello, di sicuro.

– Almeno è consolante sapere che non ha sofferto.

– Nei limiti dell'enormità del delitto, sì.

Il suo volto non esprimeva altro che impotenza. Con uno sguardo, cercai di fargli capire che la stessa sensazione la provavamo noi. Lui sospirò.

– Vi preparo una copia del referto. Fate attenzione quando uscite.

– Attenzione a cosa?

– Sono già venuti un paio di giornalisti a ficcare il naso. Credevo lo sapeste.

C'era da aspettarselo. Fino a quel momento la stampa non aveva colto la drammaticità del caso. Aveva riportato l'uccisione di un uomo non identificato, probabilmente coinvolto in un'organizzazione di stampo mafioso, e il ritrovamento di una prostituta rumena uccisa, senza stabilire alcun nesso fra i due delitti. Non erano notizie che potessero richiamare l'attenzione. Ma una bambina assassinata era tutt'altra cosa, un boccone prelibato per la cronaca nera. Bisognava parlare subito con il giudice Flora Mínguez perché facesse rispettare il segreto istruttorio.

In effetti, all'uscita, un giovanotto ci avvicinò:

– Ispettore, sono Diego Riva, del «Periódico de Cataluña». Abbiamo saputo che è incaricata delle indagini sulla bambina uccisa e…

– Mi spiace, non posso dirle niente. Domani il portavoce della polizia terrà una conferenza stampa. Lì potrà fare le domande che desidera.

– Sì, ma visto che a quanto pare l'autopsia è già stata eseguita, forse potreste dirmi se…

Il viceispettore scattò e lo afferrò per il maglione.

– Ma vuoi piantarla, cretino? Non hai sentito che cos'ha detto il mio capo? Una bambina morta ammazzata, e non sapete far altro che rompere i coglioni! Se non te ne vai immediatamente ti mando d'urgenza dal dentista!

Per rendere più realistica la minaccia gli mise un pugno sotto il naso. Il ragazzo, terrorizzato, indietreggiò di qualche metro. Una volta fuori dal raggio d'azione del mio collega, disse, indignato:

– Credevo che con la polizia spagnola non succedessero più cose del genere, ma vedo che per voi la democrazia non è mai arrivata. Sappiate che lo scriverò sul mio giornale.

Il viceispettore accennò a rincorrerlo, ma io lo trattenni. Il suo vocione tuonò:

– Scrivi pure quello che vuoi, ma non farti più vedere, sciacallo!

Il giornalista corse via, e Garzón continuò a imprecare inutilmente. Lo guardai con disapprovazione.

– Fermín! Crede che valesse la pena?

– Certo che valeva la pena. Quelli sono bestie, non meritano niente.

– Fanno il loro lavoro, come noi facciamo il nostro. Non possiamo scaricare sul prossimo tutta la nostra indignazione. La prego di calmarsi.

– E va bene, mi calmo, ma solo perché me lo chiede lei. Gli correrei dietro volentieri, a quel cretino, per dimostrargli cos'è una polizia veramente democratica.

– Basta, adesso, Fermín. Facciamo il nostro dovere. Andiamo a vedere le cose di Delia.

Non c'era molto da vedere, a dire il vero. Solo gli abiti. Ce li mostrarono. Mi fecero impressione le scarpette blu col cinturino e i calzini con i pompon rosa. L'incaricato ci informò che non erano state rinvenute tracce significative sulle suole. L'unico indizio utile era il capello nel maglione. Bene, anche questa era fatta. Mi ero proposta di essere metodica e spassionata, di procedere nelle indagini passo dopo passo, convinta che ogni reazione emotiva avrebbe potuto solo essermi d'ostacolo.

– Cosa ci resta da fare, adesso, Fermín?

– Riposare, ispettore. Ha visto che ore sono? Sarà meglio continuare domani.

– Lei vada pure. Io passo un attimo in ufficio.

– Ma non si trattenga fino a tardi, mi raccomando. È meglio ricominciare domani in buone condizioni.

Lo vidi allontanarsi. C'era, nel suo modo di camminare a testa bassa, qualcosa dell'uomo sconfitto. Forse quello era uno dei casi più complessi e frustranti che gli fossero toccati in vita sua. Ma non mi sarei azzardata a domandarglielo.

In commissariato non c'era più nessuno. Entrai nel mio ufficio, mi lasciai cadere sulla sedia e rimasi a lungo a guardare il muro. Due colpi alla porta precedettero l'ingresso del commissario, che rimase a guardarmi perplesso. Non c'era un solo foglio sulla mia scrivania, e il computer era spento.

– Cosa fa? Medita?

Non dissi niente. Scossi la testa.

– Vada a casa, Petra. Non è ora di lavorare, adesso. E scervellarsi non la aiuterà di certo, né qui né a casa.

– Adesso vado, commissario.

– Per il momento, come avrà visto, non si è ancora parlato di affiancarle qualcuno, ma...

– Sì, lo so, commissario. Quanto tempo mi dà per cercare di risolvere il caso con le persone che ho?

– Non è questo il punto. Non lo prenda come un ultimatum. Se penso di affiancarla è perché così si fa di solito. E poi, il fatto che sia stata uccisa una bambina non può che creare allarme sociale, come si dice ultimamente, e presto saremo sotto gli occhi di tutti. Senza contare che anch'io riceverò pressioni dall'alto.

– Capisco. Quanto tempo mi dà?

– Non lo so, sono molti gli elementi in gioco, ma, a seconda delle circostanze, direi... al massimo una settimana.

Annuii e ricominciai a guardare il muro. Coronas fece due passi verso la porta e poi si voltò.

– Fin dall'inizio lei ha fatto di queste indagini una questione personale, Petra, e non le ripeto più che lo ritengo un errore. Buonasera.

Era un brav'uomo, Coronas. Difficilmente avrei potuto trovare un capo migliore. Ma questo non significava che non facesse il suo dovere. Mi concedeva una settimana per salvare il mio onore di poliziotto. Era abbastanza? Era troppo poco? Sarebbe stato meraviglioso poter rispondere a questa domanda, ma nessuno avrebbe potuto farlo. La mia pistola non avrebbe più ucciso, ma i due adulti e la bambina che aveva tolto di mezzo rappresentavano ancora un mistero.

Appena arrivata a casa, chiamai Marcos. Desideravo solo sentire la sua voce. Non ero sicura di volerlo vedere, e non seppi che cosa rispondere quando mi chiese di incontrarmi. Lui cercò di capire:

– In condizioni normali, quando sei giù hai bisogno della mia presenza.

Non capii se vi fossero intenzioni ironiche in quelle parole. Preferii pensare che non ve ne fossero.

– Immagino di non essere la sola a dover decidere se dobbiamo stare insieme. Tu ne hai voglia?

– Aspettami, fra mezz'ora sono lì.

11

A identificare il cadavere venne la direttrice del centro El Roure. Fino all'ultimo avevo sperato che mandasse l'educatrice. La sola idea di rivedere quell'arpia mi innervosiva moltissimo, e poi non mi sentivo nella forma migliore per tollerare le sue accuse. Per di più avevo mandato il viceispettore in tribunale, quindi ero costretta a incontrarla io.

Arrivai per prima e la aspettai bevendo un caffè della macchinetta. Mi bastò uno sguardo per avere conferma dei miei timori. Quelle labbra contratte in una smorfia di disprezzo parevano volermi divorare. Mi salutò in tono asciutto. Un addetto ci accompagnò nella sala dove si trovava il corpo della piccola. Attesi che glielo mostrassero, senza nemmeno osservare la sua reazione. Avevo già pronti i documenti da farle firmare. Le domandai:

– È Delia?

Lei rispose con voce sicura:

– Sì, è lei.

Poi firmò e uscimmo, sempre senza parlare. Nessuna delle due faceva alcuno sforzo per nascondere la reciproca antipatia. Una volta in strada, mi domandò:

– Avete idea di chi sia stato?

– No – risposi secca.

– Com'è stata uccisa?

– Con un colpo di pistola.

– La sua, vero, ispettore?

– Sì.

– Proprio quello che temevo. Complimenti, adesso può dirsi soddisfatta.

Mi invase un'ondata di odio puro. Mi piazzai davanti a lei, impedendole di camminare.

– Soddisfatta di cosa?

– La colpa di un crimine come questo non ricade sul solo autore materiale. Come sempre, pagano gli innocenti.

– Non le permetto... assolutamente, non le permetto...!

Con un mezzo sorriso di ripugnanza, come se vedermi le rivoltasse lo stomaco, mi scansò e affrettò il passo verso l'incrocio. Impotente e furibonda, la vidi alzare il braccio e fermare un taxi. Immediatamente salì, sbatté la portiera e scomparve nel traffico intenso. Io rimasi lì sul marciapiede come un'imbecille, tremando di indignazione dalla testa ai piedi.

– Stronza! – dissi sottovoce, e poi lo ripetei gridando: – Grandissima stronza!

In un attimo passai dalla rabbia allo sconforto. Quella donna era una miserabile, eppure un testimone imparziale avrebbe potuto darle ragione. Un poliziotto non può farsi rubare l'arma in modo così stupido. La pistola di un poliziotto deve sempre essere al sicuro, sempre.

Ero stata incauta, certo. Per non parlare della mia inefficienza: una sequela di omicidi, culminata nell'atroce messa a morte di una bambina, senza che nemmeno fossi arrivata a tracciare una linea investigativa sicura e ad individuare dei sospetti, non poteva certo considerarsi un risultato encomiabile.

Entrai in un bar, da sola, sentendomi del tutto incapace di rientrare in commissariato. Ordinai una birra. La bevvi a sorsi brevi e decisi. Avevo convocato una riunione nel mio ufficio, ma non potevo presentarmi davanti ai miei agenti con il batticuore e un nodo alla gola. Chiamai il viceispettore. Lui mi rispose con entusiasmo:

– Salve, Petra, possiamo festeggiare! Il giudice Mínguez si è dichiarata ferrea quanto al segreto istruttorio. Quella donna mi piace, è un vero fenomeno.

– Mi fa piacere sentirla così contento. In realtà la sto chiamando per avvertire che tarderò mezz'ora alla riunione.

– Il corpo non è ancora stato identificato?

– No, no, è Delia, su questo non ci sono dubbi. Ma farò tardi perché mi sono fermata un attimo in un bar.

– È venuta l'educatrice?

– No, la direttrice. Per questo mi sono fermata a prendere qualcosa.

– Mio Dio, ma cos'è successo?

– E cosa doveva succedere? Niente. Solo che la colpevole della morte di Delia sono io. Capisce?

– Non avrà mica dato retta a quella pazza?

– Lasci perdere, viceispettore. Non ho bisogno di sostegno psicologico. Se non basta una birra, a tirarmi su, passerò al whisky.

– Benissimo. E se non ce la fa nemmeno con il whisky, mi consideri come ultima risorsa prima del suicidio.

– Ci penserò.

Povero Garzón! Aveva la pazienza di un santo. Dopo anni di convivenza lavorativa non si poteva certo dire che non arrivasse ben preparato al matrimonio. Chissà che genere di marito sarebbe stato. Premuroso e appassionato? Flemmatico e domestico? Un magnifico esemplare, di sicuro, Beatriz non sbagliava. Alcune donne hanno un vero sesto senso nella scelta del marito. Virtù che io non possedevo, per questo avevo smesso da tempo di cercarmi un fidanzato. Adesso avrei fatto bene a rinunciare anche al mio mestiere, visti i risultati. Cominciavo a pensare di non essere fatta per le indagini criminali. Quanta gente doveva ancora morire prima che mi decidessi a dare le dimissioni? Eppure continuavo ad aggrapparmi all'idea che fosse ancora possibile risolvere tutto in tempi brevi. Ma quali elementi potevo dire di avere in mano? Niente, solo morti e fantasmi! I nuovi fatti e i nuovi indizi non facevano che confermare intuizioni precedenti, o chiarivano vicende ormai concluse con la morte dei loro protagonisti. Niente ci spingeva avanti, nessuna nuova luce si accendeva nelle tenebre. Non potevo lasciar passare invano la settimana concessa da Coronas. Per orgoglio, per dignità, per senso della responsabilità. Avrei chiesto rinforzi, se fosse stato il caso. C'era un'altra bam-

bina in pericolo. Quest'idea mi trafisse il cervello. La
pistola era ricomparsa, ma quel gioco di morte poteva
non essere ancora finito. Mi sentii precipitare in un'angoscia vastissima. Stavo per chiamare Marcos, ma mi
trattenni. Cosa stava diventando Marcos Artigas per
me? Un nume tutelare? Come per caso, in quel momento il cellulare suonò. Era forse lui?

– Petra, sei tu?

– E tu chi sei?

– Ricard.

L'avrei volentieri mandato al diavolo. Cosa diavolo
poteva volere Ricard? Che lo aiutassi a recuperare la
sua ragazza perduta? Eppure il tono era diverso, sembrava allegro e brillante.

– Ho pensato che potrebbe farti piacere uscire a cena, una di queste sere, e non per parlare del passato.
Ormai ho deciso di metterci una pietra sopra. Avevo
in mente una cena tranquilla, tanto per chiacchierare
un po'. Forse, dopo la nostra ultima conversazione
non hai più voglia di rivedermi in vita tua, ma non si
sa mai.

Non potevo crederci, stava cercando di riconqui-
starmi. Davvero incredibile, quell'uomo! E io me ne stavo lì, tormentata dai più funesti pensieri, senza riuscire
a spiccicare parola. Non so che cosa mi fece dire, senza pensarci:

– Va bene, accetto. Ti aspetto questa sera alle nove
al Semproniana.

Credo che ne fu stupito perfino lui. Richiamai il viceispettore per pregarlo di rinviare la riunione al gior-

no dopo. Meglio così, pensai, avrei evitato di diffondere il disfattismo fra le truppe.

Il Semproniana è un ristorante che mi è sempre piaciuto. Grande abbastanza da consentire una discreta distanza fra i tavoli, occupa la sede di una vecchia casa editrice. Lì, ogni oggetto – sedie, piatti, bicchieri – è diverso dall'altro. I prezzi non sono astronomici e si mangia bene. Per di più è escluso che fra i clienti possano capitare dei poliziotti.

Ricard arrivò con la stessa aria di sempre. Trasandato e fascinoso. Anche volendo, non riuscivo a detestarlo. Che disastro d'uomo! Come aveva potuto pensare che una ragazza giovane e bella come Yolanda volesse rimanere tutta la vita con lui? Assurdo. Uno psichiatra, che in teoria avrebbe dovuto conoscere i meccanismi che reggono i rapporti umani, poteva capirlo da sé che certe differenze sono incolmabili. Senza contare che si era dimostrato un bell'egoista. Pretendere di cambiare Yolanda secondo i suoi criteri! No, non ci sono titoli universitari che tengano quando si tratta di affrontare la vita con un po' di buon senso. Ogni volta che cerchiamo di applicare a noi stessi quel che abbiamo imparato sui libri, ci ritroviamo come scolaretti esitanti che hanno studiato ma sbagliano il compito in classe. Ricard ne era un esempio lampante.

Decisi però di approfittare della sua scienza medica, e non appena fummo seduti gli dissi:

– Sto malissimo, Ricard. Ho per le mani un caso molto complicato e mi sento terribilmente in colpa per la mia incapacità.

Lui ci rimase di sasso. Forse credeva che la parte delle lamentazioni spettasse a lui in esclusiva.

– Mi dispiace, Petra.

– E, per di più, gli omicidi sono stati commessi con una pistola che mi hanno rubato. Capisci che così il senso di colpa sale alle stelle.

– Yolanda me ne aveva parlato. Posso fare qualcosa per aiutarti?

– Sì, prescrivimi un tranquillante.

– Questo non è un problema.

Tirò fuori dalla tasca il ricettario e si mise a scrivere. Lo osservai in silenzio.

– Ad ogni modo, Petra, tu sai bene che il senso di colpa è un sentimento ridicolo, da combattere.

– Eccome se lo so.

– Tu sei una donna equilibrata, che sa quello che vuole, che riflette sulle cose che fa.

– Forse nella vita privata, perché in quella professionale non faccio che commettere sciocchezze.

– Può darsi. Ma la vita privata e quella professionale non sono la stessa cosa. Finita la giornata di lavoro, bisogna tirar giù la saracinesca e dimenticare i problemi fino al giorno dopo. Di solito in questo sono bravo, è una delle poche cose che so fare. Solo che, come ben sai, i miei problemi sono proprio nella vita privata.

– Ma separando la nostra vita in compartimenti stagni, non permettiamo alle influenze positive di circolare. Se mi va male sul lavoro, per esempio, io cerco di consolarmi nel privato, e viceversa.

– Questa è una falsa impostazione del problema, Petra. La base di tutto è sempre la vita privata. Il lavoro è secondario.

– Non sono sicura che questo mi tranquillizzi.

– La situazione è proprio così tragica?

– Non mi va di far la lagna.

– Tipico di te. Ti lamenti solo per quel che non ti tocca in profondità. Se invece qualcosa ti fa soffrire davvero... silenzio di tomba.

– Stai cercando di psicoanalizzarmi? Dimmelo, così ordino dell'altro vino.

– No, guarda, ci ho già rinunciato. Anche se mi piacerebbe poterlo fare, perché non ti ho mai capita troppo bene. Questo tuo ostinarti a vivere in solitudine... Questo tuo rifiuto di impegnarti in un rapporto stabile...

– Si cambia, sai?

Lui alzò gli occhi dal piatto e li fissò nei miei. Sostenni il suo sguardo, carico di diffidenza, di prudenza e anche di audacia.

– Sei cambiata?

– Mi piacerebbe dirti che le mie idee sono cambiate, e invece non è così. La solitudine non mi sembra più la medicina capace di guarire tutti i mali, ma solo perché ora mi sento più debole. Sono sempre convinta che l'ideale sia saper stare da soli, saper gestire la propria vita, senza caricare gli altri dei nostri fardelli, né prendere in spalla i fardelli altrui, eppure...

– Quella che tu chiami debolezza non è che la condizione naturale dell'essere umano. Siamo vulnerabili, Petra. Abbiamo tutti bisogno di legami, ossia di amici, di amanti, di... quello che vuoi.

Mi guardava in modo così speranzoso che quel gioco rischiava di farsi crudele. Il mio volto assunse un'espressione assolutamente seria.

– Mi sposo, Ricard.

La sua sorpresa fu tale che scoppiò in una risata senza senso.

– Tu?

– Sì, io.

– Scusa, è che mi hai messo... fuori combattimento.

– Non era mia intenzione.

– Certo, però... E con chi ti sposi, se non sono indiscreto?

– Con un uomo che ha già divorziato due volte, come me, con quattro figli.

– Petra!

– Ti sembra così terribile?

– No, ma insomma, devo dire che... Sei proprio sicura?

– Sicura come lo si può essere in queste circostanze. Il matrimonio continua a non piacermi troppo, ma non posso arrendermi alle idee preconcette.

– Preconcette? Sei già stata sposata due volte!

– Questa sarà la terza. In fondo Hemingway si è sposato quattro volte, e Liz Taylor... Be', su Liz Taylor ho perso il conto.

– È un poliziotto anche lui?

– No, un architetto.

– Sta' attenta, Petra. Forse lo stress emotivo cui ti

sottopongono le indagini ti spinge a prendere una decisione che...

– L'hai detto tu un momento fa, che sono una persona equilibrata, che so quello che voglio. E poi, non sto prendendo una decisione, l'ho già presa.

Non gli restò altro da fare che congratularsi con me. E anch'io mi congratulai con me stessa. Quella sarebbe stata l'ultima cena con Ricard. D'ora in poi sarebbe andato a cercarsi qualcun'altra per propinarle la sua teoria sulla necessità dei rapporti stabili.

Infatti perse ogni interesse a continuare la conversazione. Sembrava un uomo che ha appena ricevuto una gran botta in testa, ma per me la serata non era ancora finita.

– Si chiama Marcos.

– Chi?

– Il mio futuro marito, si chiama Marcos.

– Ah!

– E mi piace molto. È un uomo forte, sereno, che non si lascia travolgere dalle circostanze, nemmeno nei momenti difficili.

– Bene.

– È colto, sicuro di sé, educato e cortese. Anche un po' distratto, quel tanto che basta per essere sexy. Ed è un bell'uomo. Forse questo non dovrebbe avere importanza, ma per me ne ha. Mi piacciono i begli uomini, cosa ci posso fare. E poi è... Be', perché entrare in particolari? Per la prima volta non sto pensando solo all'amore, ma a vivere accanto a un uomo adatto a me, la cui compagnia mi sia di giovamento. Il suo carattere mi fa bene, ne sono convinta.

Alzai gli occhi. La faccia di Ricard era una maschera.

– E tu, gli fai bene?

– Mi sembra ovvio, dal momento che mi ha chiesto di sposarlo.

– È vero, a partire da una certa età bisogna domandarsi se una persona ci fa bene, prima di avviare una relazione.

– È un buon consiglio, ne terrò conto.

– Mi stai prendendo in giro.

– Per nulla. I consigli di uno psichiatra sono sempre utili.

Assunse un'aria abbattuta. Sospirò per dimostrarmi fino a che punto era disposto a essere paziente e magnanimo con me.

– E va bene, Petra. Cosa posso dirti? Davvero, ti auguro di essere felice. Mi rimarrà sempre l'impressione di essere stato sfiorato da qualcosa di importante, che però non ho saputo o non ho voluto trattenere.

– Questo sembra un addio in piena regola! E invece noi ci rivedremo, ci telefoneremo, ci racconteremo le nostre vite.

– Sì, certo, ogni tanto prenderemo un caffè insieme.

Nell'andar via, ciascuno per la sua strada, sapevamo benissimo che non avremmo mai preso nessun caffè. Escluso. Non avevamo più niente da dirci. Succede: due persone si conoscono, si piacciono, vanno a letto insieme, cenano insieme… e a un certo punto sanno che non si rivedranno mai più, ma questa certezza li lascia del tutto indifferenti. Che grande errore! Bisognerebbe sempre essere riconoscenti di un passato condiviso, che sia di sesso, di amicizia o di amore, bisognerebbe rimanere sempre in contatto con chi ci è stato accanto nella vita, sia pure per poco. Questo ci darebbe la certezza che il tempo non rovina ogni cosa, e servirebbe a ricordarci che abbiamo vissuto. Ma avevano senso simili pensieri dopo che io stessa avevo fatto di tutto per allontanare Ricard dalla mia vita? Ero giunta al punto di spargli la frottola colossale che stavo per sposarmi. Sì, davvero deplorevole, ma prudente. Ricard lanciato alla riconquista poteva essere peggio del Cid Campeador.

Arrivai a casa, mi versai un whisky ed entrai nella vasca da bagno, non prima di aver rovesciato nell'acqua mezzo flacone di sali alla lavanda. Agitai il ghiaccio nel bicchiere. Chiusi gli occhi per favorire l'illusione di trovarmi in aperta campagna, ma il profumo era troppo intenso per essere naturale, e il tintinnio dei cubetti non somigliava affatto ai campanacci delle mucche. Il trucco non funzionò. Fino a che punto era falso quel che avevo raccontato a Ricard? Avevo mentito soltanto sul matrimonio, o anche sulle virtù del presunto fidanzato? Marcos era davvero meraviglioso come l'avevo dipinto? Probabilmente sì. E a dir la verità non avevo mentito neppure sulla proposta matrimoniale, perché lui la mia mano l'aveva chiesta. Ingoiai tutto il whisky di colpo, uscii dall'acqua e mi misi l'accappatoio. Andai al telefono lasciandomi dietro una scia di gocce profumate. Che ora era? L'una del mattino. Perfetto, l'ora più sbagliata per una telefonata ancora più sbagliata.

– Marcos, stavi dormendo?

– No, stavo leggendo. E tu?

– Io ero nella vasca da bagno.

– Ah!

– Però ne sono uscita per chiamarti.

– Bene.

– Marcos, voglio farti una domanda.

– Forza.

– Te la sentiresti di chiedere di nuovo la mia mano? Non rispondere subito, pensaci.

Ci fu un momento di silenzio prima che Marcos mi dicesse, in tono tranquillo e normale:

– Bene, d'accordo, ci penserò.

– Fantastico, buonanotte.

– Buonanotte, Petra. Dormi bene.

Tornai nell'acqua tinta d'azzurro, ancora calda. Mi immersi soddisfatta. Marcos era davvero un uomo eccezionale. Gli facevi una domanda, soltanto teorica, e per quanto allarmante potesse sembrargli ti rispondeva in tono civile, senza alzare la voce. Non era isterico, non si agitava, non si abbassava a puntualizzazioni inutili. Mi sentivo rilassata e felice, e affondai il mento in quel concentrato di lavanda. Allora il telefono suonò. Rimisi l'accappatoio e tornai nel soggiorno.

– Petra, eri già a letto?

– Non ancora, ero tornata nella vasca. E tu?

– Nemmeno io dormivo, perché stavo pensando.

– Già.

– Mi piacerebbe farti una domanda.

– Ti ascolto.

– Vuoi sposarmi? Non devi rispondermi adesso, puoi pensarci anche tu.

– Non voglio pensarci.

– Perché?

– Perché se devo uscire di nuovo dalla vasca da bagno per dirti che cosa ho pensato mi verrà il raffreddore.

– Capisco. E questo significa...

– Significa che sposarsi sarebbe un'ottima idea. Soprattutto perché ti voglio bene.

– Anch'io ti voglio molto bene.

– Allora...

– Allora non tornare nella vasca, e non rivestirti. Arrivo.

– È un po' tardi, ma credo che ti aprirò lo stesso.

– Date le circostanze, sarà meglio che tu mi apra.

E fu così, in quel modo semplice e pratico, che il mio nuovo futuro si decise. Quando aprii la porta e vidi Marcos davanti a me, capii che non stavamo commettendo un errore. Non parlammo, e questo fu meraviglioso. Perché parlare? Ne avremmo avuto il tempo più avanti. Quella notte, no. Guardarci e fare l'amore era abbastanza. Poi mi sentii invadere da un enorme senso di pace. Accettare una proposta di matrimonio è molto più tranquillizzante di un bagno ai sali di lavanda, questa è una cosa che posso assicurare perché l'ho sperimentata.

Il solo inconveniente di quella bellissima notte fu il suono della sveglia alle sette, dopo pochi minuti di sonno. Dovevo correre in commissariato, che fossi o no una donna promessa in matrimonio.

Trovai Garzón già lì ad aspettarmi, con Yolanda e Sonia. Non era il momento di annunciare le mie novità sentimentali, l'avrei fatto una volta chiuso il caso. Dallo sguardo tranquillo con cui mi accolsero tutti e tre capii che avevo fatto bene a rinviare la riunione, se non altro dal punto di vista psicologico. L'esito dell'esame del capello trovato sul corpo della piccola era arrivato. Ma mi bastò il loro atteggiamento per capire che non potevo aspettarmi novità determinanti. Garzón lesse le poche righe del referto in tono neutro.

– Non abbiamo avuto molta fortuna – esordì. Lo ascoltai senza battere ciglio. Purtroppo il capello non era completo, mancava il bulbo, e questo rende impossibile un test del DNA. Non era rovinato, quindi non doveva essersi staccato durante una colluttazione. Era di colore castano, molto normale. Le prove tossicologiche rivelavano che negli ultimi giorni il soggetto aveva assunto farmaci ansiolitici.

– Cosa ne pensa, ispettore? – mi domandò Garzón.

– Che cosa vuole che ne pensi? Male, molto male. L'unico dato di rilievo è quello dell'esame tossicologico, ma sapete bene quanta gente prende ansiolitici in questo paese. Ormai si vendono come l'acqua minerale. Decisamente, la fortuna non è dalla nostra parte. Non lo è mai stata in queste disgraziate indagini. Per questo, cari signori, vi comunico la mia intenzione di non arrivare al termine concesso dal commissario. Anzi, ho deciso di non aspettare nemmeno l'affiancamento che ci verrà offerto.

– E allora? – domandò Garzón un po' allarmato.

– E allora vi comunico che do le mie dimissioni. Se avete intenzione di continuare a occuparvi del caso sotto la direzione di un nuovo ispettore, siete liberi di esporla a Coronas.

Yolanda contrasse la faccia come se avesse ricevuto un ceffone.

– Ma ispettore, non è possibile!

Mi voltai verso di lei con furia:

– E perché no? Credete forse che io sia una specie di Luigi XIV della polizia: *La police c'est moi*?

Yolanda non capiva, ma non si lasciò intimidire dalla mia furia.

– Abbiamo già scoperto molte cose, non può andarsene proprio adesso. Nessuno ne sa quanto lei su questa storia.

– Vuoi che ti dica quello che so, Yolanda? Un bel fico secco di niente, ecco quello che so! Chiunque potrebbe cavarsela meglio di me in queste indagini, perché almeno lavorerebbe senza pregiudizi, e senza portarsi dietro tutte le delusioni che mi porto dietro io.

Con mia sorpresa, intervenne Sonia:

– Ma, ispettore, lei dice sempre che bisogna tenere duro e arrivare fino in fondo senza mai scoraggiarsi.

La guardai con una rabbia feroce, come un leone morso da uno scoiattolo.

– Vuoi dirmi cosa cazzo significa questo luogo comune da telefilm americano che io non mi sono mai sognata di ripetere?

Il terrore si dipinse sul volto della povera ragazza, che fece un passo indietro e si nascose dietro la collega. Che cosa temeva che facessi, che la picchiassi?

Quella stupida aveva il potere di mandarmi fuori dai gangheri con le sue buone intenzioni. Inspirai profondamente e poi dissi:

– Adesso me ne vado alla Jarra de Oro a prendere un caffè. Vi pregherei, se non ci sono motivi più che validi, di non venire a disturbarmi nella prossima mezz'ora. Intesi?

Garzón, da vecchio marinaio che conosce i rigori della tempesta, non aprì bocca. Yolanda era indignata per l'evidente ingiustizia, quanto a Sonia... Sonia non volli nemmeno guardarla. Uscii sbattendo la porta e attraversai la strada. Alla Jarra, mi sedetti a un tavolo in disparte e ordinai un caffè doppio. Bene, c'ero riuscita, la sfera del lavoro e quella della vita privata erano nettamente separate, ormai. Un momento prima, a casa mia, tutto era rose e fiori, ma appena messo piede in commissariato tornavo a sentirmi una belva. In fondo era un successo, o no? Dovevo dare le dimissioni, decisamente. Avrei detto a Coronas che abbandonavo le indagini senza esaurire il periodo di grazia. Perché continuare? Tutte le mie strategie erano fallite, tutti i miei tentativi erano andati a scontrarsi contro un muro, e continuavano a comparire nuovi morti. Ma adesso basta. Intestardirsi può solo portare al disastro. Mi conveniva senz'altro riconoscere che quel compito era troppo per me. Non ero il massimo come detective. E anche se lo fossi stata, può sempre capitare di fallire a un certo momento, e quello era il mio momento, non era il caso di insistere. L'accettazione dei limiti era un'idea che mi tranquillizzava. Il mondo non era finito, dovevo solo ammettere sportivamente le mie debolezze, mettere da parte l'orgoglio e la mia intollerabile superbia. Un po' di umiltà mi avrebbe fatto bene. Ordinai anche un croissant, per smaltire il malumore mangiando, ma proprio quando stavo per dare il primo morso, quello che vidi attraverso i vetri mi lasciò sbalordita, muta per lo stupore. Dal commissariato, Sonia si dirigeva correndo verso il bar. Non potevo crederci. Guardai l'orologio, erano passati appena dodici minuti dalla mia turbinosa uscita. La ragazza veniva inequivocabilmente verso di me. Contai fino a dieci. A cinque passi dal mio tavolo, l'agente si fermò. Non osava avvicinarsi. Cominciò a parlare da lì, ma il sovrapporsi del vociare degli avventori, del suono della macchinetta mangiasoldi, delle grida dei camerieri dietro il banco, dello sbattere dei piattini e delle tazze nel cesto della lavastoviglie, mi impedì di capire una parola di quel che stava dicendo. Per evitare che tirasse fuori qualcosa di confidenziale, lì in mezzo alla gente, le dissi, fuori di me:

– Vuoi farmi il favore di avvicinarti?

Sonia, sull'orlo del pianto, trattenuto solo per la paura, mi obbedì. E finalmente riuscii a sentire cosa diceva.

– Io non volevo venire, è stato il viceispettore a ordinarmelo, ma c'è un buon motivo, ispettore Petra, un buon motivo.

Sentendomi chiamare ancora una volta «ispettore Petra» capii che l'unica cosa da fare era calmarmi, altrimenti l'avrei ammazzata sul posto.

Eppure il motivo c'era, e sacrosanto. Mi venne esposto dal viceispettore, che mi aveva mandato la povera Sonia solo per darle l'opportunità di fare bella figura. Il giudice Leonardo Coscuella aveva deciso di riaprire le indagini sul caso della Teixonera. Expósito sarebbe stato accusato di omicidio. Garzón era esultante.

– Proprio quello che voleva, no?

– Infatti.

– Le pare così importante, ispettore?

– Cruciale. Adesso ho un'arma da puntare alla gola di quel maledetto bastardo.

Attesi tre giorni, che mi parvero tre anni, tre lustri, tre decenni. Il tempo sufficiente perché Expósito fosse informato della nuova situazione e avesse la possibilità di parlarne con il suo avvocato, che naturalmente gli consigliò di vuotare il sacco.

Il quarto giorno mi preparai per una nuova visita al carcere di Can Brians. Garzón mi guardava preoccupato mentre infilavo i documenti nella borsa.

– Mi permetta almeno di accompagnarla.

– No. Quel tizio l'ho sempre affrontato da sola. Qualcosa funziona fra me e lui.

– Posso portarla in auto fin lì e aspettare che finisca. Le ragazze continuano a cercare la bambina in giro per le strade e io non ho molto da fare.

– E va bene, come vuole.

Rimanemmo in silenzio per tutta la strada. Sarebbe stata la terza volta che parlavo con Expósito. Le prime due non ero riuscita a ricavarne molto, ma ora sarebbe stato diverso, ne ero convinta. Era più che un'intuizione. Garzón non era altrettanto tranquillo, per questo taceva.

Fermata l'auto davanti al carcere, sospirò.

– Ispettore, speriamo in bene. Coraggio, colpisca duro.

Accennai un sorriso. Prima di richiudere la portiera, dissi:

– A proposito, Fermín, mi sono dimenticata di annunciarle che anch'io mi sposo.

– Lei è diabolica, ispettore. A nessuno verrebbe in mente di scherzare in un momento simile.

Alzai le spalle. Ormai la mia reputazione smentiva qualunque discorso serio. Mi avviai cercando di sentirmi calma.

Expósito, con mia sorpresa, si presentò da solo, senza avvocato. Dal suo volto canagliesco era scomparso il sorriso di superiorità con cui mi aveva accolta le altre volte. Vederlo serio, un po' stanco, mi riempì di speranza.

– E brava, maestrina. Mi hai fatto proprio un bel servizio.

– Non c'è il suo avvocato?

– Non ce n'era bisogno. Devi metterti in testa che tutto quel che ti dico è la verità e che non ho nessun bisogno di essere protetto. Io non ho ammazzato nessuno. Voglio che tu lo sappia subito. Domani mattina mi presento davanti al giudice e gli racconto la stessa cosa. Non mi serve un avvocato.

– E crede che il giudice le darà retta? Lei è già stato condannato per traffico di pornografia minorile e sfruttamento della prostituzione.

– Guardi, io posso anche aver venduto foto zozze di bambini, posso aver mandato a battere delle ragazze, ma ammazzare, quello non l'ho mai fatto. Ci manca solo che mi condannino per qualcosa che non ho fatto, adesso.

Avvertii nella sua voce una nota di disperazione, forse perfino di paura. Provai a cambiare strategia, era possibile che non stesse mentendo. Rischiavo di commettere un errore enorme, ma dovevo provarci. Aprii la cartella e tirai fuori il libro che avevo portato per l'occasione: *Antologia dei più bei versi della poesia spagnola*. Lo posai sul tavolo. Era un oggetto strano in quel luogo spoglio e gelido. Expósito lo osservò con perplessità.

– Che roba è? – chiese.

– Un libro.

– Questo lo vedo.

– È un regalo. Ho pensato che, in fondo, lei non è così rozzo. Magari le piace. Ascolti, gliene leggo un brano. Gli lessi un breve frammento di Antonio Machado:

Con timbro vuoto e sonoro
tuona il maestro, un vecchio
mal vestito, asciutto e secco,
che regge un libro nella mano.
E tutto il coro infantile
va cantando la lezione:
mille per cento, centomila;
*mille per mille, un milione.**

---

* «Con timbre sonoro y hueco / truena el maesto, un anciano / mal vestido, enjuto y seco, / que lleva un libro en la mano. / Y todo el coro infantil / va candando la lección: / mil veces ciento, cien mil; / mil veces mil, un millón».

E poi «Amor costante al di là della morte» di Quevedo:

Un'anima che ha avuto un dio per carcere,
vene che a tanto fuoco han dato umore,
midollo che è gloriosamente arso,

il corpo lasceranno, non l'ardore;
anche in cenere, avranno un sentimento;
saran terra, ma terra innamorata. *

Lui rimase in silenzio, immobile come un bambino che
ascolta raccontare una fiaba. Mi parve che al termine della lettura, mentre la mia voce echeggiava ancora fra
quelle pareti spoglie, gli si inumidissero gli occhi. Lo spavento l'aveva reso facile preda dell'emozione estetica.
«Anche gli scarafaggi hanno un'anima» pensai.

– Bello, non le pare?

– Ispettore, io non ho ammazzato nessuno, e non ho
fatto ammazzare nessuno, glielo giuro. Il mio avvocato
dice che non sarà difficile provarlo, ma voglio che lei ci
creda perché gliel'ho detto io, che lei ne sia sicura.

– Se riusciamo a pescare chi ha ucciso sarà più facile arrivare alla verità. Chi era il rumeno? Su, vuoti il
sacco. Non si rende conto che tacere, a questo punto,
può solo danneggiarla?

Lui si passò le mani sulla faccia, sospirò:

– Lavorava per me, con le ragazze. Le faceva venire

* «Alma a quien todo un dios prisión ha sido, / venas que humor a tanto fuego han dado, / médulas que han gloriosamente ardido: // su cuerpo
dejará no su cuidado; / serán ceniza, mas tendrá sentido; / polvo serán, mas
polvo enamorado».

dal suo paese. Era un bel tipo, educato, le impapocchia-
va bene. Una volta che erano qui, le facevamo lavorare
per noi, almeno finché non si erano ripagate il viaggio.
Ma un giorno una ha alzato la cresta, lui ha voluto darle una lezione, gli è scappata la mano e l'ha ammazzata.
Mi ha detto che era stato un incidente, che non si sarebbe
ripetuto. Io non mi fidavo, e non l'ho più fatto lavorare
con le ragazze, l'ho messo nella storia delle foto. Quando ci hanno beccati, lui è rimasto fuori, perché era pulito e in regola, era entrato legalmente nel paese. A me,
poi, non interessava che lo prendessero. Aveva ammazzato la ragazza, e c'era il rischio che la colpa la dessero
a me, come sta capitando adesso.

– Mi dica come si chiamava.

– Guiorgui Andrase. Ma nei suoi archivi non lo troverà. Era pulito, come le ho detto.

– C'è altro?

– Nient'altro.

– E lui cos'ha fatto dopo? Come si guadagnava da
vivere?

– Io ero in galera, ispettore, mi dica lei come cazzo
faccio a saperlo.

– Per sentito dire.

– Ho saputo solo che l'hanno ammazzato, ma chi è
stato, non lo so. Può averlo fatto chiunque, quello era
uno stronzo.

Annuii più volte, guardandolo seria.

– Spero che lei non abbia mentito e non abbia tenuto
niente per sé, lo spero per il suo bene.

– Il mio bene non interessa a nessuno.

– Nemmeno a lei?

– Devo essere l'unico.

– Lei mi fa piangere, Expósito.

– Pianga pure, se vuole, sono un disgraziato.

Mi alzai e mi incamminai in silenzio verso la porta.

– Maestrina, il suo libro.

– Le ho detto che era un regalo, lo tenga.

– E perché?

– A dir la verità non lo so.

Evitai di guardarlo in faccia. Mi nauseava.

– Grazie – mormorò. – È il primo libro che mi regalano in vita mia.

Non gli risposi né lo salutai. Uscii a passo deciso, perché non pensasse che lo compativo.

Garzón mi aspettava in macchina, con la faccia di uno che si è appena fatto un sonnellino.

– Andiamo all'ufficio immigrazione.

– Bene. Ha saputo qualcosa?

– Il morto fantasma ha un nome, adesso. Si chiamava Guiorgui Andrase. Era entrato in Spagna legalmente e non è mai stato fermato. Lavorava per Expósito. Ha ucciso lui la madre di Delia. Secondo il nostro amico, è stato un incidente, doveva essere solo un pestaggio, solo che il rumeno ha esagerato. Expósito non voleva altri casini, e così l'ha tolto dalla prostituzione e l'ha messo a lavorare con le foto dei minori.

– Crede che abbia detto la verità?

– Sì.

– E come fa a esserne sicura?

– Ha un cappio al collo, quell'uomo. Un'accusa di omicidio. Il suo avvocato ha perfino accettato di non assistere al colloquio. D'altra parte io gli ho dato la spinta decisiva.

– Si può sapere cos'ha combinato?

– Gli ho regalato un libro di poesie, e gli ho letto qualche verso. Machado e Quevedo, per essere precisi.

– Porca vacca! E allora?

– Si è commosso e si è fatto pena da solo.

– Puttana la miseria!

– Deve proprio essere così volgare, Garzón?

– Lei non smette mai di stupirmi, ispettore.

– Per questo cerco di superare me stessa.

– Be', stavolta ha battuto tutti i record.

– Vedrà che adesso li batto di nuovo.

– E come?

– Dicendole la verità.

– Quale verità?

– Quella che prima non ha voluto ascoltare.

– Non capisco...

– Mi sposo, Fermín. È proprio vero. Che ne dice? L'ho battuto o no, il record?

12

Garzón prese malissimo l'annuncio delle mie nozze. Pensava che, prima di giungere a quella decisione, gli avessi nascosto tutto il mio travaglio interiore. Non era facile persuaderlo che non c'era stato travaglio, e che, a dir la verità, non c'era stata nemmeno decisione.

– È stato molto strano, viceispettore. Come se l'idea si fosse formata dentro di me senza che lo sapessi, come se fossi stata rapita dall'idea di sposarmi.

– Non capisco.

– Nemmeno io, ma ormai sono sicura.

– Davvero?

– Certo, sicurissima. All'inizio pensavo di essermi lasciata condizionare dal clima di queste indagini. Tanta sordidezza, tanto orrore… Come se un amore sincero e tranquillo potesse placare le mie emozioni. Poi mi sono accorta che quel che stavo vivendo sul lavoro era servito solo per farmi riflettere.

– Riflettere su cosa?

– Sul fatto che il desiderio di stare soli nasconde la paura.

– Tutti abbiamo paura, celibi o accasati.

– Sì, ma il nostro mestiere ci porta a scoprire il peggio dell'essere umano. Non che io voglia essere aiutata a reggerne il peso, Fermín, sarebbe troppo egoistico, ma è bene che qualcuno mi permetta di vedere il mondo in positivo.

– E quell'uomo ne è capace?

– Ci può scommettere. Marcos è ottimista, tranquillo, privo di complessi. Ha una tendenza naturale alla felicità.

Mi guardò come se per capire una cosa così semplice fosse necessario lo sforzo di una mente superiore. Corrugò la fronte con concentrazione da filosofo.

– E questo significa che si sposa per amore?

– Certamente! Solo che lascio entrare la razionalità nell'amore. Ormai ho l'età per farlo, non le pare?

– Quindi ritiene che la sua vita accanto a quell'uomo sarà migliore di quella che vive ora?

– Esatto! Questa mi sembra una buona sintesi. Certamente anche per lei sarà così.

– Per me? Si sbaglia. Sono convinto invece che la mia vita peggiorerà. Come potrei star meglio di come sto ora, libero e con una donna che mi piace? Quando sarò sposato sarò solo un marito.

– Questo è un pregiudizio maschilista, Garzón, e una cattiva reminiscenza del suo passato coniugale. Ma se ci pensa bene…

– Ci ho già pensato, ed è così. Il fatto è che non voglio rischiare di perdere Beatriz. Ci tengo molto.

– Una serena vita in comune offre molti vantaggi.

– Lei crede?

– Io lo spero.

– Anch'io.

– Ci conviene.

– Sì.

Ci guardammo negli occhi e la nostra serietà si sciolse in una risata. Garzón mi allungò la sua mano robusta.

– Le auguro molta felicità, ispettore.

– Era ora!

– Ma sia messo agli atti che la sua riservatezza mi ha fatto soffrire. Credevo avesse più fiducia in me.

– Per dimostrarle che si sbaglia, le chiederò un favore.

– Quale?

– Che mi faccia da testimone di nozze.

– Ne sono onorato. Ma adesso, parliamoci chiaro, Petra. Spero che quel tizio non interferisca con le nostre abitudini. Non mi va che la sera lei debba correre subito a casa senza prendere il bicchiere della staffa, che dobbiamo rinunciare alle nostre cene improvvisate, che non possiamo dimenticarci degli orari finché dura l'ispirazione; insomma, non voglio che perdiamo tutte le cose che rendono piacevole il lavoro insieme.

– Se io vedessi la minima possibilità, mi creda, Garzón, la minima possibilità di perdere tutto questo, può stare sicuro che non mi sposerei.

A quelle parole, lui si mostrò soddisfatto, anche se di sicuro pensava fossi pazza. Ma non potevo certo rimproverarglielo. Anch'io, se solo mi fossi fermata un attimo a riflettere, avrei dovuto riconoscere che un terzo matrimonio alla mia età, e con i miei precedenti, era un'impresa temeraria.

Guiorgui Andrase figurava nei registri dell'ufficio immigrazione. Era arrivato in Spagna con un contratto di lavoro presso un'impresa catalana, una catena di grandi magazzini che vendeva articoli per il fai da te e il giardinaggio. Aveva lavorato in un centro commerciale di Cornellà, poco fuori Barcellona. Ogni altra notizia su di lui avrebbe richiesto un lavoro sul campo.

Mentre le nostre «ragazze», così le chiamava Garzón, continuavano a cercare infruttuosamente la bambina scomparsa, ci lanciammo sulle tracce del rumeno.

Il centro commerciale di Cornellà era enorme, una specie di piccola città satellite. Pareva che vi si potesse trovare qualunque cosa: dalla più minuscola vite al capanno da giardino. Ne ero sbalordita. Garzón commentò:

– Di sicuro lei non ha mai messo piede in un posto come questo.

– No di certo. Perché, lei sì?

Lui sorrise.

– Io, ispettore, sono sempre stato un uomo dedito alla casa. So fare tutto con le mie mani.

– Non l'avrei mai creduto! Lo vede? È un marito ideale.

– Non cominciamo. Le interessa qualcosa?

– Sì, vedere il direttore.

Parlammo con il capo di quel bazar, un uomo maturo che si dimostrò molto disponibile a collaborare.

Non appena seppe il motivo della nostra visita, ci tenne a dichiarare:

– Devo dire subito una cosa. Noi assumiamo molti rumeni, e tutti lavorano onestamente. Posso assicurarvi che sono fra i nostri dipendenti più fidati.

– Ne siamo certi.

– Se qualcuno ha preso una brutta strada, per me costituisce un'eccezione. Purtroppo, in Spagna, quando un immigrato sbaglia, finiscono per pagare tutti gli altri. E questo non è giusto.

– Ha perfettamente ragione. Ci dica solo se ricorda quest'uomo.

– Per la verità no, ma possiamo verificare. Venite con me.

Ci portò in un piccolo ufficio del tutto privo di comfort, quasi interamente occupato da una scrivania. Gli scrissi il nome su un foglietto. Lui batté sulla tastiera. Ci guardò con il sorriso soddisfatto di chi ancora trasecola per i progressi dell'informatica.

– Eccolo qui. Reparto falegnameria. È rimasto da noi per più di un anno. Adesso che ci penso mi pare di ricordarmelo: un tipo alto, ben piantato.

– Possiamo parlare con qualcuno che sia stato suo collega?

– Venite, vi accompagno.

Negli ultimi tempi il personale del reparto era cambiato, eppure il responsabile ricordava bene Andrase. L'aveva destinato alla segheria. Un lavoro semplice: si trattava di tagliare le tavole secondo le misure richieste dai clienti. Lo riteneva un buon lavoratore.

– Un ragazzo sveglio, se la cavava bene. Ha imparato subito lo spagnolo e aveva buona memoria. Qui capita di sbagliare, ma lui era molto attento. Dopo qualche mese, però, è stato spostato. Con la presenza che aveva, la direzione ha deciso di metterlo a contatto col pubblico, ora che sapeva la lingua.

– E dove l'hanno mandato?

– Al reparto giardinaggio. Ma non c'è rimasto per molto. Ha dato le dimissioni dopo un paio di mesi, dicendo che aveva trovato un lavoro da giardiniere. Non me ne sono stupito, era un ragazzo che sapeva il fatto suo. Sveglio, come le ho detto.

Sveglio, sì. Ci aveva messo poco a trovarsi un'attività che non gli imponesse un orario di otto ore, né una ridicola tuta rossa col berrettino, e che gli avrebbe reso molto di più di uno stipendio da commesso. I miei pensieri non dovevano essere troppo originali, perché Garzón li indovinò:

– Ha preferito che fossero gli altri a lavorare per lui, lo stronzo. Certo, faticare non piace a nessuno.

Lasciai vagare la mente, sperando di pensare qualcosa di più originale. Ma subito dopo mi sentii domandare:

– Crede che troveremo qualcuno all'indirizzo che ci hanno dato?

– Credo di no.

– Anch'io.

– La vuole smettere di pensare quello che penso io? – gli dissi, perfettamente seria.

Lui mi gettò uno sguardo torvo, e rimase in silenzio. Ma dopo un minuto riprese il giochetto.

– Adesso sto pensando una cosa che di sicuro lei non sta pensando.

– E cioè?

– Che il suo futuro marito dev'essere un santo.

– Oh no! Di nuovo con la storia del matrimonio?

– Cosa credeva, che lanciare frecciatine sui futuri sposi fosse un diritto riservato a lei? Quando uno decide di sposarsi, si apre la stagione di caccia.

– Se l'avessi saputo, non le avrei detto niente.

Rise sotto i baffi. Ecco com'eravamo ridotti: ingannavamo l'ansia e la paura a forza di bambinate. Ma un poliziotto che non fa di queste cose non può dirsi un vero poliziotto.

L'appartamento dove aveva vissuto Andrase era in una viuzza nei pressi del mercato del Borne. Garzón si offrì di salire lui a domandare, cosa di cui gli fui grata. Così la mia mente avrebbe avuto il tempo di vagare sola, anche senza scalare nessuna vetta memorabile. Tornai a pensare al rumeno. Era davvero un buon lavoratore stanco di una vita grama che aveva «preso una brutta strada», per usare le parole del suo capo; o aveva sempre avuto tendenze criminali? Aveva coltivato fin da piccolo il gusto per una bella vita che non poteva permettersi, o semplicemente si era stufato di portare una tuta rossa?

Pochi minuti dopo, Garzón rientrò in macchina e sedette al volante con uno sbuffo:

– Come pensavamo. Sparito da mesi. La vicina se lo ricorda perfettamente, dice le solite cose che si dicono in questi casi: un ragazzo simpatico, educato, normale in tutto. Non riceveva visite e non faceva niente di sospetto. Le aveva perfino regalato dei bulbi da piantare sul balcone.

Balzai immediatamente fuori dalla macchina. Il viceispettore mi guardò attraverso il parabrezza come se avessi perso la ragione.

– Si può sapere dove va?

– A parlare con quella vicina.

– Perché?

Non gli risposi. Feci i gradini a due a due senza aspettare l'ascensore. Garzón mi rincorreva sapendo che era inutile cercare di farmi cambiare idea. Quando la vicina aprì la porta, senza nemmeno salutare, le ordinai:

– Mi faccia vedere quei bulbi.

Per la seconda volta in pochi minuti qualcuno ebbe dei dubbi sulla mia salute mentale. Garzón cercò di tranquillizzare la signora specificando:

– È per le indagini.

– Dovrebbero essere già fioriti, ma sono spuntate solo le foglie.

– Che fiori sono?

– Tulipani azzurri, meravigliosi. L'anno scorso sono venuti molto bene. Guiorgui mi aveva spiegato come fare. Era espertissimo, faceva il giardiniere...

– Le aveva mai detto dove lavorasse?

Scosse la testa, cominciava a spaventarsi.

– Quando glieli ha dati?

Ora parlava con un filo di voce, con lo sguardo rivolto a un viceispettore stupefatto quanto lei.

– Poco prima di andarsene. Mi ha detto che li aveva piantati in un giardino e che gliene era avanzato qualcuno. Per questo li ho accettati.

– Ne tiri fuori uno. Ci serve come prova.

– Come?

– Lo tiri fuori dal vaso!

Ci fece entrare. Scomparve un attimo in cucina e tornò armata di un cucchiaio. Poi aprì la finestra del balcone e scavò nella terra di un vaso. Ne venne fuori un bulbo marroncino. Lo raccolse con cautela e me lo porse, come se fosse un animaletto.

– C'è qualche pericolo? Potrebbe contenere droga o qualcosa del genere?

– No. Ci serve come prova indiziaria. Non deve preoccuparsi.

– Quel ragazzo ha combinato qualcosa, vero?

– Lei non ha niente da temere. Quel ragazzo è morto.

Una volta tornati in macchina, Garzón si accorse che non gli rivolgevo la parola.

– Ispettore, non merito una spiegazione?

– Mi scusi, Fermín, sono troppo concentrata. Poi le spiego.

Parcheggiammo nel giardino del centro El Roure. I tulipani azzurri ci diedero il benvenuto.

– Non capisco…

– Adesso no, la prego. Se non le dispiace preferisco entrare da sola. Chiami Yolanda e Sonia, le faccia venire subito qui, con un'auto di pattuglia, e avverta anche il giudice.

– È sicura che non vuole essere accompagnata?

– Sicurissima. Dica che facciano in fretta.

La signorina alla reception mi riconobbe subito.

– Con chi desidera parlare?

– Non c'è bisogno che mi accompagni, conosco la strada.

– Ehi, senta, non può entrare così!

Mi era venuta dietro. Mi voltai, la bloccai.

– Vuole che la arresti?

Rimase lì dov'era. Proseguii lungo il corridoio. Arrivai all'ufficio della direttrice e spalancai la porta. Pepita Loredano era seduta alla scrivania, lavorava al computer. Alzò gli occhi e mi domandò serafica:

– Desidera qualcosa, ispettore?

– Dove ha messo la bambina?

Non si mostrò sorpresa. Sorrise con sarcasmo.

– Qui ci sono molte bambine, come lei sa.

– Mi riferisco a Rosa Popescu. Non complichi le cose, glielo sto dicendo per il suo bene. Lei è in arresto. Il gioco è finito.

– In arresto? E per cosa?

– Per l'assassinio di Guiorgui Andrase, di Marta Popescu e di Delia Cossu. E forse anche della piccola Rosa Popescu, se non la tiene nascosta da qualche parte. E per detenzione illecita di armi.

– E io avrei ucciso tutta questa gente? Ma lei è pazza!

– Glielo ripeto: non complichi le cose. È finita, capisce? Ormai è in trappola. Voglio che mi porti i contratti di tutti i giardinieri che hanno lavorato qui. Non mancherà quello di Guiorgui Andrase. E se lavorava in nero, fa lo stesso. Avremo la testimonianza dei di-

pendenti del centro. Basterà accusarli di favoreggia-
mento e loro parleranno.

– Sapesse come mi fa paura!

– Ma non è questa la prova schiacciante.

– Ah, no?

– No, la prova è il capello trovato sul corpo senza vita di Delia. Il test del DNA basterà a inchiodarla.

Il suo volto si contrasse mentre gli occhi lanciavano
lampi di odio puro.

– Lei mente.

– Il giudice è stato avvertito. Richiederà un test su
di lei, Pepita. Lei sa come funzionano queste cose, basta un capello, o un campione di saliva...

– Voglio chiamare il mio avvocato.

– È nei suoi diritti, lo chiami pure. Ma gli dica di
trovarsi in commissariato, perché lei è in arresto.

Alzò il ricevitore, poi lo rimise giù. Mi guardò e disse con foga:

– Io non ho ammazzato nessuno, ispettore, nessuno.

– Lei ha ucciso la piccola Delia. Come ha potuto?
Come ne è stata capace? Era una delle bambine che lei
doveva proteggere.

– E io l'ho protetta! Ho fatto tutto il possibile per lei!

– Ma l'ha guardato il suo corpo, Pepita? Un corpo
piccolo, senza vita, con gli occhi rovesciati all'indietro.
La cosa più atroce che io abbia mai visto.

– Le dico che non ho ammazzato nessuno, figuriamoci se ho ammazzato quella bambina! Cosa crede
che sia? Un mostro?

– Chi è stato, allora?

360

Lei si morse il labbro, esitò. Poi disse:

– Rosa, l'altra bambina. Non sono riuscita a impedirglielo. Glielo dirà lei stessa.

– Dove si trova?

– A casa mia, a San Pere de Ribes.

– Dove, esattamente?

– Nel quartiere residenziale La Solana. È una casa fuori dall'abitato, si chiama El Pinar. Andateci e chiedete a lei, interrogatela. Non ho potuto avvertirla, quindi sarà facile capire che non mento.

Chiamai Garzón e gli dissi di andarci lui, a casa della Loredano, con Yolanda e Sonia. Gli raccomandai la massima cautela. Pepita Loredano, invece, venne con me in commissariato. La lasciai a cuocere in corridoio, fra due agenti di piantone, perché avesse il tempo di riflettere. Dopo un'ora il viceispettore mi telefonò. La bambina stava bene. Erano dovuti entrare da una finestra perché non rispondeva al citofono. Chiesi a uno degli agenti in corridoio di portare dentro la signora. Di avvocati, neanche l'ombra.

– Non ne conosco – disse.

– Gliene spetta uno d'ufficio.

– Avviserò il consulente legale del centro. Immagino che provvederà.

– Va bene, lo chiami.

– Prima però voglio parlare con lei. Non ho niente da temere.

– Dica. La ascolto.

– Io non ho ucciso quelle persone, ispettore, davvero. Ma so chi l'ha fatto.

– Chi?

– Le bambine. Delia ha ucciso Guiorgui per vendetta. Sapeva che aveva costretto sua madre a prostituirsi e che era stato lui ad ammazzarla di botte. Ma prima ha ucciso Marta Popescu, perché aveva tradito sua madre. Alla fine, Rosa le ha sparato senza che io potessi far niente per fermarla.

– Un'altra vendetta. Tutto come un gioco, capisco. Ma andiamo per gradi. Lei, come è venuta a conoscenza della vicenda?

– Delia non era scappata da El Roure. L'avevo tolta io dal centro per accoglierla in casa mia. Qualcosa mi diceva che quella bambina era in grave pericolo. Sentivo che dovevo occuparmene personalmente e sottrarla all'ambiente da cui proveniva. Non appena le acque si fossero calmate, l'avrei riportata a El Roure. Poi però lei mi è scappata e ne ha combinate di tutti i colori. A cominciare dal furto della sua pistola.

– E Guiorgui Andrase?

– L'avevo assunto come giardiniere. Mi aveva detto che era clandestino e mi ha fatto pena. Invece era una canaglia. Si era messo a trafficare con le prostitute e a far soldi con affari loschi. Il lavoro da giardiniere gli serviva solo come copertura. E così l'ho licenziato in tronco.

Avevo voglia di accendermi una sigaretta, ma era proibito. Mi alzai e presi a passeggiare su e giù per l'ufficio. La Loredano mi osservava in silenzio. Era nervosa, la gamba destra le sussultava. Bambine assassine. Bambine infanticide. Non mi tornava, ma era così terribile che poteva essere vero. Piano, però, dovevo andarci piano, stare molto attenta, anche ai minimi particolari.

– Le operatrici del centro sapevano che Guiorgui era il suo amante?

– Non so di cosa stia parlando.

– Doveva essere un uomo straordinariamente bello. Lei ha buon gusto, Pepita, complimenti. Capisco bene che per un tipo così una donna possa perdere la testa. Avrei potuto perderla perfino io, dico sul serio. Certo, però, che arrivare al punto di uccidere...

– Le dico e le ripeto che io non ho ucciso nessuno.

– Per questo ha voluto parlare con me, anche senza avvocato? Sinceramente, lei mi delude. Mi aspettavo di più, soprattutto perché ormai non ha più niente da perdere.

– Io non sono un'assassina.

– E come è venuto in mente a Delia di rubarmi la pistola?

– Delia era sempre in giro, per la strada. Ha conosciuto dei bambini nelle sue stesse condizioni che ronzavano intorno al commissariato. Vedevano entrare e uscire i poliziotti e sognavano di avere anche loro una pistola. Pensavano che fosse facile rubarne una. Delia è passata dalla teoria alla pratica e c'è riuscita, per puro caso.

– Abbastanza convincente, lo ammetto.

– Era pazza di odio, ed era furba e agile come un gatto.

– Lei sapeva che Guiorgui aveva ucciso Georgina Cossu?

– L'ho saputo più tardi, quando me l'ha detto la bambina.

– E perché non ci ha avvertiti subito?

– Volevo proteggere Delia, per questo me la sono portata a casa.

– Così come ha fatto con Rosa Popescu.

– Rosa l'ho presa con me per dare una compagnia a Delia, per tirarle su tutte e due nel modo più sereno possibile. Non ho mai sospettato che potesse capitare una cosa del genere.

– Non le credo.

– Fa lo stesso. Ma è la verità.

– No. Ricominciamo da capo. Mettiamo un po' d'ordine in questo guazzabuglio. Lo farò io, non si preoccupi. Guiorgui Andrase ha lavorato per un po' come giardiniere al centro El Roure. Lei l'aveva assunto pensando che non avesse il permesso di soggiorno. Chissà perché. Forse perché ne è stata subito attratta. Poco dopo, è diventata la sua amante.

– Che sciocchezza!

– Non è affatto una sciocchezza. Anche perché lei se ne era innamorata. Lei lo adorava, Pepita, lo amava con tutte le sue forze.

– Ma è ridicolo, è…!

– Stia zitta! Lei si è innamorata come poche volte le era capitato in vita sua, e questa volta a fondo, fino al midollo. Si è innamorata quando ormai non si aspettava più niente dall'amore, e nemmeno dalla vita. E questa è un'esperienza molto forte, molto potente. Non le pare?

– Le proibisco di immischiarsi nella mia vita privata!

– La sua vita privata è diventata pubblica, adesso, come sono pubblici i delitti che ha commesso. Posso andare avanti? Solo che il suo Romeo non le raccontava tutto, e si era ficcato in qualche brutto affare. Le sue nuove attività erano così redditizie che alla fine aveva lasciato il modesto posto da giardiniere che lei poteva offrirgli. Poi c'è stata una retata, ma Guiorgui è riuscito a non finirci dentro. E meno male, perché avrebbero potuto accusarlo dell'assassinio di un'immigrata rumena, costretta a prostituirsi per saldare un presunto debito con l'organizzazione che l'aveva portata in Spagna. Ma ormai il suo amato aveva imparato le regole del gioco e si era messo in proprio. Un giorno le ha portato una bambina, figlia della donna che aveva ucciso. Al centro El Roure sarebbe stata bene, e poi non rappresentava un pericolo: si rifiutava di parlare e capiva appena lo spagnolo.

– Pensa di continuare a lungo con questa storia?

– Penso di arrivare fino alla fine. Ma lei non si preoccupi, perché ci siamo quasi. Guiorgui, il bel Guiorgui, un bel giorno commette un errore imperdonabile. E quando dico imperdonabile, lo dico nel senso letterale del termine, infatti lei non gliel'ha mai perdonato. Si innamora di un'altra e la lascia. La sua rivale è una donna forte e bella, giovane quanto lui, del suo paese. Una certa Marta Popescu. Un momento temuto, vero? Gli uomini sono degli ingrati. Lei aveva contravvenuto a tutti i suoi principi morali per amor suo, l'aveva accolto pur sapendo che era un criminale, e cosa ha ottenuto? Si è ritrovata piantata per una prostituta. No, non gliel'ha perdonato, neppure dopo morto.

Pepita Loredano aveva smesso di interrompermi. Sedeva in silenzio con gli occhi bassi.

– A quel punto lei si è portata a casa Delia, con lo stratagemma della finta fuga dal museo. Delia era una bambina difficile, ma aveva fiducia in lei, le voleva bene. Il vostro rapporto era molto più affettuoso di quanto non si vedesse in pubblico. Poi Delia ha rubato la mia pistola. Da tempo era una sua fantasia, una fantasia infantile, le aveva raccontato quanto sarebbe stato facile, e lei l'ha esortata a mettere in pratica il suo piano. E Delia, dopo averci provato diverse volte, immagino, è riuscita a trovare l'occasione ideale. Cosa che non mi fa onore. O forse Delia è perfino arrivata a casa, un pomeriggio, con una bella sorpresa per lei: la mia pistola. Finalmente tutte e due potevate vendicarvi. E così è successo. Lei ha studiato il piano, glielo ha spiegato per bene, e Delia ha sparato... a Marta Popescu. Facilissimo, un gioco da bambini. Era bastato convincere la piccola che Marta era sua nemica, che aveva tradito sua madre. Purtroppo era presente anche Rosa, quando Delia ha ucciso Marta Popescu. Era una testimone, e lei l'ha fatta sparire, portandosela a casa. Le è stato facile: il corpo è stato scoperto dopo diversi giorni. Così facile che non ha avuto problemi a completare la sua vendetta. Guiorgui è stato ammazzato la settimana successiva, per strada, come un cane. Lei non ha sparato, l'ha fatto il suo braccio armato, una bambina di appena otto anni, trasformata in killer professionista. Che gliene pare, Pepita, vado bene fin qui?

– Queste sono solo congetture, che dovrà provare – disse svogliatamente.

– Le proveremo. La figura dell'investigatore ha compiti precisi, previsti dalla legge. Vedrà. Ma passiamo all'ultima parte della storia: ormai lei si è vendicata e ha le mani pulite. I suoi delitti possono essere attribuiti a una bambina disturbata che si è ritrovata nelle mani una pistola e ha vendicato la sua mamma. Per confermare questa versione, lei ci manda un messaggio anonimo con il nome della madre di Delia. Adesso non le resta che sbarazzarsi della bambina, e l'esecuzione di quest'ultima parte del piano, purtroppo, tocca a lei. Mi dica una cosa, signora Loredano, che cosa si prova a uccidere un essere umano così piccolo, così fiducioso e indifeso?

La direttrice si contorse come un verme infilzato in uno stecco. Poi si irrigidì, tanto da non riuscire a parlare, e il volto le si coprì di larghe macchie rosse, fino alla base del collo. Alla fine le parole, soffocate dall'ira, le uscirono come sussurri rochi:

– Questo no, mai... Io non le ho mai fatto niente. Ho dedicato tutta la mia vita ai bambini. Non avrei mai potuto farlo.

– Strani i suoi sentimenti nei confronti dei bambini. Da una parte, ha passato la vita a occuparsene. Bambini perduti, abbandonati, senza una casa. Bambini che nessuno ama e che sembrano incapaci di amare. Eppure una parte di lei ne è disgustata. Li vede come il frutto di un mondo abietto, di un'esistenza miserabile, di accoppiamenti fra uomini e donne che rappresentano la feccia, il gradino più basso della scala sociale e della depravazione morale.

– Non è così! Rosa ha visto Delia uccidere sua madre. Sua madre l'aveva sfruttata, l'aveva maltrattata, ma lei la amava lo stesso. Riesce a capirlo, questo, ispettore? È stato perfettamente inutile spiegarle che sua madre le aveva fatto del male, tanto male, e che se fosse vissuta avrebbe continuato a fargliene. Quella donna l'aveva venduta per quattro soldi, se ne fregava di lei, la distruggeva; ma i bambini sono tutti uguali, alla fine la mamma è sempre la mamma. E questa è una cosa schifosa.

– È stata lei a dire alla bambina di sparare a Delia?

– Lei non vuole proprio capire, ispettore. Lei non le conosce quelle bambine! Crede che siano normali? Che siano creature allegre e simpatiche che hanno avuto la disgrazia di nascere da genitori orribili? Si sbaglia. Hanno un'eredità genetica incancellabile, sono vissute in un ambiente marcio, sono segnate a vita!

– Quindi è facilissimo persuaderle a uccidere.

– Rosa non ha detto niente dopo aver visto morire sua madre. Si è tenuta dentro tutto, come aveva sempre fatto. Mi ha ingannata. Io credevo che la situazione fosse sotto controllo, al punto che le ho lasciate sole per andare a lavorare. E un giorno, quando sono tornata a casa, Delia era morta. Rosa aveva preso la pistola e le aveva sparato. Ha fatto tutto lei. L'ho trovata seduta accanto al cadavere, non piangeva nemmeno.

Ho abbandonato il corpo nel parco, ormai non potevo fare altro.

– Una storia terribile, che però lascia spazio a non pochi dubbi. Come le è venuto in mente di tenere l'arma in casa, sapendo che avrebbe lasciato sole le bambine?

– Non potevo mica portarla qui!

– Che cosa pensava di fare delle bambine? Adottarle? Formare una famiglia?

– Le avrei tenute con me per un po', e poi le avrei riportate al centro. Sotto la mia supervisione avrebbero potuto prepararsi per una vita migliore.

– Lei mi commuove, signora Loredano.

– Ma se le sto dicendo la verità! Io non ho ucciso Delia, mi creda, non avrei mai potuto farlo. Io non ho avuto figli, né affetto, né amore. Quelle bambine erano tutto per me. Non se ne rende conto? Se, come ha detto lei poco fa, ho avuto bisogno di un'altra mano per sparare su persone che odiavo, come avrei potuto assassinare una bambina che si fidava di me? Come?

– Solo lei può sapere che cosa c'è dentro la sua mente. Le assicuro che io non riesco nemmeno a immaginarmelo, ma da quel poco che intuisco, so di non poterle credere. Nessuno le crederà.

Lei ricadde in preda a un'agitazione compulsiva. Il suo corpo tremò e cadde a terra scosso da convulsioni. Raggiunsi immediatamente gli agenti fuori dalla porta. Li pregai di chiamare un'ambulanza. Non volevo più saperne niente, avevo solo voglia di allontanarmi da quella donna, dai meandri angosciosi di una personalità ripugnante.

Uscii dal commissariato. Andai al centro El Roure. Prima di entrare, mi concessi un momento di riflessione. Nel giardino, i tulipani azzurri brillavano al sole. Cercai con lo sguardo la vecchia signora che aveva condiviso con me la sua tranquillità. Non c'era. Forse se ne era andata, o forse quel giorno aveva rinunciato alla sua razione di bellezza, di cui un tempo aveva fatto parte il bel giardiniere senza cuore. Strano, quel sovrapporsi di bellezza e malvagità. Ma forse nella vita tutto è così: aleatorio e ingannevole. Tutto mescolato, composito. La bellezza non implica necessariamente bontà d'animo, così come l'infanzia non è innocenza, né l'amore è sempre compassione. E così gli splendidi fiori che dondolavano alla brezza erano diventati la prova di un crimine.

Qualche giorno dopo appresi che la piccola Rosa Popescu aveva ammesso senza riserve di essere stata lei a sparare alla sua compagna di sventure. Non aveva mai cercato di nasconderlo. Disse di averlo fatto di propria iniziativa. Gli psicologi fecero di tutto per non traumatizzarla durante gli interrogatori, e rimasero molto impressionati dall'apparente tranquillità della bambina. Purtroppo, ormai sembrava non provare più alcun sentimento. Il suo sguardo era privo di espressione, come se nulla di quel che vedeva potesse interessarle. Si era salvata dall'orrore, ma nessuno poteva dire se un giorno sarebbe riuscita a fare qualcosa di più che vegetare.

Forse era stato del tutto inutile mentire a Pepita Loredano sul test del DNA. Nella sua abitazione venne ritrovato, ben nascosto, il cellulare di Guiorgui Andrase. Ma non mi pentivo di aver bluffato, quella menzogna era servita ad accelerare i tempi. La direttrice di El Roure continuava a negare di aver manipolato le bambine fino a spingerle al delitto. Ma prima o poi avrebbe ceduto.

Il commissario Coronas era soddisfatto, ma allarmato. Un caso così ricco di elementi scabrosi eccitò la stampa fino all'isteria. Fu tale la curiosità che il centro El Roure, il commissariato, e addirittura il carcere dove era reclusa la Loredano, dovettero essere circondati da un cordone di polizia. Solo quando ogni minimo aspetto del dramma fu sfruttato fino in fondo dai giornali, l'interesse venne meno, e la gente smise di pensare a reti di prostituzione, abusi sui minori e morbose vicende legate alla tutela dell'infanzia. Non so quali conclusioni potesse averne tratto, ammesso che sia possibile giungere a qualche conclusione riguardo al genere umano.

Dovrei dire che finalmente la nostra piccola squadra poté concedersi un periodo di meritato riposo, ma non fu così. Terminato l'orribile *tour de force* che ci aveva trascinati nel più intimo squallore, cominciò per noi un'insolita girandola di cerimonie che ci tenne a lungo in piena attività.

Le nozze di Yolanda

Mai una presunta assassina aveva tenuto in pugno il futuro sentimentale di tanta gente. Sembrava che l'intero organigramma del commissariato non aspettasse altro che il termine delle indagini per sposarsi. Coronas era su tutte le furie, ma non osava protestare perché tutto era finito bene. E così si permetteva commenti che solo a lui potevano sembrare del tutto innocui:

– A quanto pare non c'è niente come una bella serie di omicidi per scatenare un'ondata di amore collettivo! Mi lascerete il commissariato completamente deserto. Yolanda, Domínguez, Garzón, e perfino lei, Petra. Non riesco a crederci. In un primo momento ho perfino pensato che il matrimonio di Garzón e il suo fossero uno solo, e le confesso che ho avuto un attacco di panico.

– Perché? Le pareva un'unione così contro natura?

– Mi pareva un vero disastro! Non che siate il massimo come detective, ma il vostro tandem funziona piuttosto bene. Rompiscatole come siete, alla fine riuscite sempre a risolvere i casi che vi affido senza combinare troppi danni.

– Io direi che di danni non ne combiniamo affatto.

– Lei si limiti a ringraziare, visto che le sto facendo dei complimenti.

– Sissignore.

– Senta, Petra, non saranno fatti miei, ma... riguardo al suo matrimonio, ci ha pensato bene?

– Si riferisce al fatto che non sposo il viceispettore?

– Parlo sul serio. Le ho sempre sentito dire che, crollasse il mondo, lei non si sarebbe mai più risposata.

– Forse questa volta mi è parso che il mondo stesse crollando per davvero. No, non si preoccupi, so quello che faccio. Ho trovato l'uomo ideale, il solo con cui abbia senso tentare di nuovo.

– Ma, Petra, con il carattere che ha lei...

– Che carattere ho? Infernale?

– Solitario, direi.

– Ha ragione. Se non facessi il poliziotto, mi accontenterei di stare con Marcos, ciascuno a casa propria, come si usa adesso. Ma con il mio mestiere, e tutte le cose sgradevoli che mi tocca vedere ogni giorno, un po' di vita serena e convenzionale non può che farmi bene.

– Lo so che questo caso l'ha molto turbata. Ora che l'ha risolto, però, cerchi di non pensarci.

– Lei mi garantisce che non me ne capiterà mai più uno simile?

– Non posso promettierglielo.

– Da quanti anni è sposato, commissario?

– Una trentina.

– E sempre con la stessa donna?

– La mia generazione è più conservatrice della sua.

– E come ci si sente?

– Non male. Capisco benissimo quello che vuol dirmi. Ci sono giorni in cui il mondo ci appare in tutto il suo schifo, ed è bene avere vicino qualcuno che non vede mai tanta bruttezza. Quante volte un buon pranzo e una chiacchierata sulle piccole cose quotidiane mi ha salvato dalla depressione!

– Si tratta proprio di questo, infatti. Anche se il pranzetto assicurato io non ce l'avrò mai, perché sono una donna, e lei sa benissimo che l'uguaglianza dei ruoli nel matrimonio è destinata a rimanere un mito, più o meno come il mostro di Lochness.

– Petra Delicado, sempre sul piede di guerra come un samurai! Le auguro di essere molto felice, se lo merita. Tutti ci meritiamo di essere felici, che diamine!

Era un brav'uomo, il nostro commissario, bastava saper sopportare le sue sparate senza battere ciglio, cosa di cui Yolanda, meno esperta di me, non era ancora capace. Una settimana prima delle nozze arrivò piangente nel mio ufficio. Coronas le aveva detto che, una volta sposata, non si sognasse neppure di ridurre il rendimento, perché l'avrebbe subito rispedita fra i vigili urbani, a mettere multe per divieto di sosta. Cercai di tirarla su, ma senza compatirla.

– E piangi per questo?

– Nervosa come sono, ci manca solo che il capo mi rompa le scatole.

– Be', se sei davvero decisa a sposarti ti conviene abituarti fin da subito a rotture di scatole d'ogni genere.

Si mise a piangere ancora più forte. Era suscettibile e testarda come una bambina assonnata. Le battei sulla spalla:

– Su, Yolanda, riprenditi. Non lo vedi che sto scherzando?

– Tutti ce l'hanno con me! Lei crede che faccia bene a sposarmi, ispettore?

– Ma certo! Guarda me: mi sposo per la terza volta! Come puoi sperare di arrivarci anche tu, se non cominci dalla prima?

Scosse la testa e mi guardò come se mi prendesse per pazza. Poi scoppiò a ridere:

– Lei è incorreggibile, ispettore, glielo assicuro!

– Mi sento molto lusingata. Ti confesserò che avrei preferito esserti d'esempio. Ma hai tutti i diritti di esprimere la tua opinione.

È superfluo dire che ero invitata alle nozze, come quasi tutto il commissariato. Io, però, ero attesa anche al suo addio al celibato, ma mi sottrassi alla serata con la scusa che la mia presenza avrebbe messo in difficoltà le sue amiche, tanto più giovani e scalmanate di me. Il resoconto di Sonia, il giorno dopo, mi confermò che avevo fatto bene a rimanere a casa. A quanto pare tutto si era svolto nel più classico dei modi: sbronza generale, canzonacce da caserma, battaglia di noccioli d'oliva e, come ciliegina sulla torta, regalo collettivo di un enorme pene di peluche rosa. Molto più di quanto io potessi reggere senza perdere la compostezza.

Finalmente, un sabato a mezzogiorno, Yolanda e l'agente Domínguez si sposarono in chiesa, assecondando le tradizioni religiose del parentado. E lì ci trovammo tutti quanti: molti giovani poliziotti, Coronas con la moglie, Garzón con Beatriz, ed io con Marcos. La sposa, bellissima, era pallida e vestita di bianco. Lo sposo era impagabile, con il suo abito grigio perla e la cravatta a fiocco annodata al collo ossuto. Per la prima volta pensai che fossero una bella coppia, e mi parve perfino che Domínguez si muovesse con insolita scioltezza. Conclusa la cerimonia, la coppia fu bombardata di riso. I parenti ridevano e le madri piangevano come da copione. Il viceispettore brontolò al mio orecchio:

– Spero che con me nessuno si permetta certe buffonate!

– Stia zitto! Non si faccia sentire da Beatriz.

Beatriz, come la dea Cerere, spargeva riso da un sacchetto che sembrava senza fondo. Vide che la guardavo e mi fece l'occhiolino. Non aveva sentito una parola, ma conosceva bene i punti deboli del mio collega. A un certo punto, fra la folla di curiosi che assisteva all'evento, mi parve di scorgere Ricard. Forse fu solo uno scherzo della mia immaginazione.

Il banchetto, secondo l'usanza di tutti i paesi che hanno avuto un passato di povertà, fu pantagruelico. Mangiammo e bevemmo smisuratamente. Al momento del dolce, il commissario in persona tenne un discorso. Se l'era addirittura scritto su un foglietto, dal che dedussi che quell'esibizione gli era stata richiesta dagli sposi. Fu molto commovente, con la giusta dose di luoghi comuni sul contributo delle forze dell'ordine al bene della società, che diede all'evento un tono ufficiale. La signora Coronas, donna matura ma ancora attraente, faceva finta di nulla, come se tutta quella manfrina sulla legge e i suoi paladini non la sfiorasse minimamente. La trovai molto simpatica.

Nel frattempo, io tenevo d'occhio le reazioni di Marcos all'ambiente poliziesco. Mi parve addirittura affascinato dalla retorica castrense del commissario. Di occasioni per rimanere affascinato ne avrebbe avute molte, in futuro, quello non era che un blando assaggio dello stile imperante presso la nostra benemerita istituzione.

Dopo i brindisi mi si avvicinò Sonia, con la sua faccia da brava ragazza. Cercai di essere gentile con lei, per farmi perdonare tutti i rabbuffi passati.

– Si diverte, ispettore?

– Moltissimo! Spero che non ci farai aspettare troppo un'altra occasione come questa.

– Eh, ce ne vorrà ancora di tempo! Non ho nemmeno il fidanzato. Ma un giorno mi sposerò. Mi piacerebbe tanto sposarmi in Toscana, in una chiesetta fra le colline. Avrò un bel vestito bianco con guarnizioni gialle, e una corona di fiori freschi sui capelli.

Era riuscita a stupirmi, come sempre. Che senso aveva tanta precisione se non sapeva nemmeno chi voleva sposare? Doveva aver visto qualche filmetto per adolescenti decerebrati. La sua stupidità aveva il potere di mandarmi in bestia. Garzón, seduto accanto a me, vide profilarsi il pericolo e intervenne:

– Sarà una bellissima cerimonia, Sonia. Per andarci tutti quanti affitteremo un pullman.

Lei ne fu molto soddisfatta, e il mio vice mi mormorò all'orecchio:

– Un po' di pazienza, ispettore. Non siamo in servizio.

Poco più tardi si aprirono le danze, che continuarono fino a notte fonda. A un certo punto fui circondata dalle amiche di Yolanda. Lei ci teneva tanto a presentarmi a tutte loro, ma lo fece usando la formula «il mio capo» che mi lasciò un po' spiazzata. Yolanda doveva aver parlato loro molto di me, e con ammirazione, eppure leggevo sulle loro facce una certa prevenzione, come se fossero state avvertite: «È un po' fuori di testa ma è una tipa tosta». Non sapendo cosa dire, feci qualche domanda a caso, e per un attimo mi resi conto della fatica che opprime politici e regnanti durante le visite ufficiali. Garzón, certo più dotato di me per la diplomazia, fu subito circondato da ragazze che ridevano come matte alle sue storielle. Beatriz mi si avvicinò, orgogliosa come una madre il giorno dei diplomi:

– Hai visto Fermín? – mi domandò. – Sa essere incantevole con i giovani.

– Soprattutto con le fanciulle – specificai, strizzando l'occhio. Lei scoppiò a ridere.

– Non osavo dirlo, ma è vero. È un gran seduttore. Nessuno potrebbe definirlo un modello di bellezza mascolina, ma ha molto fascino. È sexy, non ti pare?

– Non so, io l'ho sempre visto come un collega.

La guardai con la coda dell'occhio: era incantata. Di sicuro Garzón, visto da lei, perdeva le sue caratteristiche da contadinaccio della Spagna profonda per diventare un vero Adone. L'amore è cieco, si è sempre detto, ma io credo che le immagini illusorie dettate dal sentimento abbiano a che fare più con la mente che con gli occhi.

La persona innamorata si trasforma in una macchina capace di volgere in positivo ogni aspetto del suo oggetto d'amore. Non vede più i difetti, e moltiplica per mille le virtù. Osservai Marcos, che si intratteneva amabilmente con il padre di Yolanda. Era un bell'uomo, e lo conoscevo così poco che non potevo minimizzarne i difetti né esagerarne le virtù. Avevo ancora un'idea nebulosa di lui. Ma ero sicura di amarlo, e di essere destinata anch'io a sospendere il giudizio. In condizioni normali avrei aspramente criticato l'ondata di buoni sentimenti che travolgeva tutti i miei collaboratori, eppure ora mi vedevo pronta a entrare a far parte del club. Mio Dio! Ero davvero disposta a perdere la libertà che mi aveva permesso di affrontare la vita con un bagaglio leggero? In quel momento Marcos mi sorrise, e il suo era un sorriso pieno di promesse di serenità e di affetto. Davvero molto opportuno.

Poi Garzón mi invitò a ballare. Era euforico e sudato.

– Mi hanno detto che Expósito lo sistemeranno per benino. Avrà tempo di farsi una cultura, in galera.

– Gli porterò qualche bel libro di tanto in tanto.

– So che ne è capacissima.

– Be', pare che la galera, come la chiama lei, debba rigenerare l'individuo, e i libri aiutano.

– Lei non riesce proprio a fare a meno del lieto fine.

– Ora che Pepita Loredano ha confessato, mi pare che al lieto fine ci siamo arrivati.

– Sì, ma nessuno è riuscito a farle ammettere che la piccola Rosa non avrebbe mai ucciso Delia se non fosse stata plagiata.

– Questa è una cosa che nessuno potrà mai sapere con certezza.

– E i libri, li porterà anche alla Loredano?

– Credo che chi uccide per motivi passionali sia molto più irrecuperabile di chi agisce per denaro.

– Ha ragione, ispettore. L'amore è una piaga sociale.

– Conclusione appropriata per un promesso sposo.

– Appunto per questo lo dico. Si rende conto, Petra? Me ne sto qui a gridare «viva gli sposi!» come un cretino, e fra qualche giorno ci sarò io, al centro di una buriana simile.

– Se può essere di consolazione, le ricordo che io sarò la prossima. E poi, non so di cosa si preoccupi. Non è la prima volta che si sposa.

– Un errore può capitare a tutti, non si sa a cosa si va incontro. Ma sposarsi due volte... Com'è stata la sua seconda volta?

– Per esperienza personale le posso dire che l'incoscienza si intensifica a ogni nuovo matrimonio.

– Allora stiamo freschi!

– La smetta di pensare a se stesso. Pensi a Beatriz, piuttosto. È una donna meravigliosa, e la adora.

– Questo è vero.

– Ci si sposa per essere felici, mentre bisognerebbe farlo per far felice l'altro. Se tutti la pensassero così, non ci sarebbero divorzi.

– Caspita, parla come un predicatore televisivo!

– Lo so, sono brava, ma non ho ancora convertito nessuno.

– Ma no, guardi Domínguez, non vede altro che la sposa.

– La cosa non mi stupisce, povero ragazzo.

– Ma cos'ha lei contro Domínguez?

– Niente, però quando vedo una coppia di sposi penso sempre che il fortunato è lui.

– Dirà lo stesso quando si sposerà Sonia?

– In questo caso farò un'eccezione.

Ridemmo fra noi. Garzón mi guardò negli occhi.

– Io, invece, farò eccezione per un'altra coppia.

– Si riferisce forse a me?

– Sia chiaro, ispettore, che lei mi piace così com'è.

– Be', nemmeno lei è così male. Ha le sue qualità.

– Come per esempio?

– È molto fortunato.

Gli scappò da ridere.

– Me lo aspettavo. Ma qualche difetto ce l'avrò pure.

– Sì, è un pessimo ballerino. Vuole concentrarsi per un attimo in quello che sta facendo?

– Va bene così?

E, di colpo, mi trascinò con piglio da Fred Astaire e mi fece girare e girare mentre la musica suonava all'impazzata un'aria da nozze campestri.

Le nozze di Garzón

Fermín Garzón, viceispettore della squadra omicidi della Polizia Nazionale era straordinario, in abito scuro firmato Pierre Balmain. Non l'avevo mai visto così elegante e discreto, con camicia e cravatta in tono.

– Santi numi! – esclamai, scorgendolo sulla porta del Municipio. Il giudice García Mouriños, accanto a lui, ebbe appena il tempo di dire:

– Non le pare un Petronio redivivo?

Il viceispettore mi lanciò un'occhiataccia e mi redarguì:

– Potreste almeno aspettare che finisca la cerimonia prima di prendermi per il culo.

– Non sto scherzando, caro amico – ribatté il giudice. – Sono sorpreso della tua eleganza. Che questo sia un abito di gran classe si vede lontano un miglio.

– Sì, l'abito è perfetto. Ma addosso a me è come un colossal visto in televisione.

Scoppiammo a ridere tutti e tre, mentre gli invitati si avvicinavano per congratularsi con lui. Mercedes Enárquez, la sorella di Beatriz, faceva da maestra di cerimonie, occupandosi delle presentazioni. I loro amici, per lo più persone di una certa età appartenenti alle migliori famiglie di Barcellona, vestite secondo le regole della più sobria eleganza, sembravano animate da una gran curiosità. Non vedevano l'ora di conoscere il poliziotto di cui si era innamorata Beatriz. Lo salutavano con formule di riguardo, cercando di non dare a vedere quel misto di fascinazione e diffidenza che sempre suscita chi fa il nostro mestiere. Garzón, molto nella parte, era disinvolto e cordiale. Sorrideva sotto i baffi e prorompeva continuamente in un «ma bene, ma che piacere!» che riassumeva tutti i luoghi comuni consueti in quel genere di situazioni. Suo figlio Alfonso non era potuto venire dagli Stati Uniti, ma aveva regalato agli sposi un viaggio a New York con tanto di soggiorno in uno splendido albergo. Lì, finalmente, si sarebbero rivisti.

La sposa, come di rigore, non era ancora arrivata. Mi rifugiai in un angolo col giudice, e proprio in quel momento arrivò Marcos, che quella mattina aveva avuto una riunione di lavoro. Lo trovai bellissimo in abito blu scuro, con gli occhi chiari leggermente disorientati.

– Mi sono già perso qualcosa?

– Non è ancora successo niente di irreparabile – rispose il giudice. Ero contenta che finalmente il mio fidanzato potesse conoscere un uomo dall'umorismo fuori del comune, di cui non avrebbe tardato a dare dimostrazione.

– Caro architetto, a quanto pare, da quando ha conosciuto la nostra cara Petra Delicado la sua vita si è trasformata in un periplo per tutti i matrimoni della città.

– Ora che me lo dice… devo ammettere che è vero. Ma credo che il finale mi darà ampia ricompensa.

– Ne sono certo, e la ringrazio per l'invito, l'ho ricevuto proprio ieri. Lei è un uomo molto fortunato.

– Questo mi fa onore – intervenni.

– Adorata Petra, anche lei è fortunata. Ma stia attenta. Il suo futuro sposo potrebbe spaventarsi, vedendo tutti questi scapoli con il guinzaglio al collo. Uomo avvisato, mezzo salvato.

– Nel mio caso, non c'è avviso che valga.

– Ha ragione. Farei anch'io come lei. Petra le ha mai raccontato di tutte le volte che ho chiesto la sua mano in questi anni?

– E che risposte ha ottenuto? Speranze, reticenze, rifiuti?

– Porte in faccia decise, e basta. Diceva sempre che si era già sposata due volte, che non credeva nell'amore, che la solitudine per lei era il bene più prezioso... Tutte storie, come vede, le è bastato trovare un uomo come lei.

– Senta, giudice, adesso non si lamenti. Non è mai stato serio nelle sue proposte. E poi lei è fidanzato. Quindi, se ci tiene tanto a sposarsi...

Marcos assisteva un po' attonito a quel botta e risposta. Presto avrebbe compreso la natura delle mie amicizie professionali, del perché ad alcuni dessi del tu e ad altri del lei, e di quanto fosse importante fra noi aggredirci per dimostrarci tutto il nostro affetto. Forse era un po' complicato, ma a poco a poco ci si sarebbe abituato anche lui.

Con una buona mezz'ora di ritardo (immaginai che si usasse così), arrivò la sposa. Per un attimo avevo temuto di vederla comparire con il tradizionale abito bianco. Ma non fu così. La classe di Beatriz non si smentiva. Indossava un semplice tailleur grigio scuro moiré con un grande fiore artificiale sul revers. Ma lo sguardo scintillante e i gesti ansiosi erano quelli di una giovane sposa. Provai un'enorme simpatia per lei, vedendola così piena di entusiasmo. Conservava la fresca ingenuità di chi non è stato maltrattato dalla vita. Certamente lei e Garzón avrebbero trascorso insieme il resto dei loro giorni, ciascuno immerso nella propria realtà. Il viceispettore sapeva bene che fra marito e moglie non è possibile né giusto condividere ogni cosa, e l'avrebbe tenuta fuori dalle bassezze cui spesso ci toccava assistere. La vita coniugale di un poliziotto presenta molte complicazioni in più rispetto a quella di ogni coppia normale. La vecchia convinzione secondo cui non dovremmo mai sposarci forse non è così esagerata come può sembrare. Eppure infuriava su di noi una vera e propria alluvione matrimoniale. Io stessa, dopo aver preso i voti perpetui di solitudine, mi avviavo alle nozze con un uomo che conoscevo superficialmente, pluridivorziato e carico di figli. La vita non è una strada che ciascuno di noi percorre facendo il possibile per giungere a destinazione con tranquillità, ma un percorso accidentato in cui ci gettiamo a capofitto domandandoci in ogni momento che cosa fare per non cadere. Una mia zia, che amava divertirsi, diceva sempre che le feste migliori sono quelle improvvisate. Speravo proprio che avesse ragione. E tuttavia, chi può assicurare che il matrimonio sia una festa?

La cerimonia fu breve ma emozionante. Gli sposi ascoltarono rispettosamente le formule di rito, e quando l'ufficiale di stato civile li invitò a darsi un bacio, mi accorsi che il viceispettore era commosso.

All'uscita, le congratulazioni furono discrete. Nessuno gridava «Viva gli sposi!» e questo in fondo mi fece un po' tristezza, tanto che mi unii ai colleghi che intonavano coretti satirici. Yolanda e Sonia avevano portato il riso, ma non osavano lanciarlo sulla coppia in mezzo a tutta quella gente così ben vestita. Fui io a invitarle a tirar fuori i pacchettini, e una pioggia di chicchi bianchi inondò gli sposi. Beatriz rideva come una bambina, e il viceispettore, radioso, diceva frasi sconnesse dimostrando tutto il suo imbarazzo e la sua felicità.

Furono distribuiti baci a destra e a sinistra. Quando Garzón mi si piazzò davanti, lo abbracciai senza inibizioni:

– Auguri, caro collega, per tanti e tanti anni.

– Mi sa che alle nozze d'oro non ci arriveremo, ma potremo accontentarci di qualche altro metallo.

García Mouriños gli diede sonore pacche sulle spalle.

– Anche quelle di legno vanno festeggiate. Forse che un legno nobile e intagliato non può essere prezioso quanto l'oro? Per non parlare del *lignum crucis*!

– Sei un poeta, giudice!

– Auguri, Fermín.

Tutti sembravano contenti, e credo lo fossero davvero.

386

Cenammo in una magnifica casa di campagna fuori Barcellona. Un menu sofisticato e delizioso scelto personalmente da Mercedes Enárquez. Al momento del dolce venne servita la tipica torta nuziale. Spiritosamente, il pupazzetto dello sposo era vestito da poliziotto. Andai a chiedere a Mercedes se fossero previsti dei discorsi.

– Pensavamo che parlasse il vostro capo, ma lui non se l'è sentita. Dice che non conosce quasi nessuno e che ha paura di fare una figuraccia. Credo che dovresti cercare di convincerlo, Fermín ci terrebbe tanto.

– Lascia fare a me.

Era vero, Coronas si sentiva un po' intimidito in quell'ambiente così distinto.

– Su, commissario, non si faccia pregare. Che cosa le importa di quel che pensa la gente?

– Lo stesso che importa a loro di quel che penso io. Per questo mi conviene star zitto.

– Ma è importante per Garzón.

– Lei crede?

– Ne sono convinta.

– In questo caso...

Coronas fu misurato e affettuoso. Elogiò le virtù professionali e umane di Garzón e gli augurò di essere felice accanto a una donna stupenda. Conoscendo Garzón, credo che gliene fu grato con tutto il cuore, malgrado la retorica di circostanza.

Poi intervenne un vecchio zio di Beatriz, che la chiamò «la nostra bambina». A giudicare dall'età, doveva essere sopravvissuto a molte battaglie della turbolenta storia spagnola. Dopo gli applausi, ci trasferimmo tutti in una sala dove un'orchestrina intonò vecchi ballabili.

– Che figata di ricevimento, ispettore! Si vede proprio che la tipa del viceispettore è carica di soldi – mi disse Sonia, un po' alticcia.

– Devi proprio essere così volgare? Potresti farlo un piccolo sforzo per adattarti all'ambiente, no?

– Oh, ispettore, mi scusi.

Marcos si stupì di quella reprimenda.

– Non sei stata un po' troppo dura con lei? L'hai trattata come una bambina maleducata.

– Il mio ruolo non è molto diverso da quello di una maestra di paese. Prima o poi ti ci abituerai.

Capì che forse avevo ragione, perché un attimo dopo Sonia tornava a parlarmi senza il minimo rancore.

Quando Beatriz e Garzón cominciarono a ballare, facemmo tutti cerchio attorno a loro battendo le mani. La felicità sui loro volti non dava luogo a dubbi, volteggiavano in un nirvana profondo ed esclusivo.

– Incredibile! – mi disse García Mouriños all'orecchio. – Lui che non faceva che protestare, adesso sembra nato per questo giorno.

– Tutti siamo nati per essere felici, innamorati e in armonia. Non è questo il senso della vita, giudice? Solo che quando le cose si mettono male ci intestardiamo a raddrizzarle.

– È vero, siamo testardi. Ma non so quanto siamo felici.

– Perché è così guastafeste, giudice?

– Non lo so, tutti voi che vi sposate in massa...

– Si sposi anche lei, adesso che Mercedes è sola.

– È probabile che andremo a vivere insieme, ma né io né lei ci sentiamo propensi alle unioni ufficiali.

– Be', essendo lei un giudice, la cosa mi pare un po' grave.

– Mah, lasciamo perdere. Che mi sposi o no, questa sera sono malinconico. Si ricorda quel film di Woody Allen, dove a una festa di matrimonio...

Un intervento divino mi liberò dalla cinefilia del giudice. Il ballo degli sposi era finito e Garzón si avvicinò. García Mouriños, naturalmente, gli cedette il posto.

– E allora, come ti senti, ora che sei ammanettato?

– Non mi scassare i coglioni, giudice. Per te è uno scherzo, ma io sono nei guai.

– Sciocchezze, vedrai che te la cavi. Basta essere pazienti e raccomandarsi a Dio.

Marcos era sorpreso delle nostre battute. Mi prese da parte e mi domandò:

– Ma davvero siete tutti nemici del matrimonio?

– Non farci caso! Abbiamo sempre fatto finta di appartenere a un esclusivo circolo di solitari. Come se solo noi conoscessimo i segreti di una vita felice: la libertà, l'indipendenza, la tranquillità...

– Ammetto di sentirmi un po' a disagio.

– Perché?

– Perché mi pare di aver fatto irruzione nel vostro piccolo mondo per mandare tutto all'aria.

– Ma guarda che stiamo solo scherzando! L'ottanta per cento delle cose che diciamo non è che divertimento senza conseguenze.

Sorrise.

– Mi sono imbattuto in un circolo piuttosto originale.

– Avere a che fare tutti i giorni con la morte è di per sé un'esperienza piuttosto originale.

– Non so se mi abituerò mai a sentirti dire certe cose.

Di colpo, lo presi per un braccio e lo guardai negli occhi.

– Marcos, c'è qualcosa che ti preoccupa? Pensi che dovremmo prenderci un po' di tempo per essere più sicuri?

– La mia risposta è no. Senza riserve. Anche se tu puoi aver pensato che...

– Niente affatto. Credi che una decisione del genere ammetta delle riserve?

– Non molte.

– E allora non parliamone più.

Yolanda e Domínguez, a un certo punto, avevano cominciato a gridare «Viva gli sposi!». Tutti risposero con gioia. In fondo non era necessario domandarsi mille volte di cosa fosse fatta la felicità. «Viva gli sposi!» gridai, come se inneggiassi alla squadra del cuore, e mentre il coro mi rispondeva a piena voce, Garzón mi sorrise di gratitudine.

Le mie nozze

Pochi mesi dopo, Marcos ed io ci sposammo. Stranamente, mi parve di assistere alle nozze di un'altra persona. Forse, a quel punto della mia vita, non vedevo più il senso di una cerimonia simbolica così solenne. Ma ormai eravamo lì, pronti a ratificare ancora una volta la possibilità della convivenza amorosa. Preferii lasciar perdere i pensieri teorici: il matrimonio è quello che è, e io avevo deciso di ritentare.

Il gruppo degli invitati era ridotto ma chiassoso. Tutti i miei amici del commissariato erano lì, felici nei loro abiti della domenica. Mia sorella era venuta da Madrid, e non solo per rappresentare la famiglia, soprattutto per divertirsi. Sentivo in ogni momento la sua risata in mezzo alla piccola folla. Andava pazza per García Mouriños, le pareva il perfetto esemplare della fauna di poliziotti e personaggi eccentrici che circondava sua sorella. Sapevo bene che per lei la mia vita era una sorta di commedia a forti tinte.

Intorno a Marcos c'erano i quattro figli. Federico, il più grande, che ancora non conoscevo, era tornato apposta da Londra, dove studiava l'inglese. Era un adolescente alto e serio. Non assomigliava per nulla a suo padre: più asciutto, più sereno, meno sensuale. Pareva un santo del Rinascimento. Mi bastò sentirlo parlare pochi minuti per capire che l'ironia di cui facevano sfoggio Hugo e Teo proveniva dal fratello maggiore. Era spiritoso, e questo mi piaceva. Non sembrava contrariato dal terzo matrimonio di suo padre, ma certamente si domandava che cosa avesse potuto trovare un uomo come lui in una poliziotta divorziata come me. In ogni caso non era troppo interessato alle metamorfosi della sua famiglia. A diciassètte anni una sola cosa cattura interamente l'attenzione: se stessi. Il mondo degli adulti appare assurdo, pesante, sciocco e privo di senso. Per lui, che io facessi il poliziotto o la guardia forestale doveva essere esattamente la stessa cosa. Immaginai che i suoi progetti per il futuro prevedessero un solo matrimonio felice per tutta la vita, oppure un'assoluta e avventurosa indipendenza. Ricordavo abbastanza bene i miei pensieri di gioventù da non stupirmi di niente. Ad ogni modo il ragazzo fu corretto ed educato, anche se la sua mente era molto lontana da lì.

I gemelli non erano ancora del tutto entrati nell'adolescenza, mostravano maggiore comprensione nei nostri confronti. Osservavano ogni cosa con grande interesse, sebbene avessero come principale obiettivo l'attraente buffet allestito da un'agenzia di catering. Ancor prima del colpo di pistola del via, studiavano attentamente i vassoi domandandosi da dove cominciare. Faticarono a trattenersi fino al momento in cui tutti ci trasferimmo nel giardinetto di casa, dove avevo fatto disporre i tavoli.

Quanto a Marina, era deliziosa, in un vestitino bianco con le maniche infiocchettate. Prudente e silenziosa come sempre, a un certo punto mi si avvicinò per domandarmi:

– È qui che staremo, quando verremo a trovarvi?

– Sì. Che te ne pare?

– Non ci sono camere per tutti.

– Il tuo papà sta lavorando a un progetto per ingrandire la casa.

– E avrò una cameretta tutta per me?

– Ma certo.

– Sai, io non voglio dormire con Hugo e Teo. Loro ascoltano sempre musica e mi disturbano.

– Non preoccuparti, abbiamo già pensato a una bella camera per te.

Quella dichiarazione parve tranquillizzarla. Quella bambina aveva un'intelligenza pratica molto superiore alla sua età. Diplomaticamente, ma con efficacia, aveva provveduto ad assicurarsi uno spazio vitale nella nuova situazione. Concluse il patto dicendomi, con un sorriso:

– Sei molto bella vestita così.

Avevo comprato per l'occasione un vestito azzurro scuro con un grande colletto sollevato. Mi dava un'aria da fata madrina, pur nella sua sobrietà. Desideravo che fosse molto diverso da quelli che avevo indossato ai miei precedenti matrimoni, mi pareva di buon gusto non ripetermi. La prima volta avevo un vestito di seta écru con un grande cappello. Per il secondo matrimonio mi ero lanciata in qualcosa di meno convenzionale: una provocante gonna a tubo rosso sangue combinata con un giacchino nero, di raso. Ora, non volevo trasmettere alcun messaggio con il mio abbigliamento, avevo scelto la discrezione. Era tutto diverso, in questo mio terzo matrimonio, in cui mi univo a un uomo su un piano di assoluta parità. Non sarei stata figlia né madre, soltanto moglie. E in più sarei stata circondata da un esercito di rampolli che non sapevo ancora come trattare. Ma non volevo farmene un problema: senza dubbio la strategia migliore era la naturalezza. Il futuro mi avrebbe dettato il da farsi. La regola d'oro della mia vita sarebbe stata rimanere il più possibile me stessa.

Mia sorella approvò senza riserve la mia scelta matrimoniale, e me lo fece sapere con la sua solita disinvoltura:

– Bel pezzo d'uomo, sul serio, anche se sembra un po' barboso, a dir la verità.

– Cosa vuoi che faccia, scusa, le scintille?

– No, ma pensavo fosse un po' più originale.

– L'originalità necessaria nel nostro matrimonio potrò mettercela io.

– E pensate di avere figli e tutto il resto?

– Amanda, santo cielo! Hai visto quanti figli ha già?

– Sì, però pensavo che voleste mettere su un collegio o qualcosa del genere.

Sempre la solita, mia sorella, ma almeno non mi faceva sciocche raccomandazioni sul futuro. Se fossero stati ancora vivi, i miei genitori mi avrebbero bombardata di consigli. Comprensibile, e illogico. Ma perché un terzo matrimonio non può essere considerato un atto di rinnovata fiducia nell'amore, invece che una nuova possibilità di fallimento?

Marcos mi osservava divertito. In contrasto con il suo razionalismo, era convinto che la nostra unione non si dovesse al caso, ma a una sorta di astuzia del destino che giocava a nostro favore.

Garzón purtroppo non aveva ripiegato sulla sua vecchia tenuta da gangster di provincia. Il suo vestito blu scuro di buon taglio rendeva evidente l'influenza di Beatriz sul suo stile. Questo, devo confessarlo, mi metteva un po' di nostalgia. Aveva abbandonato per sempre il suo ineffabile aspetto delle grandi occasioni? Che ne sarebbe stato dei suoi gessati da diplomatico d'oltre cortina, delle sue giacche rigide come scafandri, di quei pantaloni a vita alta serrati da una cintura di rettile tropicale? Non sarebbe più stato lo stesso, ormai, avrei dovuto abituarmi a vederlo come un uomo elegante e distinto. Ha ragione chi dice che tutti inevitabilmente cambiamo dopo il matrimonio. E, a ben pensarci, a che serve tanta ostinazione a rimanere uguali a se stessi? In realtà cambiamo sempre, continuamente. Che importa! L'intelligenza consiste nel capire che la vita è accettazione del nuovo, non accettazione rassegnata e dolente, ma nata dalla certezza di avere esercitato fino all'ultimo la nostra volontà.

Non so perché mi venne da filosofare tanto, quel giorno. In fondo una sposa dovrebbe pensare solo a mostrarsi felice e piena di trasporto. Sarà che il trasporto è uno stato d'animo che non mi si confà. Non so bene in cosa consista, anche se sospetto che il segreto stia tutto nel saper sorridere come un'oca giuliva.

I regali di nozze furono fra i più variopinti che avessi mai ricevuto in vita mia. Gli amici di Marcos, molti dei quali architetti, simpaticissimi, ci portarono lampade di design che potevano somigliare a tutto tranne che a delle lampade. Mia sorella si era messa in testa di trasformare la nostra camera da letto in un'alcova degna del maragià di Kuala Lumpur e della sua trentasettesima sposa: lenzuola di seta, copriletti di raso, un magnifico piumino d'oca per l'inverno... Quell'insistenza sul talamo nuziale sarebbe potuta apparire perfino sconveniente, ma io apprezzai moltissimo la sua attenzione alla nostra intimità.

García Mouriños e Mercedes Enárquez ci fecero arrivare, dal miglior negozio di liquori di Barcellona, due casse di champagne e ventiquattro *flûtes* di cristallo. Fermín Garzón e Beatriz ci donarono un divertentissimo quadro di Elisabeth Sabala raffigurante un'orchestrina jazz composta di signore bene in carne. Yolanda e Domínguez, per non smentire le origini gaglieghe di lui, si presentarono con un delizioso servizio da caffè di Sagardelos. E Sonia... Be', Sonia ci regalò un set per la pappa del bebè pensando al nostro primo nato. L'avrei strozzata. Ma mi limitai a sorriderle e a ringraziarla.

Il commissario Coronas, che ci aveva regalato un bel servizio da tavola, tenne il suo solito discorso. Ormai diventato un oratore quasi professionale, questa volta mise da parte i luoghi comuni. Ricordo perfettamente quello che disse:

– La nostra cara Petra Delicado ha finito per sposarsi. Ne siete tutti testimoni. Lo sposo è un uomo di valore a cui porgo le mie congratulazioni. Non posso negare di essermi un po' spaventato, all'inizio, temendo che il nostro ispettore potesse lasciarci, ma quando mi ha assicurato che sarebbe rimasta con noi, ho tirato un sospiro di sollievo. Forse sono un po' masochista, perché non esiste donna al mondo che più di lei abbia il potere di darmi sui nervi. Petra Delicado è attaccabrighe, ribelle, anarchica, testarda e, se mi perdonate l'espressione, una gran rompipalle –. I presenti scoppiarono a ridere. – Eppure tutti noi la apprezziamo. Dirò di più, siamo tutti un po' innamorati di Petra, e la ragione di questo nostro amore è che lei rappresenta l'essenza di quel che una donna deve essere. Per questo le auguro la più grande felicità, di tutto cuore...

Il giardino si coprì di una pioggia di applausi, mentre stampavo due sonori baci sulle guance del mio superiore. Poi Amanda alzò il volume della musica e diede il via alle danze. Marcos mi prese per mano e, con sorpresa di tutti, mi condusse davanti a Garzón.

– Viceispettore, credo che in nome dell'amicizia che la unisce a mia moglie, spetti a lei questo ballo.

Garzón lo abbracciò, e io ne fui felice. Era un pensiero davvero carino. Il mio collega ed io formammo ancora una volta una coppia, difforme e impossibile, ma sincera e affettuosa fino in fondo. Ballammo e ballammo entusiasti. Di sicuro non avremmo più litigato...

fino alle prossime indagini. Allora sì, allora tutto sarebbe tornato come prima. Ci saremmo lanciati frecce avvelenate convinti che quel che non ammazza... unisce. E avremmo di sicuro risolto anche il più complicato caso del mondo.

Vinaroz, agosto 2006

Indice

Nido vuoto

Questo volume è stato stampato
su carta Palatina
delle Cartiere Miliani di Fabriano
nel mese di aprile 2007
presso la Leva Arti Grafiche s.p.a. - Sesto S. Giovanni (MI)
e confezionato
presso I.G.F. s.r.l. - Aldeno (TN)

La memoria